DATE DUE			

SERIE INFINITA

M

DOS LUNAS

Care Santos

montena

El papel utilizado para la impresión de este libro ha sido fabricado a partir de madera procedente de bosques y plantaciones gestionadas con los más altos estándares ambientales, garantizando una explotación de los recursos sostenible con el medio ambiente y beneficiosa para las personas.

Por este motivo, Greenpeace acredita que este libro cumple los requisitos ambientales y sociales necesarios para ser considerado un libro «amigo de los bosques». El proyecto «Libros amigos de los bosques» promueve la conservación y el uso sostenible de los bosques, en especial de los Bosques Primarios, los últimos bosques vírgenes del planeta.

Esta obra ha sido publicada con una subvención de la Dirección General del Libro, Archivos y Bibliotecas del Ministerio de Cultura, para su préstamo público en Bibliotecas Públicas, de acuerdo con lo previsto en el artículo 37.2 de la Ley de Propiedad Intelectual.

 MINISTERIO
DE CULTURA

Diseño e ilustración de la cubierta: Departamento de diseño de Random House Mondadori / Judith Sendra

Primera edición: octubre de 2008

Printed in Spain – Impreso en España

ISBN: 978-84-8441-374-5
Depósito legal: B-37.503-2008

Compuesto en Fotocomposición 2000, S. A.
Impreso en Novagrafik
Vivaldi, 5. Montcada i Reixac (Barcelona)

Encuadernado en Imbedding

GT 1 3 7 4 5

El final

Año 3003

La asamblea más decisiva de la historia del Clan de las Dos Lunas, también llamado el Clan de los Albos, estaba a punto de terminar cuando todos oyeron unos pasos fuera. Algunos de los presentes cruzaron miradas asustadas. Hubo cuchicheos entre ellos. Alguien abandonó su lugar en la reunión. Rea, que estaba sentada en su sitial del estrado, dirigió una mirada de alerta a los maestros de ceremonias antes de levantarse. Poco después, mientras avanzaba con dificultad, oyó que uno de los líderes decía:

—Ignus nos ha traicionado. El mundo que hemos soñado morirá hoy con nosotros.

Los asesinos entraron en el lugar con la avidez de una manada de lobos. Iban armados hasta los dientes. Comenzaron a disparar antes de atravesar el umbral. El ruido era tan insoportable como la imagen de la sangre derramada. Por todas partes, los miembros del Clan de las Dos Lunas caían al suelo como muñecos de trapo. Los intrusos pisaban los charcos de sangre con las gruesas suelas de las botas militares sin dejar de disparar. En sólo unos minutos, el blanco de las túnicas había dejado paso al rojo de la sangre y la cripta había quedado sembrada de cadáveres apilados. Ni siquiera los niños consiguieron salvarse.

Cuando cesó el estruendo, la voz grave y amenazadora del líder del comando, al que todos conocían como Número 1, ordenó:

—¡Número 3 y Número 8, bajad a la cripta! Número 7 y Número 2, revisad los pisos superiores. Que Número 4 se quede en la puerta, vigilando. Y vosotros, Número 5 y Número 6, registrad el ábside. Nos reuniremos aquí de nuevo dentro de veinte minutos.

—A la orden, Número 1 —respondieron todos al unísono: seis voces graves y una sola voz femenina, la de Número 5, la única mujer del grupo.

Era imposible distinguir los rostros de los asesinos: todos llevaban la cara cubierta con máscaras antigás y un casco de soldado en la cabeza. El resto de su indumentaria se completaba con un mono militar, equipado con los últimos avances en autodefensa, botas y el arma reglamentaria, similar a una metralleta gigante, capaz de disparar cien proyectiles por segundo.

El cuartel general del Clan de las Dos Lunas estaba en la Ermita de la Cruz, una antigua iglesia románica, de planta octogonal delimitada por gruesos muros de piedra. Entre el suelo de mosaico y la bóveda se habían construido dos plantas más, donde los de las Dos Lunas guardaban uno de sus mayores secretos: una inmensa biblioteca plagada de tesoros. Si se miraba desde fuera, se observaba junto a la iglesia una gran torre coronada por dos enormes campanas de hierro.

Había sido construida en el siglo x por antiguos caballeros de una orden misteriosa. Por aquel entonces estaba en mitad de un campo de trigo tan extenso que parecía un mar amarillo. Luego todo cambió. La sequía lo arrasó todo. Los trigales se convirtieron en un gran desierto donde sólo quedaban el polvo y las rocas. Aunque esos eran detalles de una historia que los miembros del comando ignoraban por completo y que probablemente ya no sabrían nunca. Los últimos que conocían y amaban aquel lugar acababan de morir.

Número 3 y Número 8 bajaron a la cripta por una escalera oscura y empinada. Llevaban las armas en ristre, preparadas para disparar en cuanto algo les despertara el menor temor o alarma. No les hizo falta utilizarlas.

—Aquí sólo hay monjes muertos —dijo Número 3, señalando con su linterna a los sarcófagos de piedra que se amontonaban junto a las paredes. Había más de veinte.

—Este sitio no me gusta nada —dijo Número 8.

—Ignus nos habló de un mecanismo y de otra escalera… —dijo, mientras inspeccionaba el terreno.

Número 3 parecía muy seguro cuando se acercó a uno de los sarcófagos centrales y presionó un saliente de la piedra. Se oyó una especie de jadeo seguido de lo que pareció el ronquido de una fiera aprisionada. En realidad, era el lamento del viejo sarcófago al moverse. Comenzó a girar sobre sí mismo, dejando al descubierto otra escalera, más empinada y más oscura que la anterior, que conducía a otro sótano.

—Vamos —dijo Número 3—. Igual queda alguno escondido en los laboratorios.

Mientras tanto, no había centímetro de los pisos superiores que Número 7 y Número 2 no estuvieran iluminando con sus linternas de largo alcance. Tampoco allí quedaba rastro de los integrantes del Clan. Los dos soldados entraron en las salas de pruebas, en los laboratorios, en la zona de incubación, las cámaras frigoríficas, el aula de ordenadores. Del mismo modo que Número 5 y Número 6 fisgaron en la documentación cifrada de los archivos y observaron con asombro los miles y miles de volúmenes de la biblioteca.

—¿Tú sabes leer? —preguntó Número 5, observando la pared de libros que tenía frente a los ojos, y que su mirada no podía abarcar.

—Me enseñaron una vez, pero no me acuerdo —dijo su compañero.

Número 6 echó un vistazo a los tomos de los estantes más bajos. Antes de salir, Número 5 le oyó susurrar:

—No sabía que hace mil años aún se editaran libros.

Veinte minutos más tarde, como había ordenado Número 1, los miembros del comando volvieron a encontrarse en la nave central, rodeados por los centenares de cadáveres de sus víctimas inocentes.

—¿Y bien? —preguntó Número 1 a su equipo.

—Nadie en los pisos superiores —informó Número 7.

—En la biblioteca sólo hay polvo —anunció Número 6.

—Los laboratorios y la sala de ordenadores, despejadas —dijo Número 8, y añadió sonriendo—: Y en la cripta hay unos señores que llevan cinco mil años tiesos, je, je. —No pudo evitar que se le escapara una risilla.

Sus compañeros le miraron, aterrorizados.

Al instante, todos oyeron junto a su oído la voz atronadora de Nigro Vultur, el Ser Supremo. Sabían que siempre estaba vigilando, que las microcámaras que llevaban en sus cascos le mantenían al tanto de todo, pero hasta ese momento nunca se había comunicado con ellos.

—¡Número 1! —bramó el Supremo—, ¿no has advertido a tus hombres de que el humor está terminantemente prohibido?

—Sí, señor. Todos ellos fueron advertidos al terminar su entrenamiento.

—¡Pues está claro que Número 8 no lo comprendió bien! Lo cual significa que no es apto para el puesto. Recupera su arma, Número 1.

Número 8 comenzó a temblar mientras Número 1 se acercaba a él y le arrancaba la metralleta de las manos. La voz del Supremo volvió a resonar junto a todos los oídos.

—Ved bien lo que ocurre cuando no se recuerdan las normas, y grabadlo en vuestros cerebros de mosquito.

Se oyó un zumbido macabro, parecido al que emite un insecto al chamuscarse. Número 8 cayó al suelo, fulminado.

Todos se quedaron en silencio, mirando impávidos al compañero muerto.

—Espero que se os hayan pasado las ganas de reír. ¡Mis soldados no son payasos! —dijo Nigro Vultur.

Un sudor frío recorría la frente de Número 1 cuando prosiguió con la revista a sus hombres. A pesar de ello, hizo grandes esfuerzos para que no se le notara. El Supremo no perdonaba la debilidad:

—¿Alguien ha revisado el campanario? —preguntó, con firmeza.

—Está en ruinas, señor —informó Número 5—. No parece que nadie haya subido a ese lugar desde hace mucho tiempo.

—¿Quién ha examinado las escaleras?

—Yo, Número 1 —repuso Número 2—. Despejadas.

—¿El tejado?

—Yo he subido, Número 1 —contestó la voz de Número 7—. Nada que temer.

A pesar del incidente de Número 8, Número 1 tenía razones para sonreír con satisfacción, pensando en el modo en que Nigro Vultur sabría recompensarle por el éxito de aquella misión, la más importante que había comandado jamás. Si todo salía como esperaba, podría retirarse en unos cuantos meses y con los máximos honores, y sería admirado por todos los clanes del planeta, incluidos los soberbios ciborgs.

Estaba abstraído en esos pensamientos cuando pronunció las palabras que todos deseaban oír desde que entraron a formar parte de las unidades de elite del ejército. Las paladeó bien, pensando en el placer del Supremo y en la recompensa que obtendría por ello:

—El Clan de las dos Lunas ha sido completamente aniquilado, Ser Supremo. No queda ni un solo superviviente —sentenció Número 1.

No hubo respuesta desde el otro lado. Nigro Vultur no ordenaba nada. Número 1 hizo un gesto a sus soldados para que abandonaran el lugar lo más rápido posible. Él mismo se dirigió a paso ligero hasta su vehículo y conectó el motor.

Al salir pisotearon algunos de los cuerpos sin ningún escrúpulo. Los de los dos maestros de ceremonias se habían derrumbado junto al altar. En sus túnicas podía distinguirse aún la gran lechuza con las alas desplegadas, símbolo del Clan. Algunas parejas de hermanos habían muerto abrazados. También había madres aferradas a los pequeños cuerpos de sus hijos, a quienes intentaron proteger hasta el último momento. Y hombres fuertes, y ancianos sabios, y niños vivarachos. Ahora eran todos iguales ante la muerte.

Ninguno de los miembros del comando se dio la vuelta para observar lo que había ocurrido.

Ninguno, salvo Número 5.

Iba la última en la fila, por eso pudo observar los resultados de la matanza sin que sus compañeros sospecharan de ella. Si la hubieran visto, todos habrían pensado que se compadecía de sus enemigos. O que tal vez lamentaba lo que había hecho.

Se hubieran equivocado. Número 5 no se arrepentía de nada. Recordaba muy bien lo que le habían contado tantas veces: el Clan de las Dos Lunas era un peligro para la humanidad y debía ser exterminado. Sin embargo, sentía curiosidad, y eso la diferenciaba del resto de sus compañeros. Curiosidad por saber cuál era el misterio que hacía a aquella gente tan peligrosa, hasta el punto de que el mismísimo Nigro Vultur ponía tanto empeño en eliminarlos.

A ella no le parecían tan peligrosos. Más bien todo lo contrario: eran irritantes de tan pacíficos. Nunca levantaban la voz, nunca parecían ofenderse. En sus reuniones cantaban, leían fragmentos de algún gran libro o debatían en un perfecto orden. Tampoco sus enseñas parecían peligrosas: una lechuza blanca de alas extendidas lucía, bordada en plata, en los faldones de sus túnicas, también blancas. Era un símbolo inquietante, pero no parecía ninguna amenaza. Aunque, pensó Número 5, tal vez en eso precisamente radicaba su peligro: en su apariencia inofensiva y frágil. Le habría gustado hacerles algunas preguntas al respecto, pero sabía de sobra que era imposible.

Recordaba muy bien lo que decía el Reglamento:

Regla número 5:

Queda terminantemente prohibido entablar conversación con el enemigo, hacerle preguntas o tratar de recabar información sobre él.

«Claro. De aquel a quien tienes que matar es mejor no saber nada», comprendió Número 5, dando la razón a las normas.

Mientras se dirigía de nuevo a la puerta de salida pensó, con resignación: «De todos modos, no importa: esta gente ya no está en condiciones de contestar las preguntas de nadie».

En ese preciso momento oyó sonar las campanas de la torre.

El sonido la aturdió. Era muy fuerte y venía de lo más alto. La vibración hizo que le dolieran los tímpanos.

Junto a una de las puertas laterales de la iglesia vislumbró entonces una grieta que dejaba pasar un pequeño haz de luz. Por alguna razón, no la había visto antes.

Miró hacia afuera, en busca de alguno de sus compañeros, y se dio cuenta de que todos se habían marchado ya. De sus vehículos sólo quedaba la nube de polvo que se alejaba en el horizonte.

¿Podían las campanas empezar a repicar por sí solas?

¿Podía alguno de los miembros del Clan haber escapado a la masacre?

Ninguna de las dos cosas parecía probable, pero...

Dudó por unos instantes. No sabía qué hacer. Si subía al campanario, estaría desobedeciendo la orden de abandonar el lugar, y la desobediencia se pagaba cara en los comandos especiales. Pero si el sonido significaba que quedaba alguien en la torre, también estaría incumpliendo su deber.

Sabía que a Nigro Vultur no le gustaba la improvisación. Incapaz de decidir qué hacer, se detuvo un instante y miró hacia la puerta.

—¿Qué estás mirando, Número 5? ¿Por qué no has salido con los demás? —atronó en sus oídos la voz del Supremo, quien, como siempre, lo estaba viendo todo.

No le salían las palabras cuando trató de explicarse. Nunca pensó que tendría que hablar con el Supremo.

—La… La puerta está entreabierta, Ser Supremo. Y tañen las campanas —balbuceó.

—¡Sube al campanario inmediatamente! —ordenó la voz grave junto a su oído.

Se apresuró a obedecer las órdenes.

La parte baja del campanario era una pura ruina, pero mantenía en pie sus estructuras básicas. Subió los escarpados escalones tan rápido como pudo, procurando no perder el equilibrio. El sonido de las campanas era ahora ensordecedor. Pero había algo más. Una claridad extraña que venía de lo más alto, junto con una vibración. Ya no tenía ninguna duda de que había algo allá arriba.

En plena ascensión, echó un vistazo al desierto que se extendía a sus pies y reparó en que la nube de polvo ya era casi invisible. Sin perder tiempo, continuó subiendo. En el centro de la escalera se abría un agujero imponente, un hueco de varios pisos de altura. Cuando sólo le quedaban dos tramos para alcanzar la cima, reparó en que de pronto todo era diferente: los escalones estaban como nuevos y eran de mármol blanco. Las paredes brillaban, recubiertas de láminas de oro. En cada escalón había una inscripción. La del que tenía frente a los ojos decía:

Tempus edax rerum[1]

Uno más arriba:

Tempus fugit[2]

Uno más:

Tempus dolores lenit[3]

Y así hasta llegar al final. Le habría gustado leerlas, saber qué significaban aquellas palabras. Lástima que no recordara ni siquiera el sonido de las letras. También había un símbolo que se repetía una y otra vez, grabado en las láminas de oro y en los escalones. Parecía un ocho al que algún gracioso hubiera puesto en sentido horizontal:

Era el símbolo de lo infinito, aquel que indica que las cosas no tienen principio ni fin, porque son eternas. Aunque de todo

1. Del latín: «El tiempo devora las cosas». *(N. de la A.)*
2. Del latín: «El tiempo se escapa». *(N. de la A.)*
3. Del latín: «El tiempo lo cura todo». *(N. de la A.)*

esto, Número 5 no sabía absolutamente nada. Sólo lo que veían sus ojos. Y sus ojos le mostraban aquel símbolo repetido docenas de veces.

∞ ∞ ∞ ∞ ∞ ∞ ∞

De pronto le pareció oír algo que se movía bajo las campanas. Subió a toda prisa, apretando la ametralladora contra su corazón desbocado. Allí arriba una claridad cegadora lo envolvía todo. Las campanas continuaban sonando, cada vez con mayor intensidad, y una especie de zumbido eléctrico llegaba desde arriba, desde el tejado. Pero lo que la paralizó de pronto no fue nada de todo esto, sino una imagen mucho más sorprendente: era una mujer joven, vestida con la túnica blanca del Clan de las Dos Lunas. Estaba tumbada en el suelo. Junto a ella, entre sus piernas, distinguió un gran charco de sangre. En un primer vistazo, Número 5 creyó que estaba herida. Le hizo falta contemplarla mejor para comprender lo que le ocurría en realidad.

Un pequeño bulto se movía en mitad del charco de sangre sucia. La mujer tenía algo entre las manos. Lo trataba con mucho cuidado. También se dio cuenta de que estaba llorando. Miró bien, poniendo un poco más de atención. No comprendió del todo la escena sino un momento después: en realidad, la mujer acababa de dar a luz. Y no a un bebé, sino a dos. El primero, el que estaba en el suelo, era un niño de piel arrugada y azul, que justo en ese instante comenzó a llorar a todo pulmón. El otro parecía una niña. Su madre se afanaba por cortar el cordón umbilical que aún la mantenía unida a ella.

Número 5 contuvo la respiración. No podía dejar que su debilidad la cegara. Ni podía permitirse que se conociera su estado de ánimo. Por suerte, el Supremo aún no había llegado a controlar las pulsaciones del corazón de los comandos de soldados especiales, porque si lo hubiera hecho, en ese momento habría sabido que el suyo latía mucho más aprisa de lo normal, y que la razón tenía que ver con una de esas circunstancias personales que, según decía el propio Supremo, nunca debían afectar a la vida profesional.

Número 5 estaba embarazada. De poco tiempo aún, de modo que su embarazo no podía distinguirse. Para ella, en cambio, ya era un hecho real, tangible, su bebé ya era lo que más le importaba en el mundo, por encima de todo, incluso de ella misma. Sabía que el embarazo iba contra las normas y aún no se había atrevido a pensar qué iba a hacer cuando se le notara, y qué consecuencias podría acarrearle. Por fortuna, Nigro Vultur no sospechaba nada de todo eso. O eso creía ella.

La mujer terminó de cortar el cordón umbilical que la unía al segundo de los bebés. Nada más terminar de hacerlo, cubrió a sus hijos recién nacidos con el chal que llevaba sobre los hombros. Era blanco y tenía una lechuza bordada en hilo de plata.

—Gemelos… —murmuró Número 5.

—Eilne y Níe… —susurró la mujer del suelo, mientras besaba a sus pequeños antes de decir—: Hijos míos, ahora todo está en vuestras manos.

La mirada de las dos mujeres se cruzó un instante. Bastó para que ambas se quedaran paralizadas. La voz de Nigro Vultur rompió el hechizo resonando junto al oído de Número 5:

—¡Coge a esos niños albos inmediatamente! —le ordenó.

Número 5 avanzó hacia la mujer a grandes zancadas, pero antes de que pudiera llegar a ella ocurrió algo insólito. La madre clavó en Número 5 sus pupilas de un color verde muy brillante. Uno, dos, tres segundos de gran intensidad en que pareció que iba a decirle algo.

Luego arrojó a sus dos bebés al vacío.

Número 5 no pudo hacer nada por evitar que cayeran. Contempló la escena, aturdida, sin saber cómo reaccionar. No podía creer lo que acababan de ver sus ojos.

—¡Mátala! —le ordenó en ese preciso instante la voz del Supremo. Y repitió, completamente fuera de sí—: ¡Ejecútala ahora mismo!

Número 5 titubeó mientras apuntaba a la mujer con la metralleta.

La voz del Supremo, que sonaba ahora mucho más alterada, terminó con sus dudas:

—¿A qué estás esperando, soldado? ¿Es que no recuerdas cuál es el castigo para quien desobedece mis órdenes?

Número 5 pensó en su hijo. Cerró los ojos y disparó. Una, dos, tres veces. La túnica blanca se tiñó de rojo. Luego se asomó por el hueco del campanario, temerosa de tener que enfrentarse a la imagen de dos bebés estrellados contra el suelo, doce pisos más abajo. Sin embargo, no estaban allí.

Entonces, ¿dónde?

Las campanas parecían sonar cada vez más fuerte. La torre entera retumbaba con sus tañidos. El suelo temblaba bajo sus pies. Todo parecía a punto de derrumbarse. El extraño resplandor blanco lo llenaba todo.

—¡Salta! —gritó Nigro Vultur, aturdiéndola.

No supo qué hacer. Morir era lo último que deseaba en aquel momento de su vida. Y no sólo por ella.

—¡Es tu única salida, Número 5! ¿O has olvidado que una soldado no puede ser madre? ¡Sólo si saltas olvidaré que ese hijo va contra las normas y que nunca debería nacer! —amenazó Nigro Vultur.

¡De modo que el Supremo conocía su estado! Había sido muy ingenua al pensar que podía engañarle. ¿Era posible que las hubieran espiado, a ella y a Número 6, más incluso de lo que sospechaba? Ahora lo veía claro: no había nada que el Supremo no supiera. Ni siquiera podías enamorarte de alguien sin que hubiera otro controlando. Todos trabajaban para él.

—¿Has olvidado las Reglas, Número 5? —preguntó la voz atronadora.

Por supuesto que no. Nadie podía permitirse el lujo de olvidar las Reglas.

```
Regla número 1:
Cualquiera que se atreva a desobedecer las órdenes di-
rectas del Ser Supremo será ejecutado en el acto.
```

No tenía escapatoria. Cerró los ojos. Pensó: «Cuida de mí, Segunda Luna, y protégeme».

Y saltó sin saber adónde se dirigía, ni qué le esperaba al otro lado.

Lo último que oyó mientras caía al vacío fue la voz del Ser Supremo:

—Cuida de ellos, Número 5. Y espera instrucciones.

¿Lo último?

No. Le pareció que la mujer a la que acababa de asesinar movía los labios en silencio.

—Gracias —murmuraba.

Mientras caía al vacío y le cegaba la claridad sobrenatural, Número 5 creyó ver que se alzaba sobre el campanario una majestuosa lechuza blanca.

LAS SEÑAS DE LA LECHUZA
(AÑO 2012)

Senda (1)

Las densas nubes escondían el amanecer, que apenas despuntaba. Senda caminaba deprisa por el sendero de guijarros que conducía hasta la Ermita de la Cruz. El lugar estaba completamente desierto. Apenas había tráfico por la carretera. A lo lejos, un tractor recorría un sendero. Soplaba un aire helado que calaba los huesos. Olía a lluvia lejana y el cielo tenía un color plomizo, aunque aún no había comenzado a llover. De cuando en cuando, un poderoso rayo iluminaba la línea del horizonte.

Senda, que intentaba protegerse del frío cubriéndose con su chal de lana, empujó la pesada puerta de la iglesia y entró en la nave. El lugar estaba vacío y en penumbra, como de costumbre. Tanteó con la mano la pared junto a la entrada hasta dar con el pesado travesaño que servía para cerrar la puerta desde dentro. Lo había hecho otras veces, no suponía ninguna dificultad para ella. Deslizó el tablón de madera entre los soportes y se aseguró de que quedara bien sujeto. Con la certeza de que nadie iba a entrar detrás de ella, se dirigió hacia el arranque de la escalera que subía a la torre.

Estaba flanqueado por dos grandes portones de madera tallada. En cada uno de ellos se veía la imagen de un reloj de arena y una frase que Senda no comprendía, escrita en latín:

Tempus fugit

Senda empujó la puerta y comenzó a subir tan deprisa como pudo la empinada escalera. La parte baja estaba oscura y olía a humedad. Arriba, el frío era cortante como la muerte. Bajo las dos enormes campanas de hierro se abrían cuatro vanos desde los que era posible divisar varios kilómetros a la redonda. Hasta donde alcanzaba la vista, todo estaba teñido del amarillo pálido de los trigales. Al fondo, se extendía un espeso bosque de pinos. Más allá, sólo estaban las montañas y el cielo.

La tormenta seguía acercándose, pero aún estaba lejos. No tenía otro remedio que esperar. Senda se envolvió con resignación en su chal de lana y se sentó bajo el arco de una de las ventanas. Hurgó en uno de los bolsillos de su pantalón y extrajo un pequeño dispositivo electrónico, una caja rectangular que contenía un receptor de radio y del que salía un cable terminado en un auricular. Era el comunicador que llevaban todos los comandos militares especiales cuando estaban en alguna misión. A través de él se comunicaban con sus superiores y eran vigilados por el Ser Supremo, quien sólo muy raras veces se rebajaba a hablar con los soldados. Ella protagonizó una de esas raras ocasiones, y lo que ocurrió le cambió la vida para siempre. Fue sólo un paso, el necesario para dejarse tragar por el abismo iluminado del campanario, pero aquel paso insignificante la convirtió en lo que era ahora, y la apartó para siempre de su otra vida. Para ella sólo habían pasado doce años, los mismos que Eilne iba a cumplir muy pronto. Sin embargo, una distancia de siglos la separaba de todo lo que dejó atrás: su vida, su gente, su mundo, sus creencias… Aquella torre y la tormenta que se acercaba eran su único modo de comunicarse con el lugar del que había salido.

Senda ajustó el auricular en su oído derecho. Pulsó un interruptor en la caja rectangular y comprobó que se había encendido el piloto rojo. De inmediato oyó una especie de interferencia. Funcionaba. A pesar de que lo utilizaba sólo de vez en cuando, el transmisor no se había estropeado. «Menos mal», se dijo, pensando en lo perdida que se encontraría sin aquel pequeño artilugio. Lo guardó en el bolsillo, a buen recaudo, y cruzó los brazos pacientemente, dispuesta a esperar. Con un poco de suerte, el Ser Supremo ya habría recibido su señal y esperaría a que llegara el mejor momento para comunicarse con ella.

—Ojalá esté de buen humor —susurró.

Eilne (1)

Eilne apenas podía disimular su nerviosismo mientras se tomaba la leche con cacao del desayuno. Su tía no estaba en casa, pero les había dejado una nota sobre el mostrador de la cocina:

He tenido que salir.
No lleguéis tarde al autobús.

Estuvo pensando si contarle sus planes a su primo Jan, pero decidió que lo mejor era mantener su secreto. No quería comprometer a su primo ni obligarle a encubrirla. Imaginó lo mucho que se enfadaría con ella cuando lo supiera, pero se conformó pensando: «Algún día se lo explicaré, seguro que me comprenderá».

Eilne y Jan tenían una buena relación, a pesar de que eran muy diferentes. Ella era una niña inquieta, que se moría por salir de aquel lugar apartado, desértico y rodeado de trigales donde vivían, que soñaba con pasar una tarde entera en la ciudad en compañía de sus amigas y que odiaba las vacaciones sólo por el hecho de tener que quedarse en casa prisionera. Eilne no podía entender que su tía fuera feliz en un lugar como aquél, concentrada todo el día en su trabajo (tía Senda era ceramista), encerrada en su taller, sin más amigos que aquel hombre extraño y desagradable llamado Bat Lawinski, que la visitaba una vez a la semana para recoger todas las piezas de cerámica que ya estaban terminadas y traer más arcilla, más pintura y el dinero que necesitaban para mantenerse. Jan, en cambio, era muy feliz allí.

Para él, podría haber desaparecido el mundo exterior y todos sus ocupantes, con tal de que le hubieran permitido conservar su ordenador. Jan era el único hijo de tía Senda, sólo seis meses menor que ella, un loco de los ordenadores como no conocía otro. No tenía amigos (seguramente porque hablar en un lenguaje incomprensible formado por palabras como «gigabit», «megaherzio», «interfaz» o «terabite» no habían ayudado a hacerle muy popular) y nunca tenía ganas de salir de casa. Se pasaba los días frente a la pantalla y el teclado, dedicado a sus cosas, que nadie sabía muy bien en qué consistían.

En realidad, Jan era todo un experto en virus informáticos. No sólo en detectarlos y combatirlos, también era el inventor de unos cuantos. En los ratos perdidos, se dedicaba a enviar virus a los buzones de la gente que no le caía bien o intentaba acceder a los sitios más difíciles de internet, otro de sus pasatiempos favoritos. Solía decir que una vez estuvo en los archivos de la NASA (nadie pudo nunca comprobar si era cierto o no), y era todo un experto en descifrar contraseñas, aunque tenía mucho cuidado al utilizarlas, porque sabía bien lo que distinguía una gamberrada de un delito.

—Tú inventas bichos informáticos porque eres un poco bicho raro —solía decirle Eilne.

Las relaciones de Eilne y Jan eran las normales entre dos personas que se han criado juntas: se querían mucho, y en cuanto se separaban comenzaban a echarse de menos, pero cuando estaban juntos solían pasar el tiempo peleando. Además, en los últimos tiempos a Eilne le parecía que Jan había cambiado un poco y que hacía cosas raras, aunque él no quisiera admitirlo.

Eilne se aseguró de que su primo estaba en el cuarto de baño. En aquel momento no pensaba en las regañinas entre ellos ni en las rarezas de Jan, sino sólo en que sus planes salieran bien. Y para eso era necesario que él no se diera cuenta de nada. Por eso entró en su habitación procurando no hacer ningún ruido y una vez dentro sacó de la mochila todos los libros del colegio y los escondió bajo la cama, dentro de la caja donde guardaba los cuadernos en los que le gustaba pegar recortes que encontraba y también escribir lo que le ocurría. Todos menos el nuevo, el único que pensaba llevar consigo. Le daba mucha pena dejarlos atrás, pero pesaban demasiado para el viaje que iba a emprender.

Metió en la mochila la linterna, un par de camisetas, unos pantalones vaqueros, el impermeable, algo de ropa interior, el cepillo de dientes, un bote de dentífrico y un peine. En el bolsillo llevaba el mapa que la tarde anterior había conseguido imprimir en la hora de informática.

Antes de salir, quiso echar un último vistazo a su habitación. Su mesa, su cama, su silla, sus fotos en el corcho de la pared, su ropa… No tenía ordenador, porque tía Senda había decidido que con uno tenían suficiente para los dos, a pesar de que Jan pasaba todas sus horas libres ante la pantalla y de que el aparato estaba en su cuarto. Pero en fin… Eilne se había resignado a vivir sin ordenador, sin teléfono móvil y hasta sin reproductor de música. No porque creyera que esas cosas no eran necesarias, sino porque su tía no había accedido nunca a comprárselas, por mucho que ella había insistido e insistido. Era como si para tía Senda sólo existiera Jan. Y en cierto modo, era lógico: Jan era su hijo, y Eilne no.

La niña observó con tristeza por última vez el móvil de los planetas que colgaba del techo de su cuarto. Era un sistema solar formado por pequeñas esferas de goma sujetas con hilos de pescar. Había sido un regalo de una de sus mejores amigas, y durante mucho tiempo, observarlo la había ayudado a relajarse antes de dormir. Le encantaba ver la lentitud a la que se movían los pequeños planetas de plástico, pintados de preciosos colores, mientras ella conciliaba el sueño. Aquellas esferas eran lo último que había visto cada noche antes de que sus pupilas cayeran rendidas durante mucho tiempo: Neptuno, Urano, Saturno, Júpiter, Marte, la Tierra…

«¡Un momento! —pensó—. ¿Y Venus?»

No era la primera vez que Venus se desprendía de su órbita. Rastreó el suelo con la mirada y lo encontró junto a la pata de la silla: una pequeña esfera roja de plástico. Justo en ese instante oyó la voz de Jan que la llamaba desde el pasillo:

—¡Eilne, el autobús!

Cogió la esfera de Venus del suelo mientras pensaba: «Ya que no puedo llevarme todo el móvil, por lo menos me llevaré una parte». La guardó en uno de los bolsillos de su chaqueta vaquera y salió al encuentro de Jan.

Camino del colegio sintió muchas ganas de llorar, pero lo disimuló. Jan iba concentrado en repasar los verbos irregulares para un control con que había amenazado la profesora de inglés. Ni siquiera se despidió de ella a la puerta del colegio.

Cualquier otro día, a Eilne no le hubiera importado, pero en aquella ocasión sintió la necesidad de decírselo.

—¿Me das un abrazo de despedida? —le preguntó.

Jan la miró con gran extrañeza. Pareció dudar un momento, pero enseguida vio que se acercaba un grupo de amigos de su clase y dijo:

—Aquí no.

A Eilne le pareció que, en el fondo, era mejor así. Como si no pasara nada. Como si fuera un día como todos los demás. Esperó a que su primo desapareciera escaleras arriba acompañado por los pelotas de siempre (que solían acercarse a él porque era el empollón de la clase, además del delegado de curso) y sólo entonces comenzó la ejecución de su plan, que se había preocupado de trazar meticulosamente.

Tenía que esperar a que fueran casi las nueve. A esa hora, a poco menos de dos minutos del inicio de las clases, era cuando más gente cruzaba la puerta de entrada del colegio. Todo el mundo tenía prisa, todos los padres habían dejado el coche mal aparcado o debían irse a trabajar enseguida. Por eso se hacía muy difícil controlar a todos los que entraban o salían del edificio. Había un conserje que vigilaba, pero ni siquiera uno con seis ojos habría podido con semejante barullo.

Aprovechando ese desconcierto de primera hora, y valiéndose también de su pequeña estatura, Eilne se coló entre todos los apresurados. Procuró pegarse a la pared que quedaba en el lado contrario al puesto de vigilancia del conserje. Una vez allí, apretó el paso. Si nadie pronunciaba su nombre antes de que llegara a la calle, significaba que su plan había salido bien.

Con un poco de suerte, hasta la hora del recreo nadie preguntaría por ella ni descubriría que se había escapado. Disponía, pues, de unas dos horas. «No es mucho para una fuga», pensó.

Caminaba deprisa, apretaba los puños dentro de los bolsillos y procuraba no pensar en las consecuencias que tendría lo que estaba haciendo en el caso de que la descubrieran. Conteniendo la respiración, recorrió toda la calle de la escuela, dobló a la derecha, siguió caminando, cada vez más deprisa. Anduvo por unas cuantas aceras antes de comenzar a alejarse del centro de la ciudad.

Su objetivo era el parque zoológico. Había decidido empezar por hacerle una visita a una lechuza muy especial.

Cuando se hubo alejado del colegio lo suficiente, comenzó a caminar un poco más despacio. Respiró profundamente. Miró hacia atrás: nadie la seguía. Tal vez lo había conseguido. «Aunque no puedo confiarme. Cualquier cosa puede pasar en cualquier momento», pensó, precavida. No se equivocaba. A la entrada del parque se encontró con un vigilante con cara de antipático que quiso saber dónde estaba su madre, y le preguntó si a esas horas no debería estar en el colegio y qué hacía caminando sola por la calle. Por fortuna, Eilne ya había pensado en las respuestas a todas esas preguntas y salió airosa del interrogatorio:

—Mi madre está allí, esperándome —dijo señalando hacia un lugar impreciso donde había varias desconocidas—, no tengo colegio porque estoy convaleciente de una operación y camino sola por la calle porque mi madre me ha pedido que eche unos papeles en aquella papelera de allí. —Señaló ahora hacia un lugar mucho más definido que el anterior.

No habría sido capaz de decir cómo se le ocurrió todo aquello. Tenía el corazón a mil y apenas podía respirar, de los nervios, pero debió de sonar convincente, porque el guarda la dejó pasar, aunque sin demostrar ni un ápice de simpatía. Fue tan fácil como situarse frente a la cueva de Alí Babá y decir «Ábrete Sésamo». Una vez dentro, tuvo que consultar un mapa que había a la entrada del parque para saber adónde debía ir. A la derecha leyó: «Aves rapaces». Se dirigió hacia allí con paso decidido. Las enormes pajareras estaban al final del recinto. En ellas vivían docenas de aves. Pero estaba segura de que su lechuza se encontraría en un lugar muy visible. Ella, la lechuza, era la razón por la que se había escapado de casa.

«Cualquiera a quien se lo cuente pensará que me he vuelto loca», pensó.

No le resultó difícil encontrarla. Un enorme cartelón anunciaba la novedad frente a la gran pajarera. En él se leía: «Nuestro zoo acaba de enriquecerse con la llegada de este ejemplar de *Strix occidentalis caurina*. Origen: donación particular». Eilne no pudo evitar sentirse un poco orgullosa por lo que acababa de leer. Antes de que estuviera en esa hermosa pajarera llena de vegetación, la lechuza había vivido en su casa, bajo los atentos cuidados de su primo Jan y de ella misma.

En una de las ramas de los muchos matorrales que llenaban la jaula, descubrió a su lechuza. El animal observó a Eilne con indiferencia, como si no la reconociera. «Tal vez ya se ha olvidado de mí», pensó la niña, antes de entretenerse en la lectura del enorme cartelón que le quedaba delante de los ojos:

8. LECHUZA

Ave perteneciente al grupo de los estrigiformes o rapaces nocturnas. Son grandes cazadoras, de hábitos nocturnos y solitarios, que habitan en casi todas las regiones del mundo. Los griegos la relacionaban con Atenea, la diosa de la sabiduría, y la consideraban una diosa y pájaro, conocedora de los pensamientos de los hombres mientras ellos dormían. Para algunas culturas americanas muy antiguas, la lechuza estaba relacionada con los dioses de la muerte y algunos incluso creían que atraía la mala suerte. La realidad es actualmente muy distinta: las lechuzas son beneficiosas para nuestros campos, además de un símbolo de prosperidad y buenas cosechas.

Eilne sacó su cuaderno de la mochila. En él había escrito muchas cosas sobre la lechuza, desde el día en que Bat Lawinski la trajo a su casa, malherida. Fue la primera de muchas cosas increíbles, que ahora sentía la necesidad de recordar. Como no tenía nada mejor que hacer, y además era muy temprano, decidió sentarse entre unos arbustos y leer algunos de los fragmentos de su diario. Tal vez allí estaba la pista de lo que debía ocurrir a continuación. Porque si algo había aprendido Eilne en los últimos tiempos era que incluso las cosas más increíbles pueden hacerse realidad.

Los cuadernos de Eilne (1)

Cuando ya empezaba a temer que todo el mes de agosto iba a trans-
currir en un aburrimiento sin límites, ha ocurrido algo. Algo real-
mente extraordinario, maravilloso, hiperfabuloso, megaincreíble.

Bat llegó anoche, como siempre, para recoger las piezas que mi
tía tenía terminadas. Dejó el camión junto al porche y se dirigió al
taller, pero nos dimos cuenta enseguida de que traía algo entre los
brazos. Primero pensé que era un saco. Luego me fijé mejor y el co-
razón me dio un brinco: era un animal, un pájaro. Muy grande, de
plumas blancas... ¡una lechuza! Y estaba muy malherida, tanto
que apenas podía moverse (aunque de eso nos enteramos cuando co-
rrimos hacia allá). Bat dejó a la lechuza sobre la mesa del taller de
tía Senda.

—Llévatela —dijo tía Senda nada más ver al animal—. No so-
porto a esos bichos.

Las blancas plumas estaban todas manchadas de sangre. Tenía un
ala rota y una pata aplastada.

—La han atropellado. Ahí mismo, a la entrada de tu casa —explicó Bat a mi tía—. Es un verdadero milagro que aún esté viva.

Nos miró, nos guiñó un ojo y añadió:

—Tendréis que cuidarla hasta que se ponga bien, chicos.

Una gran sorpresa: al obseso de los ordenadores (es decir, a mi primo el bicho raro Jan) resulta que le interesan los seres vivos. Lo digo porque pareció muy contento con la propuesta de Bat, y enseguida aceptó el reto de cuidar del animal. Con mi ayuda, claro, porque solo igual no lo hubiera visto tan claro. Hacer las cosas entre dos, para Jan, consiste en que yo me cargo con todo el trabajo y él aparece en el último momento para apuntarse los méritos. Pero en el caso de la lechuza no me importó que hiciera eso. ¡Me encanta ese animal! ¡Es precioso! ¡Y no necesito a nadie para cuidar de él!

Mi tía no opinaba lo mismo y por un momento he temido que no nos dejara quedárnosla:

—Ni hablar —dijo—. Este bicho no se queda en mi casa.

Hizo falta un poco de insistencia de Jan para convencerla. Menos mal que lo hizo él, porque tengo comprobado que mi tía es completamente insensible a lo que yo le pido, por mucho que insista. Con su hijo, por suerte, siempre suele ser más blanda.

Además, una nueva intervención de Bat resultó decisiva:

—Piénsalo bien, Senda. Estos bichos son muy buenos para el campo y van muy buscados. Tendrás suerte de tener una lechuza aquí. Se comen a los roedores.

Mi tía dudó un poco más, como si quisiera mantener el suspense. Mientras tanto, la insistencia de Jan empezaba a parecerme sospechosa: ¿y si quería la lechuza para diseccionarla en un laboratorio?

—Bueno, está bien —cedió ella, por fin, como haciendo un esfuerzo—, pero que no salga del granero. Si la veo por aquí, yo misma la mataré.

Todos la miramos extrañados por esta última frase. Incluso Bat. Mi tía se corrigió:

—Quiero decir que no quiero que salga. ¿Entendido?

Durante un rato, fingí no estar enfadada con Jan para llevar la lechuza al granero. Le construimos un refugio con algunos cartones y un par de suéteres viejos. Le lavamos las heridas y le dimos jamón cocido para cenar (no lo probó, tal vez porque no le gusta el jamón). Parecía tan agotada que decidimos dejarla descansar hasta el día siguiente.

—Si no muere esta noche, es probable que le salvéis la vida —dijo Bat, antes de marcharse, después de cenar, con todas las piezas que recogió del taller de tía Senda.

Creo que esta frase tan macabra fue la culpable de que no haya popido dormir en toda la noche. He tenido pesadillas y me he despertado mucho.

Aunque lo mejor de todo es que esta mañana la lechuza continuaba viva. ¡Tal vez le hayamos salvado la vida y ya no va a morir!

Antes de que llegara la lechuza ya había tenido algún sueño incomprensible. Una vez soñé que estaba en algún lugar enorme como una catedral, repleto de gente. En las bóvedas había bonitas pinturas, pero no recuerdo qué representaban. Sólo que todos las miraban, embelesados. Estábamos en una ceremonia solemne. Había dos ancianos vestidos con túnica. Uno de ellos le estaba hablando a la multitud, que escuchaba en respetuoso silencio. Yo me encontraba en el estrado, junto a ellos, y la gente me observaba y sonreía. Era como si me conocieran. No, en realidad era como si me admiraran. No sé, me miraban de un modo que no era muy normal. Yo tenía algo que hacer, una especie de misión, pero no estaba nerviosa en absoluto. Toda aquella gente, por alguna razón, me inspiraba confianza.

Uno de los sueños de esta noche ha sido aún más desconcertante: me he visto a mí misma avanzando por un lugar extraño que parecía un museo. Había vitrinas que contenían muñecos que me miraban. De pronto alguien pronunciaba mi nombre. Me volvía a mirar y veía a una mujer de pelo muy claro y muy corto, sentada en una silla de ruedas. Yo no la conocía, pero ella parecía saberlo todo de mí. Me daba mucho miedo, no sé por qué. Avanzaba hacia mí sonriendo. Luego se levantaba el suéter y me enseñaba el final de su espalda, para que viera su marca. Tenía dos lunares en forma de medias lunas enfrentadas, una menguante y la otra creciente, más o menos a la altura de los riñones. Es decir, una marca idéntica a la mía, sin olvidar ni un detalle. Ella parecía saber que yo también tengo esa marca en la espalda, pero no decía nada. En aquel mismo momento, los muñecos comenzaron a moverse. Me he despertado sudando de angustia y, no sé por qué, lo primero que he hecho ha sido tocarme la marca de la espalda, para asegurarme de que seguía allí.

Por supuesto, seguía allí.

Luego he pensado: ¿habría tenido este sueño si la lechuza no hubiera llegado ayer a nuestra casa? Si no hubiera tenido este sueño, nunca me habría despertado de madrugada, ni habría ido a la cocina a beber un vaso de agua, ni me habría quedado quieta en mitad del pasillo al escuchar voces, ni habría espiado (sin proponérmelo) la conversación de tía Senda con Bat Lawinksi, ni me habría enterado de todas las cosas que sé ahora.

¿Pueden tantas casualidades suceder al mismo tiempo? Y, cuando muchas casualidades suceden al mismo tiempo, ¿aún son casualidades? Pienso que todo esto pueden ser sólo tonterías, pero no consigo apartarlas de mi mente.

Después del sueño tan extraño que acabo de explicar, me he despertado muy asustada, empapada de sudor. Me he sentado en la cama, he encendido la luz de la mesita y he intentado distraerme un poco mirando los planetas de mi móvil, que daban vueltas muy lentamente. Venus, Júpiter, la Tierra… me tranquiliza mirarlos.

Cuando comenzaba a calmarme ha ocurrido algo muy extraño. Uno de los planetas ha caído y ha comenzado a rodar por el suelo de mi habitación. El hilo que lo sujetaba se había roto de repente, con un «clinc» casi inaudible. Me he asustado tanto que en aquel momento no me he detenido a mirar cuál era el planeta que se había desprendido. Al volver a mi habitación he descubierto que era Venus.

Pero por la mañana, las casualidades continuaban. No hace ni media hora que he entrado a la cocina para desayunar y he encontrado a tía Senda muy interesada en una noticia que estaba anunciando la televisión. En la pantalla se veía un planeta de color crema, surcado por franjas más oscuras. La voz del locutor decía: «Científicos estadounidenses han expresado su preocupación ante lo que parece ser un cambio de órbita del planeta Venus provocado por el choque del asteroide Ragnarok. El asteroide, que fue desviado de su trayectoria hace ahora más de dos años, ha experimentado…».

Me parece un poco raro.

Sobre todo porque anoche, mi Venus particular también se salió de su órbita.

¿Será otra coincidencia?

Me he dado cuenta de que desde que llegó la lechuza (hace casi dos semanas) mis sueños raros son más frecuentes. Puede que no sean sueños, sino visiones, porque a veces también los tengo de día, cuando estoy despierta. A veces se parecen a los recuerdos. Pero es como si fueran los recuerdos de otra persona. Todo esto no se lo he contado a nadie, por miedo a que me tomen por loca. A veces, incluso yo pienso que me estoy volviendo loca.

Uno de mis sueños: llevo una túnica blanca. En la parte delantera lleva bordada en hilo de plata una lechuza con las alas extendidas. Camino por un pasillo de mármol blanco. Las paredes están repletas de relojes de arena. Cientos, miles de relojes de arena de todos los tamaños, por todas partes. Todo está muy limpio y muy brillante. El suelo me devuelve mi propia imagen. Al fondo hay una puerta de algún material que emite destellos. Detrás se ve una luz y se oye el ruido de muchas voces. Camino hacia allí. No voy sola, pero no veo la cara de mis acompañantes. No tengo miedo, aunque estoy un poco nerviosa. Toda esa gente me espera a mí. Yo estoy deseando conocerles. Antes de llegar a la puerta, todo se desvanece.

No tengo ni la menor idea de lo que significa este sueño.

Y uno más: una cara. Es una mujer que me mira fijamente. Es guapa, parece joven. Tiene los ojos de un color verde transparente. No escucho su voz, pero puedo leer sus labios, que me hablan en mitad de un estruendo enorme. Me dicen:

—Ahora todo está en vuestras manos.

Es el único de mis sueños extraños que no me da miedo, y ni siquiera sé por qué. Es como si conociera a esa mujer. Como si supiera que no me hará ningún daño.

Estoy segura: todo esto no es una coincidencia. Lo sé porque esta tarde he encontrado un chal en el granero.

Yo nunca hurgo en las cosas de tía Senda. Ella me lo tiene terminantemente prohibido desde que era muy pequeña, y yo nunca la he desobedecido. Tampoco lo he hecho esta tarde, por mucho que ella no me crea.

El granero está lleno de trastos viejos que llevan allí un montón de años sin hacer nada más que acumular polvo y más polvo. Yo no quería mirar en los cajones de la cómoda. Ha sido la lechuza la que me ha llevado hasta allí. Cuando le he dicho esto a tía Senda, que es la pura verdad, me ha dado un bofetón muy fuerte en la mejilla. Es ella la que insiste en que siempre le diga la verdad. Pero hoy me hubiera ido mejor con una mentira.

Lo bueno es que nuestra lechuza ya está casi recuperada. Si no, no hubiera podido volar hasta la cómoda. Bat nos ha dicho hoy que habrá que pensar adónde la llevamos cuando esté curada, porque aquí no puede quedarse. Es decir, que tía Senda se ha salido con la suya y le ha convencido. Ella sigue sin soportar a la lechuza, y eso que el animal no hace nada, ni perjudica a nadie. Es más: yo creo que se ha comido todos los ratoncitos que vivían en el granero, de modo que incluso se podría afirmar que nos ha hecho un favor encargándose de la limpieza. Pero es como si, haga lo que haga el animal, mi tía no vaya a cambiar de opinión. No lo soporta, y me parece un poco raro, porque a ella le gustan otros animales, como los periquitos, los perros, los gatos y hasta los topos que de vez en cuando aparecen por el campo y se comen todas las cosechas. Por cierto, Bat dice que la lechuza se comerá a todos los topos, si la dejamos en libertad, pero tía Senda fue rotunda:

—No quiero a esa cosa rondando por mi casa.

Está claro que hay que buscarle un lugar mejor donde vivir.

Pero volviendo a lo que ha ocurrido hoy: he entrado en el granero para darle a nuestra lechuza sus medicinas (nos las recetó el veterinario), y creo que se ha asustado cuando he abierto la puerta. Ha revoloteado alrededor de su refugio y luego ha recorrido el granero, un poco torpemente. Yo intentaba atraparla para devolverla a su lugar, pero sólo lo he conseguido cuando se ha posado sobre la cómoda, exactamente en uno de sus cajones, que estaba abierto (aunque tía Senda no me cree y dice que lo he abierto yo).

Cuando he conseguido capturar a la lechuza y sujetarla muy fuerte entre mis brazos, me he dado cuenta de que algo se había enganchado en sus garras afiladas. Era el chal. Estaba en uno de los cajones de la cómoda vieja. Al principio me ha parecido que era sólo un trapo, o algún retal de tela que le había sobrado a mi tía después de coser un mantel, o cualquier otra cosa. Ha sido luego, cuando lo devolvía a su lugar, que me he dado cuenta de que no era un trapo, sino una prenda muy delicada, de seda o de algo parecido, aunque muy gastada y llena de manchas. En algún momento, el chal fue blanco, aunque ahora el tiempo y la suciedad lo hagan parecer gris. Estaba bordado con hilo de plata que aún se distinguía muy bien. Lo he podido ver con mis propios ojos, y también la figura que representaba el bordado: una lechuza muy elegante con las alas extendidas.

La he reconocido enseguida, porque era la misma de mi sueño.

La lechuza ya está casi recuperada del todo. Sus heridas se han curado, y puede apoyar la pata, pero nunca podrá volver a volar como antes. Por eso no podemos dejarla en libertad, porque no pasaría mucho tiempo antes de que volvieran a atropellarla. Todo eso lo dijo el veterinario, y fue él quien se encargó de avisar a los responsables del parque zoológico de la ciudad, para que se hicieran cargo de nuestra mascota. Mañana vendrán a buscarla, de modo que ésta es la última noche que nuestra lechuza va a pasar en casa. Me acabo de dar cuenta de que ni siquiera le hemos puesto un nombre.

Esta noche estoy muy triste. Me gustaría que la lechuza se quedara para siempre. No quiero que todo vuelva a ser como antes. No soporto vivir en este sitio donde nunca pasa nada y donde sólo hay trigales y soledad. *A veces me siento como si estuviera prisionera de mi tía, como si ella fuera una especie de carcelera silenciosa encargada de vigilarme para que no me escape. Por eso tengo tantas ganas de escapar.*

Los del zoo han venido esta mañana. Han tardado casi quince días desde que el veterinario nos dijo que se la quedaban. Mi tía ya estaba histérica. Y más insoportable que de costumbre. Ayer se enfadó conmigo por dejar abierta la puerta del baño (y yo me enfadé con Jan por espiarme a través de la rendija). Mi tía siempre le da la razón a Jan y me regaña a mí. Pero la verdad es que Jan-el-espía tiene mucha cara. Además, estoy segura de que me vio la marca de nacimiento. Aunque luego disimulara, me miraba de un modo muy raro.

Pero volvamos a los asuntos importantes. Lo del zoo es perfecto. La cuidarán (a nuestra lechuza), la alimentarán y podremos ir a verla siempre que queramos.

Han llegado en una furgoneta. Dos chicas. Una rubia y otra pelirroja. Eran dos cuidadoras jóvenes, guapas y, además, gemelas. Bat Lawinski bromeaba acerca de esto. Lo típico de «¿Veo doble o es que sois iguales?», les ha preguntado. Las chicas han puesto cara de fastidio, de estar cansadas de responder una y otra vez a la misma broma tonta. La principal virtud de Bat Lawinski no es, desde luego, su agudo sentido del humor. Aunque, a decir verdad, no sé cuál debe de ser su principal virtud (no se me ocurre ninguna en este momento).

Se han llevado a nuestra lechuza en una jaula especial, después de protegerle las patas y la cabeza. Antes de despedirse, nos han regalado a Jan y a mí un par de entradas para visitar el zoológico cuando queramos.

—Venid a verla —han dicho—, así comprobaréis lo bien que vamos a cuidarla y lo bonita que es la nueva casa que le hemos preparado.

Me alegro mucho por la lechuza. Estará mucho mejor en su nueva pajarera gigante que en su escondrijo de cartones y suéteres, eso seguro. Pero nosotros nos sentiremos mucho más solos sin ella. Por lo menos yo, porque Jan se ha limitado a regresar a su ordenador y a no levantarse de allí en todo el día, como antes.

Menos mal que agosto se está terminando y que ya no falta casi nada para empezar de nuevo las clases.

Es horrible tener que desear que comiencen las clases para que ocurra algo divertido.

Ada se ha pasado las vacaciones en Italia, con sus abuelos. Regresó hace tres días y ayer vino a visitarme. Como regalo, me trajo una cajita de bombones de chocolate negro rellenos de avellana (qué bien me conoce). A pesar de que tía Senda me había prohibido comer frutos secos, no pude resistir la tentación. Procuré no masticar con la muela mala, pero me comí tres de aquellas chucherías deliciosas.

—Ahora, tienes que leer el envoltorio. En cada bombón hay un mensaje sobre tu futuro, al que debes hacer caso sin pensarlo. Son todos distintos. Ya verás que siempre aciertan —me explicó mi amiga.

Busqué los envoltorios de los bombones. En el primero leí:

«Sigue las señas de la lechuza».

—¿Qué significa esto? No se entiende —dijo Ada, consternada—. Lee el siguiente.

Miré el siguiente. Decía lo mismo: «Sigue las señas de la lechuza».

—No puede ser —dijo mi amiga, mirando en la caja, por si había un error que ella pudiera detectar—. No lo entiendo. En teoría, nunca se repiten.

—Pues éstos deben de tener algún defecto —dije, enseñándole el envoltorio de mi tercer bombón.

Ada lo leyó perpleja. Decía: «Sigue las señas de la lechuza».

Todos los mensajes de la caja eran iguales.

—Le diré a mi padre que escriba quejándose. Qué rollo —protestaba Ada, cada vez más indignada, como si aquello fuera algo por lo que valiera la pena enfadarse tanto.

Sobre la mesa, íbamos comiendo más y más bombones y los papeles con la consigna rara se amontonaban:

Sigue las señas de la lechuza.
Sigue las señas de la lechuza.
Sigue las señas de la lechuza...

—Si por lo menos fuera un mensaje que se pudiera entender… —dijo Ada, con la boca llena de chocolate y avellanas.

No quise decirle nada, pero para mí era perfectamente comprensible.

Tiene que ver con un sueño que se repite desde hace cuatro noches, exactamente desde el mismo día en que se marchó la lechuza camino del zoo de la ciudad.

La lechuza aparece en mi sueño. Es ella, la reconozco enseguida: tiene un ala inutilizada y cojea de la pata izquierda. Despliega las alas y me dice, hablando con voz de mujer, nítida y dulce:

—Sígueme, Eilne. Ven conmigo. Ha llegado el momento.

No me la quito de la cabeza. No sé adónde debo seguirla. Ni a qué momento se refiere. No sé nada. Estoy hecha un lío.

Eilne (2)

Eilne levantó la cabeza de sus cuadernos y vio que la lechuza la estaba mirando fijamente, como si de pronto hubiera reparado en su presencia.

—Es bonita, ¿verdad? Y distinguida —dijo una voz a su espalda.

Eilne se volvió hacia quien había hablado. Era una mujer. Tenía el pelo negro, muy corto, y llevaba gafas de sol. Nunca la había visto antes.

Asintió, sin saber qué contestar.

—¿Te has dado cuenta del número? —dijo la desconocida señalando hacia el cartel que Eilne acababa de leer—. El ocho.

Observó un momento, para ver su reacción, y añadió:

—Ya veo que todavía no te dice nada esa cifra. Aún es demasiado pronto. Te queda mucho por aprender, pequeña Eilne.

Eilne la miró, asustada, y se puso en pie casi de un salto. La desconocida sabía su nombre, y eso no podía significar nada bueno. Tal vez era alguien de la escuela a quien ella no conocía. Tal vez acababan de descubrirla y ahora la llevarían de vuelta a casa y su aventura se habría terminado antes de comenzar.

La desconocida continuó hablando como si nada.

—Debes saber, Eilne, que todo significa algo —dijo—. El ocho, por ejemplo. Puede que no te hayas dado cuenta, pero es un número simétrico, formado por dos mitades exactamente iguales. ¿Qué opinas sobre eso?

Eilne no opinaba nada, sólo que tenía mucho miedo y muchas ganas de marcharse de allí. Eso fue exactamente lo que trató de hacer.

—Tengo que irme —le dijo a la mujer, y echó a andar hacia el camino principal del zoo.

—Un momento. —La mujer la agarró fuertemente de la muñeca y la obligó a prestarle atención—. No he terminado.

Eilne sintió que su corazón galopaba con mucha fuerza dentro de su pecho. Tenía ganas de gritar, pero pensó que no podía hacerlo. Si alguien descubría que estaba allí, la devolverían de inmediato a casa de su tía.

Metió las manos en los bolsillos y apretujó la esfera de goma que representaba a Venus con todas sus fuerzas. Fue lo único que se le ocurrió hacer para mitigar su nerviosismo.

Continuó la desconocida:

—Fíjate bien en el número que le han asignado a esta lechuza que tanto te gusta. Se parece un poco a un reloj de arena, ¿no te parece? Y aún hay más, si prestas atención. Si lo miraras tumbado, sería igual a un símbolo que representa lo infinito. ¿Qué significa para ti lo infinito, Eilne? ¿Lo sabes?

—N... no —balbuceó Eilne.

Las preguntas se arremolinaban en su cabeza: ¿por qué aquella mujer le hablaba de ese modo? ¿Cómo sabía su nombre? ¿Por qué sabía que le gustaba la lechuza? ¿Qué otras cosas conocía de ella misma y de su vida? ¿Quién era? ¿Qué se proponía?

Antes de que pudiera pensar más o buscar una salida a la situación, la mujer del pelo corto consultó su reloj y le ordenó a Eilne:

—Dame la mano y compórtate como si fueras mi hija.

De repente, Eilne lo vio clarísimo. Pensó: «Me está secuestrando». En la televisión había oído hablar de gente que secuestra niños para enviarlos a países muy lejanos, donde los vende a padres que no pueden tener hijos. Seguro que la desconocida formaba parte de una mafia de secuestradores de niños y temió lo peor. La mujer le dio la mano con fuerza y comenzó a caminar en dirección a la salida del parque.

A lo lejos, distinguió un autobús escolar. Algunos niños estaban subiendo a él. Junto a la puerta esperaba una persona mayor, que debía de ser la profesora.

Eilne estaba pensando si debía pedir ayuda a aquella profesora cuando de pronto vio que la mujer de pelo corto le hacía señas a la otra.

«Están todos confabulados», concluyó.

—Vamos, corre, ¡vas a perder el autobús! —la apremió su acompañante, comenzando a correr en dirección al vehículo con grandes zancadas.

—Pero si ése no es mi…

—¡No repliques y corre! ¡Yo digo lo que te conviene!

No le quedó más remedio que obedecer. Tenía la impresión, además, de que si no hubiera corrido, la desconocida la hubiera llevado arrastrando.

Cuando llegaron a la altura donde esperaba la profesora, ésta dijo:

—Vamos, sube, por poco te dejamos aquí.

Entonces la desconocida se agachó, sacó de su bolso algo parecido a un paquete y lo metió en su mochila.

—Toma. Esto es un regalo para que te acuerdes de mí, a pesar de que hayamos estado tan poco tiempo juntas —susurró junto a su oído—. Y ahora, ¡sube al autobús! Y procura descansar un poco, lo vas a necesitar.

Eilne no comprendía nada. El conductor del autobús esperaba a que subiera para arrancar. No le quedó otro remedio. Subió los tres escalones y se dio la vuelta para ver qué hacía la mujer del pelo corto. Y, para su sorpresa, la encontró sonriente y diciéndole adiós con la mano. Miró hacia los ocupantes del autobús y todos le parecieron de lo más normal. Debían de ser escolares que regresaban a casa después de un día de excursión en el zoo.

«Ahora viene cuando me descubren y se arma una buena», pensó Eilne, paralizada de pronto.

Lo más curioso era que nadie parecía fijarse en ella. Como si se hubiera vuelto invisible.

Y entonces se dio cuenta de que debía seguir adelante. Además, le quedaba otra opción. Ocupó una plaza doble que aún estaba vacía. Nadie pareció extrañarse de que ella estuviera allí. Sólo una mujer, que se sentaba al fondo y tenía aire de vigilante, se limitó a regañarla un poco por hacer esperar al resto del grupo, y de inmediato le pidió al conductor que arrancara.

Eilne se dio la vuelta para ver si la desconocida seguía allí. La descubrió de pie en el lugar donde la había dejado. Por el movimiento de sus labios, le pareció que decía:

—Cuídate mucho, Eilne.

Antes de cruzar la puerta de salida del zoo, Eilne buscó en su mochila el paquete que le había dado. Lo abrió a toda prisa. Era una camiseta. Una camiseta naranja —su color favorito— en la que había dibujada una lechuza blanca como la suya.

Cuando volvió a mirar, la desconocida se había esfumado.

El autocar enfiló la avenida principal de la ciudad, rumbo a un destino que para Eilne era toda una incógnita.

Senda (2)

La lluvia había empezado a caer con fuerza sobre el campanario donde Senda continuaba aguardando. Las fuertes rachas de
viento que azotaban la parte alta de la torre arrastraban consigo un penetrante olor a vegetación húmeda. Senda, empapada, se esforzaba por envolverse en el chal de lana, pero el frío
la hacía tiritar. Con una mano, sostenía el auricular junto a su
oído, y trataba de mantener el micrófono en buena posición
junto a su boca. No sabía si se produciría la comunicación ni
cuánto duraría, así que lo mejor era permanecer alerta en
todo momento.

Un rayo cayó a pocos metros de la torre. El crujido la en-
sordeció. El trueno, que llegó enseguida, hizo retumbar todo
el paisaje. Precisamente en ese instante, oyó un zumbido más
fuerte junto a su oído. Había alguien al otro lado de la comunicación. Empezó a hablar de inmediato:

—Aquí Número 5 solicitando al Ser Supremo permiso para

comunicarse —dijo Senda, procurando que su voz sonara fuerte y clara.

Esperó un instante. Como no obtuvo respuesta, insistió:

—Aquí Número 5. Solicito permiso para comunicarme con el Ser Supremo.

Después de una interferencia que parecía cruzar la más inmensa de las distancias, una voz fuerte y cavernosa llegó hasta sus oídos:

—Habla, Número 5. Te escuchamos.

—¿Estoy hablando con el Ser Supremo? —preguntó ella, muy emocionada.

—¡No, imbécil! El Ser Supremo nunca habla con soldados rasos, a menos que sea muy importante.

—Éste es un caso muy importante —intervino ella.

—Eso lo valoraremos nosotros. Habla. No hagas perder tiempo al Supremo.

—Es sobre la niña. Están ocurriendo muchas cosas.

—Explícate, Número 5 —pidió la voz, tajante.

—Su marca en la espalda ha crecido y se ha hecho mucho más visible. Creo que ha descubierto que la tiene.

—¿Te ha preguntado por ella, Número 5? —preguntó la voz al otro lado.

—No, pero es porque no confía en mí como antes. En cambio, ha preguntado varias veces por qué tiene un ojo de cada color. Me ha pedido que le enseñe fotos de cuando ella nació. Y no deja de preguntar por su madre. Creo que está obsesionada. Creo que hasta sueña con ella. Yo ya no sé qué decirle. Por eso solicito instrucciones.

Hubo un silencio de un par de segundos antes de que llegara la voz inconfundible de Nigro Vultur, rugiendo como un oso gigante al que alguien acabara de despertar en plena hibernación:

—¡¿Estás diciendo que eres incapaz de controlar a una niña de once años?! —bramó como una fiera salvaje.

Senda sintió que había hablado más de la cuenta. Comenzó a temer por su vida. Cuando aún no les separaba una distancia tan grande, Vultur podía matarla a su voluntad con sólo apretar un interruptor. Ahora ya no estaba segura de hasta dónde llegaba el poder del Supremo sobre su vida, pero, por si acaso, no deseaba provocarle.

—Es… es una niña muy difícil, Ser Supremo.

—¡Y tú una adulta muy inútil! —respondió el superior, sin dejarle ni siquiera tiempo para dar explicaciones.

—Lo… lo siento, Ser Supremo. Sólo quería que me indicara cómo debo actuar. Han ocurrido cosas. Creo que trama algo. El otro día encontró el chal de su madre.

Al oír esta última frase, Nigro Vultur se enfureció aún mucho más. Ahora su voz llegaba con tanta fuerza a los oídos de Senda que la chica tuvo que apartar un poco el auricular de su oído.

—¿Que ha encontrado el chal de su madre? ¿Se puede saber por qué no lo escondiste en un lugar seguro?

—Lo escondí, Ser Supremo. No entiendo cómo pudo encontrarlo.

—Espero que no le hayas hablado de su madre, ni de lo que hicimos con ella —bramó de nuevo el Supremo.

—No le he contado nada, por supuesto. Pero cada vez resulta más difícil engañarla.

—¿Voy a tener que reemplazarte por otro soldado menos sensible y más competente que tú, Número 5?, ¿o voy a tener que encargarme yo mismo de que esa mocosa no vuelva a averiguar nada?

—No… no, señor.

—¿Dónde está ahora la niña?

—En la escuela, Ser Supremo.

Otro silencio enfadado llegó hasta oídos de Senda. A lo lejos, cayó un rayo que iluminó todo el firmamento. La tormenta se alejaba. La comunicación podía cortarse de un momento a otro.

—Ahora mismo enviaré a Bat Lawinski a la escuela a buscarla. Desde este momento, tu obligación será ayudar a Lawinski en todo cuanto te diga. Voy a encerrar a la niña en un lugar seguro, donde no pueda hacer preguntas ni encontrar cosas de su madre. Tú deberás encargarte de que no hable ni vea a nadie. ¿Me has entendido?

—Sí, Ser Supremo —asintió Senda con un hilo de voz.

—Escúchame bien, Número 5: la quiero aislada y sola. Una vez que esté aislada en un lugar oscuro, sólo tendrá sus sueños, pero no podrá contárselos a nadie. ¿Alguna duda?

Número 5 quería preguntarle si permitiría que los dos primos se visitaran de vez en cuando. No podía imaginar cómo iba a decirle a Jan que no podía ver a Eilne nunca más. No hizo falta formular la pregunta, porque como si le hubiera leído el pensamiento, Nigro Vultur vociferó desde el otro lado:

—Y si descubro que tu hijo la ha visitado o ha hablado con ella, le encerraré también, para que se pudran juntos. ¿Me has entendido bien, Número 5?

—Por supuesto, Ser Supremo.

—Lo que debes hacer es explicarle a tu hijo que no tiene ninguna prima, y que Eilne es sumamente peligrosa. Lo mejor que podéis hacer, tanto él como tú, es alejaros de ella lo antes posible.

—Entendido, Ser Supremo, a sus órdenes —respondió Senda, muy asustada por todo lo que acababa de oír.

Pero al otro lado ya no había nadie. La comunicación se había interrumpido. La tormenta también había acabado.

Eilne (3)

Eilne procuró pasar desapercibida en el autobús. Se acomodó en el asiento junto a la ventana y trató de concentrarse en el paisaje que iba desfilando frente a sus ojos, mientras los demás ocupantes del vehículo cantaban las típicas canciones de las excursiones. En la pantalla se proyectaba una película que no había visto.

Durante una hora y media el autobús recorrió carreteras inundadas de trigales, y también de olivos y girasoles. Dejaron atrás castillos y montes, pero Eilne no vio nada de todo eso, porque con las emociones de un día que prometía ser de los más importantes de su vida, no tardó mucho en quedarse dormida. Sin proponérselo, terminó por hacerle caso a la desconocida del pelo corto, que le había recomendado que descansara.

Como estaba dormida, no se dio cuenta de que el autobús entraba en una pequeña ciudad de provincias y se dirigía a la estación. Un grupo de padres se arremolinaba junto al hangar. El conductor maniobró limpiamente hasta colocar el vehículo en el lugar que le correspondía. Las puertas se abrieron y los escolares comenzaron a bajar. Los había que abrazaban a sus padres, felices de poder explicar la aventura que habían vivido. Un enjambre de gente pugnaba por recuperar sus mochilas de las tripas del autobús. Luego todos comenzaron a disgregarse. En sólo unos minutos, no quedó nadie en la terminal. Ningún viajero, ningún familiar esperando. En medio del silencio que reinaba en el lugar, el conductor se dispuso a hacer su trabajo de todos los días: recoger sus papeles, revisar que nadie hubiera olvidado nada en el vehículo, cerrar bien aquel gigante que conducía a diario por las carreteras de la provincia y entregar las llaves en la ventanilla.

Sin embargo, aquel día el conductor estaba cansado. Acusaba los síntomas de una gripe que comenzaba a ser evidente, le dolía la cabeza y la garganta. Un compañero se acercó a hablar con él de algún asunto de trabajo. Con la conversación, se olvidó de cumplir paso a paso su ritual de todos los días. Recogió los papeles, revisó los horarios, incluso retiró el rótulo que anunciaba «Servicio escolar» junto al parabrisas del autobús. Pero no se acordó de revisar uno por uno los asientos en busca de objetos perdidos. Si lo hubiera hecho, se habría llevado una buena sorpresa, ya que Eilne, ajena a todo el ajetreo de la llegada, seguía plácidamente dormida en el asiento doble. Como abultaba poco, y además se había hecho un ovillo, resultaba imposible verla desde el asiento del conductor. Y éste, llevando en la mano la carpeta con todo lo que necesitaba, y mientras seguía hablando con su compañero, bajó del vehículo, cerró con llave, echó un último vistazo tranquilizador y se dirigió hacia la ventanilla para cumplir con la última obligación del día.

Sólo alguien que estuviera viendo la escena desde fuera se habría dado cuenta de un detalle: el andén en el que el autobús había aparcado.

Era un número que para Eilne comenzaba a tener significado, aunque ella aún no lo sabía.

Un número simétrico, formado por dos mitades exactamente iguales.

Un número parecido a un reloj de arena.

Un número que, visto en sentido horizontal, recuerda al símbolo que se utiliza para lo infinito.

El autobús estaba aparcado en el andén número 8.

Jan (1)

Jan no se dio cuenta de la ausencia de Eilne hasta el momento de regresar a casa. Su prima no estaba en la puerta trasera de la escuela, donde siempre esperaban el autobús. Subió a buscarla a clase, pero tampoco la encontró. Por uno de los pasillos tropezó con la tutora de su prima y fue entonces cuando supo que Eilne no había entrado en clase.

—Ese amigo de tu madre ha estado aquí hace un rato, y se ha enfadado mucho cuando le hemos dicho lo que había ocurrido. Tu prima se ha escapado, Jan.

Jan recibió la noticia como una jarra de agua fría. Eilne siempre había sido una niña un poco especial, pero nunca la había imaginado capaz de escaparse. Se quedó tan sorprendido que soltó sin querer una frase entre susurros:

—Pero si esta mañana hemos venido juntos a la escuela… —balbuceó, sin pensar en las consecuencias que tendrían sus palabras.

Se armó un gran revuelo. La directora le pidió que la acompañara a su despacho. Llamaron a su madre. Mientras esperaban a que Senda llegara, la directora le hizo un montón de preguntas:

—¿Tú no sabías que ella planeaba escaparse?

—No.

—¿No te lo dijo?

—No.

—¿No te parece un poco raro, con lo unidos que estáis?

—Tampoco estamos tan unidos —se excusó Jan, encogiéndose de hombros.

—¿Has encontrado rara a Eilne esta mañana?

—Un poco rara, sí —reconoció—. Quiso abrazarme en la puerta, antes de subir a clase.

—Jan, esto va en serio, por si no te habías dado cuenta —le amonestó la directora, que no comprendía que también él hablaba en serio—. Si tratas de encubrir a tu prima, puede ser fatal para ella y para ti.

Su madre llegó enseguida, y parecía muy alterada. Lo primero que hizo fue arremeter contra los maestros y la directora por no haber descubierto mucho antes la ausencia de Eilne.

—Debería darles vergüenza descuidar de este modo los cuidados que deben a sus alumnos —dijo, y parecía más enfadada que nunca.

La tutora de Eilne también acusó a Senda:

—Y usted también debería reflexionar acerca de esto —contraatacó—, y preguntarse si se ocupa lo suficiente de la niña, si le da lo que ella necesita.

Senda se enfureció. Amenazó con denunciar a la escuela. Los

ánimos se caldeaban por momentos. Llamaron al conserje, que tuvo que acudir desde su casa, y le preguntaron —tres personas diferentes, y las tres con cara de malas pulgas— por qué no había visto a Eilne escapar. El pobre hombre se defendió diciendo que por las mañanas había mucha gente y estaba solo en la portería. La directora sugirió llamar a la policía. Tía Senda se negó. Para no levantar sospechas (o porque todo el mundo la miraba mal), dijo que lo haría ella misma si al llegar a casa no encontraba allí a su sobrina.

De todo lo que se dijo en aquella reunión, Jan sólo extrajo una conclusión: Eilne era muy lista y había conseguido salirse con la suya de una manera admirable.

Cuando los ánimos comenzaron a calmarse, y mientras la directora y la tutora de Eilne discutían acerca de cómo dar la noticia al resto de padres de la escuela antes de que se enteraran de cualquier forma, Senda salió un momento del despacho para llamar a Bat Lawinski desde su teléfono móvil.

—¿La has encontrado? —preguntó, procurando que nadie la escuchara.

Sólo Jan estaba atento a la conversación de su madre. Todos los demás discutían ahora sobre las medidas de seguridad que deberían adoptar a partir de ese momento.

Senda fruncía el ceño y se mordía los labios. Gesticulaba mucho y, aunque procuraba no gritar, se la veía más alterada que nunca:

—¡Esa niña no puede andar sola por el mundo! ¿Sabes lo que puede hacer? ¿Y lo que puede pasarnos si no la encontramos?

Jan no comprendía nada de lo que decía su madre, pero se dio cuenta de que las palabras de Bat Lawinski, que él no lograba oír, tenían sobre ella un efecto tranquilizador. Cuando colgó el teléfono, Senda regresó de nuevo a la reunión de la directora, el conserje y algunos profesores que habían ido llegando y anunció que tenía que marcharse a buscar a su sobrina. Parecía muy afectada y hasta logró que el conserje le dirigiera unas palabras dándole ánimos:

—A esta edad, se escapan sólo para llamar la atención. Seguro que cuando llegue a casa la encuentra allí.

—Dios lo quiera —se limitó a decir Senda, y añadió con un sollozo—: ¡No me atrevo a imaginar que le haya ocurrido algo!

También esas frases extrañaron a Jan, porque hasta ese día nunca había oído a su madre referirse a Dios, ni la había visto preocuparse tanto por su sobrina.

En el camino de vuelta a casa, Jan no abrió la boca. Tampoco su madre lo hizo. Parecía muy concentrada en sus propios pensamientos. Estaban a medio camino cuando le preguntó a su hijo:

—¿Hay algo que sepas y quieras contarme? Estás muy callado…

Jan saltó, indignado de que ni su propia madre confiara en él:

—¿Tú también piensas que me ha dicho algo? Pues no, Eilne nos ha engañado a todos, ¡y tampoco ha confiado en mí para contarme nada de lo que pensaba hacer!

Dicho esto, Jan volvió la cara hacia la ventanilla y fingió estar muy abstraído en el paisaje durante los sesenta kilómetros que aún les separaban de casa.

«Esto va a ser realmente difícil para él», pensó Senda.

¿Por qué Eilne no le había pedido que le acompañara? ¿Adónde pensaría ir? ¿Por qué no se lo había contado? ¿Acaso no confiaba en él? ¿Le creía un chivato, alguien que no sabe guardar un secreto? ¿Por qué le había dejado tan al margen de sus planes? ¿Y si realmente no le importaba nada separarse de él?

Todo eso pensaba Jan mientras se formulaba la pregunta más difícil de todas: ¿cómo se las apañaría ahora para no echar de menos a Eilne?

Aún en el coche se había atrevido a formularle a su madre dos preguntas que le preocupaban:

—¿Por qué no vamos a buscarla? ¿No vas a llamar a la policía?

La respuesta de Senda no se hizo esperar, y fue escueta y cortante como el filo de un cuchillo:

—Haremos lo que debamos hacer.

Una vez en casa, Jan fue directamente a su habitación. Decidió que se quedaría allí hasta el día siguiente. No tenía ganas de cenar ni de ver a nadie. No deseaba tener nada que ver con el mundo exterior, ese donde Eilne era ahora una sombra huidiza a quien su madre y Lawinski querían capturar a toda costa.

Se quitó los zapatos y se tumbó en la cama. Estuvo remoloneando durante un buen rato, incapaz de hacer otra cosa que no fuera pensar y sentirse desdichado. Dos sentimientos que se hacían más intensos a medida que pasaban los minutos. Por un momento, incluso le pareció que odiaba a Eilne por no haberle contado sus planes. Pero cuando metió los brazos bajo la almohada, las cosas cambiaron de pronto. Tropezó con una hoja de papel. La sacó, emocionado. Era la letra de Eilne. El corazón le dio un tumbo, mientras la leía con avidez:

Querido Jan:

No quería meterte en líos y por eso no te dije nada. Ojalá hubieras podido venir conmigo. De momento, sólo te pido que estés muy atento a lo que ocurre y que no me odies. No quiero que estés triste. Algún día te lo explicaré todo, todo (y alucinarás). Te quiero mucho.

Eilne

Fue suficiente para hacerle cambiar de opinión y también de ánimo. Saldría de su cuarto. Estaría atento a cuanto ocurriera más allá de las paredes de su habitación. A todo lo que dijeran su madre y Bat Lawinski. Desde ese momento, se acababa de convertir en un espía secreto al servicio de su prima.

Bat Lawinski llegó muy tarde. Lo primero que le preguntó Senda fue:

—¿La has encontrado?

Él, en cambio, fue directo hacia el taller, y por toda respuesta dijo:

—Vengo a buscar munición. Ya sé dónde está Eilne.

Senda le pidió que bajara la voz. No quería que su hijo se enterara de nada.

No podía ni sospechar que Jan estaba agazapado en la oscuridad, a pocos metros de donde ellos intercambiaban esas frases tan extrañas.

—Ni se te ocurra matarla —dijo Senda—. El Supremo la quiere sana y salva. No quiero ni imaginar qué podría pasarnos si…

Bat Lawinski la cortó en seco:

—Todo eso ya no es de tu incumbencia, Senda. Nigro Vultur te ha apartado del caso. Ya no tienes nada que ver con la niña. No te metas.

Pero Senda no se daba por vencida. Jan no podía ver lo que estaban haciendo, pero oía el sonido de mecanismos metálicos que se abrían y se cerraban, y el crujido de los armarios que su madre siempre tenía cerrados con llave, porque en ellos guardaba el disolvente, según decía. Jan empezaba a pensar que no era sólo disolvente lo que su madre tenía en su taller.

—¿Sabes dónde está? —preguntó Senda.

—Bastante lejos de aquí, pero no se mueve desde hace más de una hora —explicó Bat—. Lo cual, con un poco de suerte, significa que se ha quedado dormida. Ya es mía.

—Ten cuidado —le pidió Senda—. Aunque creas que todo está bajo control, no sabemos quién la guía ni cuál es su poder real.

«¿Quién la guía? ¿Cuál es su poder? ¿Munición? ¿Matarla? ¿De quién o de qué demonios están hablando?», pensó el muchacho, agazapado en la oscuridad.

—¿Puedo pedirte que me informes de lo que ocurre?

Bat Lawinski salió del taller y se puso justo en el centro de la luz, en un lugar donde Jan podía verle perfectamente.

—No —contestó, más secamente que antes—. Ya te he dicho que esto no es de tu incumbencia. Lo único que has hecho bien con la maldita niña es instalarle el microchip de localización en los dientes. Lo demás nos ha llevado a esta situación.

—Yo… —balbuceó Senda—, yo no podía suponer…

—Déjame pasar.

Bat Lawinski subió a su camión de una zancada. En las manos llevaba uno de esos aparatos de navegación por satélite que guía a los conductores. Seguro que tenía algo que ver con lo que acababa de decir del microchip de localización. Ese aparato era el que le decía dónde se encontraba su prima.

De pronto, Jan entendió por qué su madre siempre había tenido tanto interés por llevar a Eilne al dentista y en cambio a él no había querido llevarle nunca. También recordó que un par de semanas atrás, Eilne se quejó de que algo se le movía en una muela, pero le pidió que guardara el secreto para que Senda no volviera a llevarla al médico. Eilne odiaba ir al dentista con todas sus fuerzas.

—Que tengas suerte —dijo Senda cuando Bat Lawinski ya había cerrado la puerta de la cabina.

—No la necesito —le espetó el otro—. Va a ser lo más fácil que he hecho en mi vida.

—¿Qué ocurrirá cuando la encuentres? —preguntó de nuevo su madre.

El motor rugió como un dragón iracundo.

—Esa niña no sabe lo que le espera. Va a hacerse vieja en un calabozo oscuro y helado.

Después de decir estas palabras, Bat Lawinski pisó el acelerador y salió a la carretera. Dos segundos después, se lo había tragado la oscuridad de la noche.

Eilne (4)

En el andén número 8, Eilne abrió un par de ojos desconcertados. Durante los primeros segundos, no supo dónde se encontraba. Luego recordó: el zoo, la desconocida del pelo corto, el viaje en autobús, el aburrido paisaje que le dio un sueño tremendo…

Miró el reloj. Eran las ocho y media de la mañana. Un nuevo conductor había ocupado el asiento tras el volante. Junto a la puerta esperaban algunos viajeros. Llevaban maletas, algunas muy grandes, lo cual le hizo pensar que esta vez se disponían a realizar un trayecto largo. Si hubiera podido leer lo que decía en la parte delantera del vehículo, habría aclarado el enigma, pero por ahora salir de su refugio le parecía impensable. Todos se comportaban como si no la hubieran visto, de modo que era mejor permanecer allí y no tentar a la suerte.

Sus tripas rugieron como leones. Lo peor iba a ser soportar el hambre. No había comido nada desde el día anterior a la hora del desayuno. Tenía un hambre voraz. Aunque también se moría de ganas de ir al baño. ¿Cuánto tardaría el autobús en detenerse en algún lugar donde pudiera resolver los dos problemas?

Por suerte, los primeros viajeros en subir ocuparon algunos asientos de la parte delantera. La mayoría era gente mayor, y parecían formar parte de un mismo grupo de amigos, porque bromeaban entre ellos y se reían constantemente. Menos mal que luego subió una pareja con un bebé, un hombre con corbata y americana, un par de monjas con su hábito y hasta una mujer con una niña que debía de tener su edad, más o menos. Eilne suspiró de alivio: ahora ya sería mucho más difícil que la descubrieran. Poco después, el autobús arrancó y se puso en camino. Le hubiera gustado preguntarle a alguien hacia dónde se dirigían, pero debía procurar no levantar sospechas.

La primera parada fue en un área de servicio de la autopista. Eilne ya empezaba a pensar que reventaría de tanto aguantar las ganas de ir al baño, cuando vio que el vehículo se desviaba de su camino y paraba en una zona de sombra. Además, también aprovechó la parada para comprar un enorme bocadillo de queso. El pan estaba un poco duro, pero tenía tanta hambre que ni siquiera lo notó.

Con las prisas por llegar al servicio, a la salida no había reparado en el lugar al que se dirigían. Ahora pudo leerlo con tranquilidad en la parte delantera del autobús: era un nombre largo que parecía de persona y que no relacionó con ningún destino en particular. No le importó mucho. Era la primera vez que se sentía tranquila y segura desde que salió de casa el día anterior.

Se disponía a subir de nuevo al vehículo cuando se dio cuenta de que el conductor la miraba de un modo extraño, como preguntándose si formaba parte de los pasajeros que habían subido en su estación de origen. No había duda de que se trataba de un hombre muy observador. Eilne empezó a temer que la descubriera. Lo cual le vino a demostrar una vez más que no podía confiarse.

—¿Me enseñas tu billete, por favor? —le pidió el hombre, con una arruga dibujada en la frente.

Eilne no supo qué decir. Por hacer algo, mientras se le ocurría alguna idea genial, comenzó a registrarse los bolsillos.

Algunos viajeros se acercaban. Iba a ser la peor escena de su vida. O, por lo menos, la más vergonzosa: Damas y caballeros, pasen y vean cómo Eilne es sorprendida sin billete y denunciada a la policía o algo todavía peor.

—¿Ocurre algo, hija? —dijo precisamente en ese momento una voz femenina que estaba junto a ella.

El chófer levantó una ceja cuando preguntó.

—¿Es usted la madre de esta niña, señora?

—Sí. ¿Ocurre algo?

—La niña ha perdido el billete —explicó el conductor.

Eilne observó a la mujer: tenía el pelo rizado, largo y muy negro.

—Claro que no lo encuentra. Porque no lo he comprado —dijo la mujer, ante una Eilne cada vez más atónita. Y añadió—: Pensaba que los niños no pagaban.

—Eso es hasta los tres años, señora —dijo el chófer, con un tono más bien irónico—, y yo diría que esta muchacha tiene algunos más, ¿verdad?

—Pues claro que sí, va a cumplir doce muy pronto —rió la mujer, tal vez por disimular—. Lo siento mucho, ya veo que estaba completamente desinformada. ¿Puede usted venderme un billete para mi hija, por favor?

Mientras el conductor le entregaba el billete a la desconocida, Eilne reparó en que otra vez la ayudaba alguien a quien no conocía de nada pero que, en cambio, parecía saberlo todo de ella, ¡incluso la fecha de su cumpleaños!

Sin pronunciar ni una palabra, la niña ocupó su lugar en el autobús. La mujer, sin decirle nada, se sentó a su lado. El vehículo no tardó en arrancar y ponerse de nuevo en camino.

Eilne hubiera querido preguntarle muchas cosas a aquella desconocida, pero tenía demasiado miedo para hacerlo. ¿Y si era alguien a quien enviaba su tía para devolverla a casa?

La mujer sacó algo de su bolso y preguntó:

—¿Quieres un poco de chocolate? Es de nueces. Está buenísimo.

Eilne negó con la cabeza. Estaba tan asustada que no le apetecía. Pero la desconocida la miró fijamente por encima de sus gafas oscuras, acercó un poco más el chocolate y le ordenó:

—Come.

Eilne tomó un trocito y se lo llevó a la boca. Durante unos segundos, pensó que tal vez estaba envenenado, pero esos pensamientos se disiparon cuando vio a la mujer cortar un pedazo igual al suyo y llevárselo a los labios.

—Por cierto, me llamo Oliva —se presentó la desconocida.

—Supongo que ya sabes cómo me llamo yo, ¿verdad?

—Por supuesto. Sé muchas más cosas de ti de las que imaginas.

Eilne se atrevió a formular la pregunta que el día anterior no se había atrevido a hacerle a la mujer del zoo.

—¿Por qué? ¿De qué me conoces?

Pero Oliva se limitó a dejarse caer en el asiento, doblar las piernas, cerrar los ojos y responder:

—Cada cosa a su debido tiempo, querida Eilne. Aún no es el momento de las explicaciones. Relájate y disfruta del viaje.

—Ni siquiera sé adónde vamos.

—Te asombrará. Nos dirigimos a un monasterio. Está en lo alto de una montaña tan rara que no parece de este mundo. Es el lugar ideal para perderse y que no te encuentren nunca.

¿Alguien habría podido relajarse después de escuchar estas palabras? Eilne no, desde luego.

Jan (2)

Un impermeable, un paraguas plegable, tabletas de chocolate, un bote de agua oxigenada, una caja de esparadrapo, sus zapatillas de deporte, un paquete de galletas rellenas de mermelada de naranja, un diccionario de latín, una bufanda, una calculadora, su videoconsola portátil (que podía conectarse a internet), un pijama… Jan echó un último vistazo a su equipaje y procuró pensar qué se le olvidaba. Antes de cerrar la bolsa, sacó un pequeño dispositivo electrónico de un cajón de su escritorio. Era uno de esos lápices de memoria que sirven para guardar ficheros de todo tipo. El aparato tenía forma de rectángulo y estaba sujeto a un cordón. Se lo colgó al cuello. Contenía algunas fotos, un par de trabajos del colegio, algunos documentos repletos de tecnicismos y un par de programas que, bien utilizados, podían dejar un ordenador convertido en una caja de zapatos.

«Nunca se sabe en qué momento te puede hacer falta un

buen virus informático», se dijo el cerebrito de Jan, dando su aprobación al equipaje. En un bolsillo de la chaqueta llevaba la carta de Eilne. No quería separarse de ella por nada del mundo. Era todo lo que le quedaba de ella, y había descubierto que eso era mucho más importante que otras cosas que hasta ese momento le habían parecido fundamentales.

Una vez todo preparado, sólo hacía falta encontrar el momento adecuado para llevar a cabo sus planes. Por ahora, convenía no levantar sospechas. Debía comportarse como si no ocurriera nada.

Encontró a su madre sentada en un sillón junto al televisor apagado. Se mordía las uñas, como siempre que estaba realmente nerviosa. Se detuvo ante ella y la miró fijamente. Pero estaba tan concentrada en sus pensamientos que no reparó en su presencia hasta después de unos minutos.

—Ah, hijo, estás aquí. ¿Te vas a la cama?

—¿Por qué se ha escapado Eilne, mamá? —preguntó.

—No lo sabemos, Jan. Tu prima se ha comportado de un modo muy irresponsable pero, a pesar de ello, todos tenemos ganas de que vuelva a casa, ¿a que sí?

El tono de su madre nunca le había sonado tan falso. Se preguntó por qué mentía, por qué le ocultaba sus verdaderas intenciones, qué extraña influencia podía tener Eilne sobre ella para que pareciera tan asustada. Pensó que su marcha no haría que su madre se sintiera mejor, precisamente. Se sintió mal y por un momento estuvo a punto de deshacer su equipaje. Con la cabeza hecha un lío, dio las buenas noches y se alejó por el pasillo arrastrando un poco los pies. No se detuvo en su habitación, sino que continuó hasta el cuarto de Eilne. Escuchó con atención: su madre continuaba en el mismo sitio, tan ajena a todo que ni siquiera habría notado que se le caía encima el tejado.

Empujó el picaporte de la puerta. Se adentró en la zona prohibida. Si Eilne se enteraba de que había entrado en su cuarto, no le dirigiría la palabra nunca más.

Jan sabía perfectamente en qué lugar guardaba su prima sus mayores secretos. Ni siquiera tenía que registrar sus cosas (porque ya lo había hecho en anteriores ocasiones) para dar con la caja donde tenía sus cuadernos. Se arrodilló en el suelo, apartó un poco el edredón y extendió el brazo hasta dar con la superficie lisa y algo polvorienta de la caja. La sacó, retiró la tapa y abrió un par de ojos asombrados.

Se dio cuenta con sólo echar una ojeada de que, en su huida, Eilne no se había llevado casi nada. Incluso había dejado sus cuadernos a buen recaudo en el cofre de los tesoros escondidos (que lo estaban para todos excepto para él). Había por lo menos media docena de cuadernos repletos de anotaciones y recortes. Jan decidió confiscar todo aquello y abrir una investigación en toda regla. Siempre había sentido curiosidad por saber qué escribía Eilne sobre él. Ahora, por fin, tendría la oportunidad de saberlo. No estaba bien, pero su prima nunca iba a enterarse. Además, si leía sus cosas tal vez tendría alguna idea de dónde debía buscarla. La investigación lo justificaba. «Un investigador de verdad nunca tendría remordimientos de conciencia», se convenció, confiscando los cuadernos de su prima.

Abrió el último, buscó en los últimos días, y comenzó a leer:

Mi primo Jan es un asqueroso. Sabe que los sábados por la mañana me gusta darme una ducha tranquila, de esas que llenan el cuarto de baño de vapor. Tía Senda me tiene prohibido cerrar la puerta con el cerrojo, y él lo sabe. Hoy ha aprovechado que yo estaba distraída debajo del chorro de agua caliente, entretenida en mis potingues para el pelo, y ha abierto una rendija de la puerta para espiarme. Me he dado cuenta cuando he apartado un poco la cortina para coger el bote del suavizante. Sus dos ojos de caradura y parte de su narizota asomaban por la rendija de la puerta.

Le he gritado que la cerrara inmediatamente. Y creo que le he llamado asqueroso. Me ha hecho caso enseguida (creo que le he asustado). Estaba tan enfadada que he acabado antes de lo normal. Sin terminar de secarme he ido directa a su habitación y le he preguntado de qué va y por qué estaba mirándome. Creo que le he vuelto a llamar asqueroso.

Me ha dicho que él no estaba haciendo nada, que no se había movido del ordenador. ¡Encima, embustero! No sabía qué decirle, de la rabia que he sentido. Sólo se me ha ocurrido ir a contárselo a mi tía. No soy una chivata, nunca había hecho nada parecido. Pero lo más alucinante de todo ha sido la respuesta de mi tía. Después de quedarse pensativa un momento, ha dicho:

—Es culpa tuya, Eilne, por no echar el cerrojo.

¡Fue ella misma la que me prohibió que lo hiciera! Y ahora, con tal de no reconocer que su hijo es un caradura, contradice sus propias normas. Siempre igual, no sé ni para qué intento que tía Senda me dé la razón. Siempre, pase lo que pase, se la da a su querido niñito. Incluso si Jan me asesinara, mi tía creería que la culpa fue mía por dejarme matar. ¡Esto es increíble!

He sentido tanta rabia que he regresado al baño, he entrado de nuevo en la ducha y me he hartado de llorar debajo del chorro muy caliente. ¡En esta casa todos son injustos conmigo!

Jan pensó un momento en lo que acababa de leer. Tenía que reconocer que Eilne tenía razón. Recordaba muy bien aquella escena: él sabía que Eilne se duchaba con la puerta abierta (por órdenes expresas de su madre, que odiaba los cerrojos) y aprovechó para espiarla un poco. Luego lo negó porque no sabía cómo decirle la verdad: que había algo en ella que le fascinaba, sin que supiera explicarlo. Seguramente era la marca que su prima tenía al final de la espalda.

Era una marca bien curiosa: tenía forma de doble luna, una creciente y otra menguante, enfrentadas, perfectas. Nunca había visto nada parecido. Un par de veces había estado tentado de preguntarle a Eilne qué eran aquellas marcas, pero hacerlo habría significado reconocer que la había estado espiando. Por eso no podía hacerlo. Era más fácil preguntarle a su madre, y eso fue lo que hizo. Lo primero que le dijo Senda fue:

—Ya sé que has estado espiando a Eilne en el baño, y no me gusta nada. ¿Se puede saber por qué lo haces?

Jan no supo qué responder. Además, dijera lo que dijese, tenía la sensación de que su madre no iba a comprenderle. Con respecto a las marcas, Senda fue muy poco concreta:

—Hay mucha gente que nace con marcas de nacimiento —le explicó—, no tiene ninguna importancia.

—Pero yo no tengo ninguna —insistió Jan, intentando conseguir más información.

Su madre estrechó sus manos, le miró con esa dulzura que a él le parecía tan empalagosa y respondió:

—Es que tú no eres Eilne, cariño. Ni en esa ni en otras muchas cosas.

No se dio por vencido. No tenía nada que perder.

—¿Por qué sus marcas tienen forma de lunas? —preguntó.

Senda perdió la paciencia. Su respuesta definitiva tuvo un tono demasiado alto:

—¡Te he dicho que no vuelvas a espiarla en la ducha y punto, no hay más que hablar de este tema!

Una respuesta, por cierto, que convenció a Jan de que, en realidad, había mucho que decir del asunto. Otra cosa es que a su madre le apeteciera hacerlo.

Buscó otro fragmento del cuaderno de Eilne que hablara de él y continuó leyendo, lleno de curiosidad:

Hoy Jan me ha dejado el ordenador ¡durante casi tres horas! Y no porque él tuviera otras cosas que hacer, sino porque se ha dado cuenta de que existo, y que también tengo derecho a utilizarlo. He estado un buen rato hablando con mis amigas, ¡qué gusto! Me encantaría tener un ordenador propio, hace tiempo que lo digo, pero tía Senda me ha dejado claro varias veces que no piensa comprarme ninguno para mí sola. Aunque hoy, por primera vez, no me parece tan terrible compartirlo con Jan.

Mi primo es un fenómeno de la creación. Tiene sólo once años y medio y no es ni guapo ni simpático, pero tiene una inteligencia por encima de lo común, que le otorga un encanto especial. Creo que las chicas le dan miedo, así que ha decidido comportarse como si no existiéramos. No le interesa el deporte, ni los videojuegos, ni la tele. Le fastidia ir al cine y no le gustan las hamburgueserías. Encima, es el mayor empollón que ha habido sobre la faz de la tierra. A veces me pregunto si respira por pulmones o tiene branquias, como los extraterrestres de algunas pelis de miedo.

No me extrañaría descubrir algún día que Jan tiene membranas en los pies. Además, sería tranquilizador. Por lo menos, su extraño comportamiento tendría una explicación.

Después de leer este fragmento, donde Eilne demostraba conocerle mejor que nadie, Jan sonrió y pensó que había llegado el momento de actuar.

Salió sigilosamente del cuarto. Su madre seguía en el salón, en silencio, por eso convenía ser muy cuidadoso. Llegó hasta su cama sin hacer ruido, dejó los diarios en la mesilla de noche y se tumbó sobre el edredón. Ni siquiera se quitó las zapatillas. Siguió leyendo, empezando por el cuaderno más antiguo (que había sido escrito hacía unos tres años). Leyó aquí y allá, un poco desordenadamente, intentando encontrar detalles que resultaran importantes. También tomó algunas notas y llegó a algunas conclusiones. La más importante era que Eilne no era ni peligrosa, ni tenía ningún poder temible, como parecían creer su madre y Bat Lawinski.

Aunque no cabía duda de que era una persona especial, mucho más de lo que jamás habría sospechado. Una de esas personas que esconden algún secreto fascinante.

«Pero puede que ni ella misma lo sepa», pensó Jan.

Los cuadernos de su prima le tuvieron despierto toda la noche. Cuando llegó el amanecer, tenía más claro que nunca que debía salir en su busca.

Eilne (5)

Eilne se había vuelto a olvidar de su muela rota y había masticado por el lado equivocado. El chocolate de Oliva estaba delicioso. Lo comió con tanto entusiasmo que de nuevo sintió aquel «clac» tan desagradable y le pareció como si algo se hubiera resquebrajado al final de su mandíbula.

Había anochecido, y en el autobús todo el mundo acusaba las muchas horas de viaje. Casi todos dedicaban la última parte del trayecto a dormir, también Oliva. Eilne era una de las pocas que no conseguía conciliar el sueño. En su cabeza revoloteaban demasiados interrogantes: ¿hacia dónde se dirigían? ¿Qué encontraría al llegar al monasterio? ¿Y si había caído en una trampa y Oliva no era de fiar? ¿Cómo podía distinguir la gente en quien podía confiar de aquellos que sólo querían hacerle daño?

Metió la mano en el bolsillo de su chaqueta y extrajo el planeta Venus que se había desprendido del móvil de su habitación. Aquella esfera de goma, pintada de un bonito color naranja le infundía tranquilidad. La miró un rato y volvió a guardarla. Algo le decía que iba a serle útil en algún momento. Era sólo un presentimiento, pero lo sentía con una fuerza extraña. Aunque no podía evitar pensar que guiarse sólo por los presentimientos podía ser bastante peligroso.

Llegaron al monasterio por la noche, después de recorrer una carretera sinuosa que ascendía una escarpada montaña. Nada más salir del autobús, Eilne sintió el frío cortante en la cara. Vigilantes, las cumbres de las montañas se intuían como una presencia fantasmal. Eilne tuvo una mala corazonada: aquél le pareció un lugar perfecto para que ocurrieran cosas terribles.

Oliva se desperezó antes de bajar del autobús y le dijo, con tono jovial:

—Estoy deseando cenar, darme una ducha y dormir catorce horas seguidas, ¿tú no?

Eilne tenía más miedo ahora que se acercaban al final del viaje.

—¿Dónde vamos a dormir? —preguntó.

—He alquilado una habitación en el único hotel que hay aquí arriba. Te gustará, es un lugar confortable.

Eilne apenas tenía ganas de sonreír. El corazón le latía con fuerza. El frío la hacía tiritar. Siguió a Oliva por una calle ascendente que pasaba bajo arcos de edificios muy antiguos hasta la recepción del hotel. Todo estaba solitario, y en lo alto las cimas de las montañas parecían gigantes a punto de atacar.

La habitación que había alquilado Oliva era, en realidad, un pequeño apartamento con vistas a las cumbres. Tenía una cocina, con su frigorífico y su microondas, un dormitorio con dos camas, un baño casi tan pequeño como el plato de ducha que había en su interior y un salón con una mesa para cuatro comensales donde no faltaba ni el televisor.

—¡Qué lujo! ¡Con la mitad ya tendríamos suficiente! —dijo Oliva, mientras dejaba su maleta sobre la cama.

Eilne miraba todo como si fuera lo último que iba a ver en su vida. No tenía hambre, así que cuando Oliva lanzó la siguiente pregunta, no supo qué responder:

—¿Te apetece cenar? He traído pan, queso, un poco de embutido… —ofreció, sacando todas esas cosas de la maleta.

Oliva se dio cuenta de lo que le ocurría a la niña, así que intentó animarla:

—Relájate. Tal vez quieras darte una ducha.

No tenía ganas de darse una ducha. Se sentó en una silla junto a la ventana a mirar hacia la oscuridad nocturna, mientras Oliva preparaba un tentempié. Allí estaba cuando oyó que algo golpeaba el cristal desde el exterior. Fue algo así como un sonido metálico, parecido a un arañazo. Eilne se levantó de un salto.

—¿Qué ocurre? —preguntó Oliva, acudiendo en su ayuda.

—Hay algo ahí fuera que sabe que estoy aquí —gimoteó Eilne.

Oliva no lo dudó un instante. Descorrió las cortinas de la ventana. Eilne prefirió no mirar. No tardó en oír la carcajada de la mujer.

—¡Es sólo un gato! —exclamó Oliva—, y parece aún más hambriento que yo.

En el alféizar de la ventana, observándolas con expresión triste, descubrió a un gato atigrado de pelaje de color naranja. Estaba flaco y parecía manso. Enseguida les cayó bien.

—¿Le dejo entrar o le pides primero su identificación? —bromeó Oliva.

Eilne rió. Era la primera vez que lo hacía desde que salió de casa.

El gato, por supuesto, se quedó a cenar.

—Mira —dijo Eilne, mostrando el collar del animal—, lleva una placa con su nombre. Se llama Tigre.

—Es un buen nombre para un bicho tan gordo —opinó Oliva.

Mientras esperaba a que Oliva terminara de preparar la cena, Eilne se divirtió alimentando al gato. Le gustaba el queso y el salchichón, pero su favorito era el chocolate. Después de pedirle a Oliva si podía darle otro pedazo, partió con las muelas un buen fragmento. El animalito lo devoró en un abrir y cerrar de ojos.

Fue al realizar esta operación cuando la muela de Eilne —que estaba ya bastante dañada— terminó por partirse. Un pedacito de empaste grisáceo se desprendió del resto, y apareció pegado al fragmento de chocolate.

—Qué asco —masculló Eilne, mirando el trozo desprendido, en el que le pareció que había algo más, algo de color negro que no fue capaz de identificar. Aunque no tuvo tiempo de observarlo bien. Tigre fue mucho más rápido que ella.

«Si quieres saber qué era, tendrás que mirar dentro de mi estómago», parecía pensar mientras se relamía, satisfecho.

Eilne se animó por fin a comer algo. Cenaron viendo un concurso en la televisión. Pan, queso, embutidos y manzanas. Tigre dormía en el regazo de Eilne, quien por fin se quedó también dormida.

Cuando Oliva la despertó para pedirle que se fuera a la cama, Tigre ya no estaba.

Oliva le explicó:

—Rascaba el cristal de la ventana gimoteando de pena. Le he abierto y ha saltado con una agilidad increíble en un animal tan gordo como él. No es tonto: ha llenado la tripa, ha echado un sueñecito y se va por los tejados en busca de aventuras. Igual le está esperando su dueño. O una gata, quién sabe.

Los cuadernos de Eilne (2)

A veces me pregunto cómo era mi madre. A tía Senda no le gusta hablar de ella. Siempre dice lo mismo: que no tenían nada en común, ya desde su más tierna infancia. Que apenas la conoció. De los abuelos tampoco habla. Es muy raro. A veces tengo la impresión de que no sabe nada de nuestra familia, de que yo debí de aparecer en la tierra lo mismo que una seta o un arbusto.

O, por lo menos, a veces, tía Senda se comporta como si así hubiera sido.

«Tu madre soy yo y eso es lo único que debe importarte», me dijo una vez, cansada de mis preguntas.

Hace tiempo que no le pregunto nada. Pero mis dudas continúan por dentro. No sé si algún día obtendré las respuestas que necesito.

(Del cuaderno azul)

A mi tía no le gusta que le hable de las marcas de mi espalda. Son raras, lo acepto. Tienen forma de dos lunas enfrentadas. Una de las lunas está en fase creciente y la otra, menguante. Deben de tener que ver con mis padres, por eso a tía Senda no le gusta hablar de ellas, ya lo sé.

Una vez me dijo: «Los lunares son un misterio de la genética».

(Del cuaderno azul)

Creo que estoy loca. O que no soy muy normal. En este momento, por ejemplo, estoy escribiendo a oscuras en el cuaderno. No es fácil, pero se me da bien. Lo mismo mañana me asusto de mi propia caligrafía, al ver estos renglones. No quiero dejar pasar un segundo sin explicar lo que ha pasado, aunque tía Senda se enfade conmigo porque debería estar durmiendo.

Qué difícil resulta poner en palabras una emoción, o una imagen. Lo que intento contar ha ocurrido hace unos minutos. Estaba intentando dormir. El móvil de los planetas se movía muy lentamente. Siempre me ayuda a relajarme. Ya había cerrado los ojos, y sentía llegar el sueño, cuando he visto una imagen aterradora. Ha sido exactamente en el momento de quedarme dormida, como si la imagen hubiera estado esperando a que mi cerebro se desconectara, para atacarme. Qué tonterías escribo. He dicho «aterradora» y ahora me parece extraño, porque en realidad la imagen era yo misma. A veces pienso que algún día leeré estos cuadernos y pensaré que realmente estaba loca.

La imagen era la de mi propia cara. Tenía mis pecas, mi pelo rojizo, mis ojos —uno de cada color—, mi nariz… incluso la arruga que se me dibuja en la frente cuando me río o me concentro, y mi forma de morderme los labios. Era yo, no tengo la menor duda, pero ha sido como si contemplara a otra persona, como si me viera en un espejo imposible, como si… Como si estuviera viendo a mi doble. Alguien que es exactamente igual que yo, pero que no soy yo.

Se lo preguntaría a Jan. Él sabe un montón sobre cosas raras. Pero

no quiero contarle mi visión por si se ríe de mí. Encontraré un modo
de preguntarle, estoy segura. Sin levantar sospechas.

(Del cuaderno azul)

Se me ocurrió el modo de preguntarle a Jan. Aprovechando un capí-
tulo de nuestra serie favorita en que salían unos gemelos, le dije que
una de mis amigas creía que había visto a su doble.

—Claro, es bastante normal —dijo él, quitando importancia al
asunto y haciéndose el enterado.

Le he pedido que me lo explique.

—Eso que tu amiga llama «su doble» tiene un nombre técnico (tí-
pico de él: si algo tiene un «nombre técnico», seguro que Jan no desa-
provecha la ocasión de decírtelo). Se llama Doppelgänger. En algunas
culturas se le considera una especie de reflejo diabólico, alguien que es
idéntico a ti, pero está hecho de sombra, de materia oscura. Puede ser
que el doble de tu amiga esté cometiendo crímenes en el mismo mo-
mento en que ella estudia matemáticas, por ejemplo. A los Dop-
pelgänger les gusta asustar a sus originales antes de que concilien el
sueño, es uno de sus pasatiempos favoritos. También les gusta robar
la imagen de los espejos, y ponerse en su lugar. Aunque hay algo que
tu amiga debe saber: cuando una persona mortal ve a su doble, signi-
fica que le va a ocurrir algo terrible. Puede que sea incluso un aviso
de su propia muerte. Tu amiga tiene que andarse con mucho cuidado,
si ya le ha visto. Es muy mala señal.

Menos mal que tía Senda nos ha regañado por hablar tanto en lu-
gar de cenar, porque me estaba dando un miedo horrible todo eso del
doble que roba la imagen y comete crímenes. ¿Será mi Doppelgänger
la cara que vi la otra noche? ¿Voy a morir pronto?

(Del cuaderno amarillo)

Es una lata. Mi tía se empeña en que vayamos al dentista por lo menos tres o cuatro veces al año, porque dice que mis dientes son muy débiles y necesitan atención. La verdad es que me parece un poco extraño que se preocupe tanto por mis dientes y tan poco por otras cosas, pero no puedo negarme a ir. Además, hay algo bueno en eso de ir al dentista. ¿Hace falta que diga de qué se trata? ¡Claro! La consulta está en la ciudad. Casi siempre aprovechamos la visita para hacer algún recado. Una vez, al salir, mi tía permitió que me quedara a dormir en casa de mi amiga Ada. Fue fantástico. Es mi única oportunidad de visitar la civilización, auque sea a cambio de dejar que me perforen un poco las muelas.

El dentista es un señor raro que me cae fatal. Tiene acento extranjero y siempre hace bromas estúpidas sobre el color de mis ojos. «¡Ya está aquí la niña gato!», exclama. O: «¡Ya ha llegado la de los ojos de dos colores!». A veces me pregunto qué le ocurre, ¿nunca ha conocido a alguien que tenga un ojo de cada color, como me ocurre a mí? ¡Pues menudo médico!

Vamos a ese dentista porque es amigo de mi tía o algo parecido, y siempre nos recibe cuando no hay nadie en su consulta. Al principio me asustaba cuando les oía hablar de lo que iban a hacerle a mis muelas. Luego me acostumbré. Ahora ya sé que la visita al dentista consiste en aburrirme un rato en la sala de espera mientras ellos cuchichean en el despacho de él para ponerse de acuerdo en lo que conviene hacer. Luego estarme quietecita durante veinte minutos con la boca muy abierta mientras él repara una (a veces dos) de mis muelas. No me hace daño, pero es muy molesto. Al cabo de ese tiempo, el dentista sonríe, dice:

—Esto ya está, señora de los ojos raros.

Y nos marchamos.

Así de fácil. Nunca me duele. Nunca ocurre nada.

Muy pronto tocará dentista de nuevo. Lo sé porque hace un par de noches intenté partir una almendra con los dientes. Sonó un «clac-clac». Mi tía se quedó mirando fijamente mi cara y antes de que yo pudiera decirle qué ocurría me ordenó:

—Abre la boca.

Con los dedos, empujó un poco la última muela del lado derecho. Sentí otro «clac-clac» más suave. Empujó de nuevo. A continuación arrugó la frente y dijo:

—Te he dicho mil veces que no comas frutos secos. Ahora tendremos que ir al dentista. Pediré hora la semana que viene.

Lo más raro de todo es que Jan nunca va al dentista. No sabe la suerte que tiene.

(Del cuaderno amarillo)

Esta tarde he espiado una conversación entre tía Senda y Bat Lawinski. Al principio ha sido sin querer. Luego no he tenido más remedio que seguir escuchando, porque me he quedado paralizada. La culpa la tiene lo que decían. Hablaban de nosotros, de Jan y de mí. Tía Senda tenía esa voz que pone cuando no está tranquila.

—Últimamente Jan está extraño —le decía tía Senda a Bat en susurros—, estoy muy preocupada. Hace un par de días le descubrí espiando a Eilne en la ducha. Nunca antes lo había hecho. ¡Y si vieras cómo la mira! Como si nunca la hubiera visto antes.

¡Ah, conque ella sabía que Jan me había estado espiando! ¡A pesar de no reconocerlo cuando yo se lo dije!

Bat no le dio mucha importancia. Dijo:

—A su edad, es lo más normal del mundo. Hay muchos muchachos que se enamoran de su prima, no ocurre nada.

La palabra me ha pillado por sorpresa: «enamorado». Qué fuer-
te. ¿El enano-extraterrestre-cerebrito-privilegiado de Jan está enamo-
rado de mí? ¡Increíble!

Tía Senda hizo una pausa y luego añadió:

—No quiero ni pensar que cualquier día descubra que, en reali-
dad, no son primos.

Bat rió.

—¿Y cómo quieres que descubra eso? ¿Se lo vas a decir? ¡Deja de
preocuparte, mamá perfecta! ¡Te van a salir canas!

Yo no me reí, claro. Yo me quedé estupefacta. Estupefacta por par-
tida doble.

¿Jan y yo no somos primos?

Entonces, ¿qué somos?

No sé cómo he conseguido mover las piernas para volver a la cama.
No he podido dormir en toda la noche.

Si Jan y yo no somos primos significa que mi madre y tía Senda
no eran hermanas. Entonces, ¿por qué vivo con ella? ¿Quién era mi
madre? ¿Qué le ocurrió?

¿Quién demonios soy en realidad?

(Del cuaderno amarillo)

Venus podría salir de su órbita en un tiempo récord
El impacto de un meteorito provocará un apocalipsis en el planeta gemelo de la Tierra

Todo comenzó cuando los expertos de la NASA detectaron un
meteorito llamado Ragnarok que se dirigía directo hacia la Tierra. En caso de que el ser humano no actuara pronto para modificar su trayectoria, el cuerpo celeste se estrellaría directamente

contra no-sotros en un plazo de, como máximo, dos años, provocando la mayor catástrofe biológica que ha conocido nuestro planeta. La onda de choque tras el impacto destruiría ciudades enteras, además de toda forma de vida (excepto los insectos más resistentes) y provocaría la desertización de las tres cuartas partes de la superficie terrestre. Tras la explosión, quedarían tal cantidad de partículas suspendidas en la atmósfera que se crearía un gigantesco efecto invernadero. Pasado este calor inicial, equivalente a varios miles de bombas atómicas, se produciría un descenso de temperaturas tan drástico que llevaría a la segunda glaciación.

Suponiendo que alguna forma de vida hubiera logrado sobrevivir, moriría entonces. Con la excepción, de nuevo, de los insectos. Además, se produciría una modificación sensible del eje de rotación de la Tierra, que traería otras consecuencias también nefastas. Los más pesimistas llegaron a afirmar que un impacto de esta magnitud podría incluso ocasionar que la Tierra modificara su órbita. Una teoría que, sobra decirlo, provocó las burlas de grandes sectores de la comunidad científica, y desató ríos de tinta en las revistas especializadas. El asunto alcanzó tal popularidad que los partidarios de esa teoría podrían haberse agrupado en algunas organizaciones esotéricas sin fines conocidos que llevan nombres tan peculiares como los Orbitales, los Amigos de la Nueva Ruta o el Clan de las Dos Lunas. Todo lo que rodea a esas entidades está revestido de una pátina de misterio, incluyendo los nombres de sus miembros, entre los que supuestamente podría haber importantes personalidades.

A la vista de los apocalípticos pronósticos, algunas de las potencias económicas y tecnológicas del mundo decidieron desarrollar algunos programas de urgencia encaminados a evitar tal cataclismo. Con la ayuda de la mayor parte de los gobiernos del planeta —aunque con la excepción de Estados Unidos y China—, se trabajó contrarreloj en un dispositivo que, una vez lanzado al espacio, pudiera detonar contra el meteorito y cambiar su trayectoria. Era un experimento nunca antes desarrollado en la vida real, y entrañaba riesgos evidentes. El más importante era saber qué trayectoria tomaría el meteorito una vez que se desviara de su recorrido original.

Lo más probable, dado el carácter del sistema solar y sus fuerzas gravitacionales, era que quedara atrapado en el campo gravitatorio de alguno de los planetas cercanos a la Tierra. Con el tiempo, incluso podía llegar a convertirse en un satélite de alguno de ellos. De hecho, ésa, según la opinión de los expertos, ha sido el origen de la mayoría de las numerosas lunas de Júpiter o Saturno. También cabía la posibilidad de que, al explotar, quedara convertido en varios cuerpos menores, con el riesgo de que se estrellasen contra la Tierra, provocando una lluvia mortal de meteoritos.

Sin embargo, lo que ocurrió sorprendió a los propios expertos. Gracias a una operación en la que trabajaron conjuntamente los mejores astrofísicos del mundo y los ejércitos más poderosos de la Tierra, los humanos conseguimos desviar la trayectoria del meteorito y evitar el impacto del que éramos un blanco seguro.

Sin embargo, el éxito de la operación no fue absoluto, ya que enseguida el objeto estelar eligió un nuevo blanco, contra el que se dirigió a gran velocidad. Muy pronto los científicos alertaron de un nuevo peligro: la Tierra estaba a salvo, pero el meteorito se dirigía directo hacia Venus. Por ahora, las consecuencias de ese impacto, que ocurrirá no tan lejos de nosotros dentro de unos seiscientos días, son del todo imprevisibles. Sólo sabemos que debemos estar preparados para ver cosas que hasta hoy considerábamos imposibles fuera de los relatos de ciencia ficción.

Páginas seccionadas de la revista *Astronomía y más*,
número 107
(Del cuaderno de recortes)

Venus abandona su órbita y se dirige hacia la Tierra
Podría llegar a nuestro planeta en los próximos doce años

W. T. Científicos reunidos en Cabo Cañaveral confirmaron ayer lo que todos temíamos: a causa del choque del meteorito Ragnarok, desviado hace dos años y medio por un grupo de científicos de todo el mundo para evitar que impactara contra nuestro planeta, Venus ha modificado su órbita de un modo tan radical que el caso no tiene precedentes en el sistema solar.

Atendiendo a los campos gravitacionales y a las propias inercias del universo, los especialistas calculan que el que siempre se consideró un planeta gemelo de la Tierra se dirige directamente hacia nosotros. «Lo que va a ocurrir ahora es imprevisible —comentaron fuentes de la NASA—, aunque pensamos que lo más probable es que Venus avance en dirección a la Tierra hasta que los campos gravitacionales de ambos planetas le impidan seguir haciéndolo. Entonces se estancará y se convertirá en una especie de imagen especular de nuestro propio planeta, suspendido en el espacio a una distancia tan corta que desde aquí podremos verlo como una gigantesca Luna roja. Lo que desconocemos por completo en este momento, porque nunca se ha visto nada parecido, es qué ocurrirá con nuestra Luna en ese instante.» Esta nueva situación de Venus traerá consecuencias para los dos planetas, según advirtieron los científicos: la Tierra sufrirá un aumento imparable de las temperaturas que terminará en un proceso de desertización general. Venus, en cambio, podría modificar paulatinamente su atmósfera, hasta convertirse en un planeta muy similar al que hasta hoy ha sido el nuestro.

Recorte de diario
(Del cuaderno de recortes)

Lawinski (1)

Bat Lawinski no apartaba la mirada de la pantalla del navegador. Había situado el aparato muy cerca del volante, para poder verlo en todo momento: cada vez estaba más cerca de Eilne. Se sentía alterado, con todos los músculos en tensión, igual que un depredador que muy pronto va a lanzarse sobre su presa. Lo que más deseaba en el mundo en ese momento era encontrarse a Eilne cara a cara.

«A esa mocosa se le van a pasar las ganas de escapar», pensó Bat Lawinski, recordando lo que le había dicho el Ser Supremo del lugar al que pensaban llevar a la desventurada.

Una voz metálica, que más bien se parecía a la de un robot, le devolvió al mundo real. Era su navegador, que le daba instrucciones del camino que debía tomar:

—En la próxima rotonda, tome la tercera salida —zumbó el aparato.

La tercera salida conducía a una carretera en malas condiciones, que se adentraba en la espesura de un bosque. Estaba acercándose a una zona muy montañosa. La voz robótica habló de nuevo:

—El objetivo se encuentra a sesenta y nueve kilómetros y ochocientos metros.

«¡Sólo sesenta y nueve kilómetros! ¡Ya casi puedo olerla!», se dijo, emocionado.

Lawinski leyó los nombres que se anunciaban en los rótulos laterales y no pudo evitar preguntarse qué estaría haciendo Eilne.

El resto del camino, Lawinski lo pasó imaginando cuál sería la reacción del Supremo cuando le entregara a la niña. Seguro que le estaría muy agradecido, y a Lawinski le gustaba mucho el agradecimiento de los poderosos. De hecho, era una de las cosas que más le importaban. Entretenido en estas fantasías, los kilómetros que le separaban de su destino pasaron casi en un suspiro.

—El objetivo se encuentra a cuarenta y cinco kilómetros.

—El objetivo se encuentra a veintiocho kilómetros.

—El objetivo se encuentra a quince kilómetros…

Al filo de la medianoche, en medio de una oscuridad total, pasó frente a los enormes cartelones que le daban la bienvenida a un monasterio. Siguiendo las instrucciones al pie de la letra, había llegado casi a lo más alto de una escarpada montaña. Pasó por debajo de algunos puentes y subió por calles empedradas hasta dar con una explanada donde se abría, imponente, la fachada de una iglesia monumental. A su derecha se veía un resplandor en forma de luz cálida. Se alegró de comprobar que se trataba de la recepción de un hotel. El resto de establecimientos estaban cerrados. Al parecer, los huéspedes que llegaban hasta allí no eran muy amigos de trasnochar.

Antes de salir del camión, pulsó el botón rojo de su navegador. Como esperaba, recibió la información al instante:

—El objetivo se encuentra a seiscientos metros. Camine treinta metros en dirección noroeste y suba dos pisos.

Iba a ser pan comido. Retiró el navegador de su soporte y lo guardó en uno de los bolsillos de su cazadora. De la guantera, cogió su pistola y su teléfono móvil. Luego bajó del camión y se subió el cuello de la chaqueta. El frío era tan cortante como espesa la noche.

Escondido detrás de un rosal muy espeso que custodiaba la entrada, Lawinski consultó de nuevo la pantalla del aparato. Hizo cálculos, después de observar detenidamente las ventanas. Volvió a consultar la pantalla, calculó de nuevo, fijándose con más precisión. Era su modo habitual de trabajar y en eso también se parecía a los depredadores: estudiaba mucho a su enemigo antes de decidirse. Antes de emprender un ataque por sorpresa, necesitaba estar muy seguro.

Después de algunos minutos de lenta observación, se decidió. Entró en el hotel con el sigilo de una sombra, aprovechando un descuido de la recepcionista. Subió las escaleras sin que nadie le oyese. Caminó por el pasillo flanqueado a ambos lados por las puertas de las habitaciones donde los huéspedes descansaban tranquilamente. Sonrió, satisfecho: todo estaba resultando tan fácil que incluso le iba a parecer aburrido.

Se detuvo ante la habitación que había seleccionado. La 106.

«Así que es aquí donde termina este viaje», se dijo.

Miró por última vez la pantalla del aparato: no había duda. Eilne estaba allí, detrás de la puerta. Sólo era necesario derribarla para enfrentarse con ella cara a cara. Repasó mentalmente el plan que había trazado en su mente: entraba en la habitación, disparaba contra cualquiera que acompañara a la niña o se interpusiera en su camino, amordazaba a la pequeña y se la llevaba de allí. Tal vez podría saltar por la ventana para evitar ser visto por la recepcionista. Si gritaba mucho, o armaba más alboroto de la cuenta, tal vez sería más fácil matarla también a ella y ahorrarse problemas. Aunque algo le hacía pensar que esa solución no gustaría al Ser Supremo.

«No, tengo que capturarla con vida», pensó Bart Lawinski.

Respiró hondo un par de veces y se preparó para el último asalto. Una mano en la pistola y la otra en la linterna. Se cubrió la cara con un pasamontañas negro. Había llegado el momento.

Derribó la puerta de una patada. La habitación estaba completamente a oscuras. Se ayudó con la linterna para enfocar hacia las camas. Había dos. En una de ellas dormía un adulto (y muy alto, además). No habría podido saber si era un hombre o una mujer si no hubiera comenzado a gritar nada más verle. Era un hombre y, además, estaba muy nervioso. Disparó sin mirarle a la cara. Tres veces. Al segundo disparo, ya no gritaba.

«Menos mal que se me ha ocurrido coger el silenciador», se dijo, felicitándose por su previsión.

El aparato nunca se equivocaba. Eilne tenía que estar en la otra cama. Sin embargo, la otra estaba sin deshacer. Nadie dormía en ella, salvo un gato grande y gordo que le miraba con sus ojos amarillos mientras arqueaba el lomo.

La ventana estaba abierta. Tal vez Eilne había escapado por allí.

Se asomó para comprobarlo, pero encontró la calle desierta.

Quedaba el cuarto de baño. Otra vez abrió la puerta de un golpe. Si Eilne hubiera estado dentro, la puerta la habría aplastado. Pero no estaba. Nada, allí no había nadie. Rastreó hasta el último rincón del último armario, sólo por asegurarse. Volvió a consultar la pantalla de su aparato, muy extrañado. Según el artilugio, Eilne debía estar allí, en aquella minúscula habitación.

Entonces comenzó a comprender. Eilne tenía instalado en una de sus muelas un microchip de localización. Era eso lo que detectaba su aparato, por eso podía conocer en cualquier momento dónde se encontraba la niña. Pero ¿qué ocurriría si el pequeño microchip ya no estuviera en su muela, sino en otra parte? ¿A quién estaba persiguiendo?

Bat Lawinski, rabioso, observó de nuevo al gato.

—Sólo quedas tú, amiguito —le dijo en un susurro—. Eres el principal sospechoso.

Agarró al animal por el cuello, violentamente. El animalito dejó escapar un maullido estridente.

—Creo que has comido lo que no debías, bicho —dijo Lawinski, sacando la navaja que siempre llevaba en el bolsillo trasero de sus pantalones—, veamos qué escondes en esa panzota satisfecha.

El último gemido del animal resonó en las cumbres de las altas montañas.

Eilne (6)

Aquella noche volvió a ocurrir. Estaba a punto de conciliar el sueño cuando la visión de su doble regresó. Fue sólo un segundo, una imagen casi instantánea, como si alguien hubiera encendido la luz durante un momento a la vez que acercaba un espejo a su cara. Era ella: sus rasgos, sus gestos. Aunque sabía que en realidad no lo era. Era alguien que tenía sus mismas facciones a pesar de ser una persona diferente.

Se despertó asustada, lo mismo que la otra vez.

Oliva se acercó a tranquilizarla. Se sentó junto a ella, en la cama, y tomó una de sus manos entre las suyas.

—Siempre tengo unos sueños rarísimos… —refunfuñó Eilne.

—Tal vez no sean tan raros. Muchas personas soñamos con lo que nos va a ocurrir. Puede que tus sueños te estén anunciando algo. ¿No lo habías pensado?

Logró conciliar el sueño otra vez, per con el amanecer, regresaron las dudas. No sabía qué hacía allí, ni por qué Oliva seguía con ella, ni qué debía hacer. Frunció los labios en una mueca disgustada.

—Vamos, hay alguien a quien debes conocer —le dijo Oliva saliendo de la ducha.

Era muy temprano (Oliva se había empeñado en ser de las primeras en tomar el desayuno en el hotel), a lo lejos se divisaba un valle neblinoso coronado por un cielo de colores rosáceos y azules. Por encima de sus cabezas, las montañas peladas parecían ahora menos amenazadoras que la noche anterior.

Nada más salir, en el centro de la plazoleta, tropezaron con un amasijo de piel, vísceras y sangre.

—¡Es Tigre! —exclamó Eilne, cubriéndose la boca con las manos, para no vomitar.

Oliva la agarró por los hombros y trató de tranquilizarla:

—Lo habrá atropellado un coche —dijo Oliva, apretando el paso—. Vamos a dar un paseo.

El paseo las llevó hasta el mirador más imponente de las montañas, desde donde divisaron el paisaje que se extendía a sus pies.

—En los días más claros, desde aquí se ve el mar —explicó Oliva a su acompañante, que parecía sentirse más relajada.

Mientras Eilne llenaba sus pulmones de aire, Oliva exclamó:

—¡Vamos, ya es casi la hora!

Echaron a andar a paso ligero hacia la iglesia. Cruzaron un pórtico de entrada y se adentraron en un enorme vestíbulo de suelo ajedrezado. Eilne quedó fascinada con la riqueza de las esculturas y de los mosaicos, con la ostentación de las lámparas y la altura de la nave. Al fondo, se veneraba la imagen de una virgen, ante la que algunos inclinaban la cabeza.

Los bancos de la iglesia estaban a rebosar de gente. Eilne y Oliva avanzaron entre la multitud y se quedaron de pie en un lateral. En ese mismo instante salió un sacerdote vestido con un hábito oscuro. Se acercó al micrófono y dio la bienvenida a todos los peregrinos en seis idiomas diferentes.

—Espero que en este lugar sagrado todos encontréis aquello que estáis buscando —pidió, e inmediatamente comenzó a repetirlo en otras lenguas.

A continuación, salieron unos niños vestidos de monaguillos. Eran muchos, por lo menos treinta. Se situaron tras el altar y, a un acorde del órgano, comenzaron a cantar con voz angelical. La iglesia entera enmudeció. Oliva y Eilne escucharon embelesadas. Eilne estaba tan emocionada que sentía ganas de gritar. También le hubiera gustado cantar, pero no tenía ni idea de si su garganta era capaz de hacerlo. Durante todo el rato que duró la actuación de los niños, Eilne se sintió tan extasiada que creyó flotar.

Sin duda, no habría sentido nada parecido de saber que su peor enemigo, fuertemente armado y con muchas ganas de hacer cualquier cosa por atraparla, la observaba desde el otro lado de la iglesia, camuflado entre la multitud.

Al terminar la última pieza, los monaguillos se retiraron en una fila muy ordenada que iba desde el más bajito al de más estatura. Detrás de ellos salió el monje con hábito, no sin antes despedirse de los feligreses en seis idiomas distintos. Se dirigieron a paso lento hacia una puerta de madera que se abría a un lado del altar. Cuando pasó el último, que era también el más alto, la puerta se cerró con un crujido seco.

La gente comenzó entonces a levantarse y a abandonar despacio la nave de la iglesia. Los grandes portones de la entrada principal no eran lo suficientemente amplios para el río humano que abandonaba el templo.

—Ven conmigo —le pidió Oliva justo en ese momento.

La agarró de la mano y echó a andar hacia el altar, exactamente en la dirección opuesta a la que llevaban todos los asistentes a la actuación del coro.

—¿Adónde vamos? —preguntó Eilne, asombrada.

Sin detenerse en su avance, Oliva dio una respuesta que en realidad no lo era:

—¿No te has preguntado por qué estamos aquí? —quiso saber.

Oliva empujó suavemente la puerta de madera por la que habían desaparecido los cantores. Las bisagras chirriaron antes de que un golpe seco sonara tras ellas. Se adentraron en una estancia bañada por la penumbra en la que no había ni un solo mueble. De allí pasaron a un corredor iluminado. Oliva apretaba fuertemente la mano de Eilne mientras tiraba de ella con convicción.

—Nos van a regañar —dijo la niña con un hilo de voz, al ver que se adentraban en las estancias privadas de la basílica.

No había terminado de pronunciar esta frase cuando vio al monje que hablaba idiomas detenido al final del pasillo. Tenía una expresión de tal severidad que confirmó en el acto todos sus temores. Su sorpresa fue mayúscula cuando, al ver que se acercaban, cambió su rictus por una amplia sonrisa.

—¡Oliva! —exclamó, abriendo los brazos—, ¡qué alegría volver a verte! ¿Qué te trae por aquí?

—Te presento a Eilne —dijo Oliva, esquivando la pregunta sin ningún disimulo.

Eilne estrechó ceremoniosamente la mano del religioso y no supo qué responder cuando él le dijo:

—Es un placer conocerte, jovencita.

De inmediato, se volvió hacia Oliva y le preguntó:

—¿Has visto lo bien que canta tu sobrino? ¡Ha hecho grandes progresos! ¡Ahora es uno de los puntales del coro! ¡Muy pronto debutará como solista!

Oliva sonreía. Parecía sentirse muy satisfecha de lo que estaba oyendo.

—¿Puedo verle? Me gustaría que conociera a Eilne.

—¡Por supuesto! Pasad por aquí.

El sacerdote las condujo por un laberinto de pasillos hasta las dependencias que utilizaban los monaguillos antes y después de sus actuaciones diarias. Del interior les llegaba un tímido rumor de voces infantiles.

—Esperad aquí, voy a avisarle —dijo el monje, señalando una pequeña salita de espera donde sólo había un par de sillones y una mesa.

El sobrino de Oliva era un muchacho de once años, de cabello rubio y piel blanca cubierta de pecas. Lo primero que le llamó la atención de él fueron sus ojos verdes. Eran idénticos a los de su tía, igual de brillantes. Igual de especiales.

—Ésta es Eilne —dijo Oliva, con un énfasis especial, en el momento de hacer las presentaciones.

El chico enmudeció. Se quedó mirando a la niña, como si acabara de ver un fantasma. Se llevó la mano a la boca, y luego a la frente. Se comportaba como si no pudiera creer lo que le estaba ocurriendo.

—¿Qué pasa? —preguntó la niña, asustada.

—¡La… la… la has enc… enc… encontrado! —tartamudeó el muchacho, que por su reacción parecía estar frente a la octava maravilla del mundo (y, en parte, así era, aunque en aquel momento Eilne no podía ni sospecharlo).

—¿Alguien puede explicarme qué está pasando, por favor? —suplicó.

—Pol, por favor. ¿Te importa enseñarle a Eilne tus marcas? —medió Oliva.

El muchacho se subió un poco la camiseta para mostrar el arranque de su espalda. Allí, a la altura de los riñones, justo sobre la médula espinal, estaban sus dos marcas de nacimiento. Alguno podría haberlas tomado por lunares, pero Eilne sabía que no lo eran. Tenían forma de dos lunas enfrentadas: una era creciente; la otra, menguante.

Pol resultó ser un muchacho tan tímido que casi no le salían las palabras. Y cuando le salían, tartamudeaba de un modo un poco cómico (que a él, naturalmente, no le hacía ninguna gracia) y hablaba con un hilillo de voz que casi nadie oía. Por eso, con el tiempo, se había acostumbrado a hablar muy poco. Sólo cantando conseguía hacer oír su voz y no tartamudear.

Después de confundir a Eilne enseñándole las dos marcas de la espalda, sólo pudo balbucear una frase:

—M… mi her… her… hermana gemela ta… ta… también las t… t… tiene.

A pesar de que trataba de encontrarle un sentido a todo aquello, Eilne estaba muy confundida.

—Vamos, os invito a almorzar —terció Oliva, intentando intervenir en una conversación que no parecía muy fluida.

Fueron a la cafetería que estaba junto al mirador. Se sentaron al lado del gran ventanal desde el que se veía el valle. La panorámica era tan hermosa que hasta parecía haber acabado con las ganas de conversar de los dos chicos.

Eilne lo intentaba, por lo menos.

—Debe de ser bonito cantar en una coral —dijo.

—S… sí —respondió Pol.

—¿Tenéis que ensayar mucho?

—N… no.

—¿Y en el colegio te dejan salir para venir a cantar?

—S… sí.

—¿Tu hermana no viene por aquí?

—N… no.

—¿Estás en sexto?

—S… sí.

Eilne miró a Oliva. Con la mirada le pedía socorro. Al parecer, su sobrino no tenía muchas ganas de hablar. Sin embargo, todos los intentos por lograrlo, vinieran de parte de Oliva o de Eilne, fueron en vano. Pol era un tímido indomable. Comía con la cabeza metida en el plato y sólo de vez en cuando dirigía una mirada a Eilne por el rabillo del ojo. Pero si descubría que ella también le estaba mirando, la desviaba al instante.

No fue hasta la hora de los postres cuando Oliva intervino al fin.

—¿No tenías muchas cosas que decirle a Eilne, Pol? ¿Qué era todo aquello de los espejos y la lechuza que me contaste el otro día?

Pol enrojeció. Por un momento, pareció que iba a estallar. Tragó el bocado que estaba comiendo, se limpió los labios con la servilleta de papel y se llevó la mano a un bolsillo. Sacó una hoja arrugada y doblada en cuatro partes y la dejó sobre la mesa.

—Es p… p… para ti —balbuceó.

—¿Para mí? —preguntó ella, haciendo ademán de desplegar el papel.

Un gesto rápido de Pol, como si quisiera aplastar un insecto que paseara sobre la mesa, se lo impidió.

—Aq… aq… ¡aquí no! —le dijo, tajante.

Eilne guardó la hoja en su mochila.

—Ve… Vete. Enseguida —la apremió entonces Pol, mirando a Eilne tan fijamente que la niña se asustó.

—¿Adónde?

Antes de que Pol pudiera explicarse, se armó un gran revuelo en la cafetería.

Alguien que esperaba para servirse su comida en el bufete había derramado un vaso de refresco sobre un hombre que también estaba esperando. El vaso cayó al suelo y se hizo añicos. Todo el mundo se volvió para mirar. Fue así como Eilne vio entre la multitud la cara de Lawinski. Dio un respingo.

—Pol tiene razón —dijo Oliva, recogiendo todas sus cosas a toda prisa—, debes irte enseguida. ¡Vamos, síguenos!

Pol y Oliva salieron por la parte de atrás, y Eilne les siguió, desconcertada. Dejaron a Lawinski buscando el modo de escapar de entre la multitud. Eso les dio un poco de ventaja para bajar por el camino que llevaba hasta la estación de un tren cremallera.

Un convoy estaba a punto de salir.

—¡Corre, Eilne! ¡Tienes que subir a ese tren!

Llegaron en el último segundo. Eilne no había hecho más que montarse en uno de los vagones cuando las puertas se cerraron tras ella. A lo lejos, bajando la cuesta que salía del restaurante, vio a Lawinski, corriendo a toda prisa.

El tren aún tardó cinco segundos en arrancar. Los suficientes para que Oliva le dijera algo sorprendente:

—Quería habértelo dicho antes, querida Eilne. ¿Sabes lo que significa mi nombre?

Eilne meneó la cabeza.

—En el idioma de mis padres, Oliva significa lechuza. Creía que te gustaría saberlo.

Eilne estaba muy confusa. No era capaz de pensar con tranquilidad. Además, estaba muy asustada.

—¿Qué hago cuando llegue? —preguntó Eilne, a punto de echarse a llorar, mientras el tren cremallera arrancaba.

—¡Lee la carta! —le sugirió Oliva. Y antes de perder a Eilne de vista añadió su más sincero deseo—: Cuídate, y mucha suerte.

El tren cremallera se perdió de vista justo en el momento en que Lawinski llegaba al andén jadeando.

Se había librado por los pelos.

Como no podía esperar más para leer la carta de Pol, la sacó de su mochila en cuanto tomó asiento. Sus ojos recorrieron los renglones con avidez:

Querida Eilne:

Puede que pienses que es un encabezamiento raro para alguien que no te conoce de nada. Quiero decirte que llevo muchos meses soñando contigo, de modo que tengo la impresión de conocerte desde hace mucho tiempo. Sé cosas de tu pasado, pero sobre todo conozco detalles de tu futuro (aunque a veces el futuro y el pasado se mezclan en una misma cosa, lo sé). Sé que estás muy confundida y que tienes mucho miedo. Sólo quería decirte que estoy aquí para ayudarte. Si sigues las instrucciones de esta carta, no te ocurrirá nada.

Cuando llegues a la ciudad, debes ser rápida. Tu vagón se detendrá exactamente junto a un panel publicitario delante del cual hay un banco. Fíjate bien: si te agachas bajo el banco encontrarás una puerta metálica. Es un pequeño armario lleno de cables y contadores. Sólo los electricistas y los encargados de mantenimiento de la compañía lo abren de vez en cuando, y casi nadie sabe que está ahí. Normalmente, debería estar cerrado con llave, pero esta vez estará abierto. Recuerda: es muy importante que seas muy rápida. Procura bajar entre los demás viajeros y métete en el armario que te digo. Estará un poco sucio, pero no importa. Es mejor estar sucia que muerta, ¿no crees? En estos momentos corres un grave peligro. Pero no te asustes, Eilne: si sigues nuestras instrucciones, no te ocurrirá nada.

Deberás permanecer ahí, sin hacer ningún ruido (esto es muy importante), hasta que alguien venga a buscarte. *No abras la puerta, pase lo que pase. Ten paciencia. Tardarán un rato, pero te rescatarán. Luego te llevarán a un lugar donde la lechuza te estará esperando. Y también habrá otra sorpresa que cambiará tu vida y tus sueños.*

Seguro que te sorprende que en persona no sea capaz de pronunciar una sola frase y en cambio por escrito me exprese con tanta fluidez, ¿no es así? Sólo se me ocurre decir dos cosas: los seres humanos, a veces, decepcionamos cuando apenas se nos conoce. ¿Para qué sirve el arte, lo realmente esencial de la vida, si no para expresar aquello que no somos capaces de decir de otra manera? Es la misma razón por la que amo cantar.

Te deseo buena suerte en tu camino, que es el de todos nosotros.

Tu amigo y admirador,

Pol

Eilne no se sintió más tranquila después de leer la carta. Pero sí mucho más acompañada por una gente que no sabía quién era ni qué pretendía, ni por qué se esforzaba tanto en ayudarla.

Lawinski (2)

El armario del circuito eléctrico estaba exactamente donde había dicho Pol. Eilne siguió al pie de la letra las instrucciones de la carta. Bajó del tren cremallera mezclada con los demás viajeros, y se introdujo en el escondrijo. Incluso al hablarle de suciedad, Pol había acertado. Aquel lugar estaba asqueroso. Pero, como decía la carta, «era mejor estar sucia que muerta», nadie lo habría dudado.

Las siguientes horas fueron terribles. No sólo era un lugar infecto, también era muy estrecho y apenas podía moverse. Eilne no tenía ni idea de si las estaciones del tren cerraban de noche, pero sospechaba que durante muchas de las horas que pasó allí dentro no había nadie fuera que pudiera escucharla. Haciendo caso de todo lo que le habían dicho, permaneció encerrada y sin hacer ningún ruido durante varias horas. Incluso se durmió un rato.

Lo que no podía saber Eilne era que Bat Lawinski había

llegado a aquella estación al mismo tiempo que ella. Ni siquiera sabía cómo lo había conseguido, había tenido que bajar la montaña como un verdadero loco al volante para llegar al mismo tiempo que el convoy, pero lo consiguió. Puso en peligro la vida de más de un conductor y llegó incluso a colisionar con un coche que subía en sentido contrario, pero nada de eso le importó. Se había propuesto recuperar a Eilne a cualquier precio.

Lawinski, por supuesto, observó a todos los viajeros que abandonaban la estación escondido tras una máquina dispensadora de bebidas. No comprendió nada, por supuesto. ¡Eilne no podía haberse esfumado! Sin embargo, estaba seguro de no haberla visto. Decidió bajar al andén, convencido de que la encontraría allí, pero tampoco estaba allí. Revisó palmo a palmo la estación. Inspeccionó el panel publicitario y el banco, y por un momento estuvo a punto de agacharse para mirar debajo. Cuando estaba estudiando el contenido de una papelera, un vigilante le preguntó qué estaba haciendo y le invitó, con fingida amabilidad, a salir del andén. Le dijo que aquella era una zona restringida a los viajeros.

Pero Lawinski regresó al cabo de un rato. Estuvo atento al movimiento de los trenes, a las entradas y salidas, pero sin ningún éxito, hasta que recibió la llamada de Senda diciéndole, entre sollozos, que su hijo había escapado y pidiéndole que fuera a buscarlo.

—Sólo hay una compañía que realiza este trayecto. He llamado y me han dicho que ha subido a un autobús hace unas horas. No puedo ni imaginar qué haría si le ocurriera algo —dijo Senda.

Aceptó aquel desagradable papel de ángel de la guarda de un niño fugitivo sólo porque le pareció la clave para encontrar a Eilne. Si Jan estaba allí, seguro que era por algo.

«Puede que hayan acordado encontrarse en algún lugar», pensó Lawinski, llegando a una conclusión que le pareció evidente: «Si encuentro al chico, me llevará hasta ella».

Sólo por eso dejó de merodear por la estación del tren cremallera y se fue en busca de Jan.

Jan (3)

Después de escuchar una conversación telefónica entre Senda y Bat Lawinski, Jan dejó en la nevera una nota para su madre que decía:

Me voy a buscar a Eilne. No te preocupes, sé cuidar de mí mismo.

Y se fue de casa, rumbo a la ciudad hacia la que, según acababa de saber, se dirigía la niña.

Se llevó su mochila rebosante de cosas —entre las que estaban los cuadernos de Eilne, para leerlos en el camino— y todos los ahorros de su hucha. Con ellos esperaba tomar un autobús que le dejara exactamente en el mismo lugar donde estaba su prima. O lo que fuera, porque a estas alturas ya no podía estar seguro de nada.

Jan sonrió al dejar su casa atrás, muy satisfecho de haberse atrevido por fin a salir al mundo real. ¿No le decía siempre Eilne que el mundo no se limitaba a lo que había dentro de la pantalla del ordenador? Pues bien, había llegado el momento de comprobar lo que había allá fuera.

Se dirigió a la estación de autobuses y compró un billete. Nunca pensó que sería tan fácil. Una vez que se hubo sentado en el asiento que le correspondía, antes de regresar a su lectura de los cuadernos de Eilne, se preguntó por qué estaba haciendo aquello.

«¿Y si fuera verdad que estoy enamorado de ella?», se preguntó.

Pero no obtuvo ninguna respuesta.

Varias horas más tarde, su autobús llegó a la enorme estación de aquella gran ciudad de la que apenas sabía nada. Nunca había estado allí, y sus calles le parecieron, vistas desde detrás de la ventana del vehículo, demasiado grandes y grises.

«¿Qué voy a hacer ahora? ¿Por dónde voy a empezar a buscar? No tengo ni idea de dónde puede estar Eilne, ni conozco aquí a nadie que pueda ayudarme», se dijo Jan, al observar la cantidad de gente que esperaba en la estación la llegada de viajeros.

Pero nada más echar una ojeada, vio una cara que terminó de cuajo con todas sus dudas y también con todas sus esperanzas. El modo en que le miraba hizo que se le dispararan las pulsaciones. Recostado en una columna junto al aparcamiento del autobús, observándole como lo haría un gato que acaba de capturar un ratón, estaba Bat Lawinski. Enseguida pensó que le enviaba su madre, pero no tardó en darse cuenta de que Lawinski también actuaba por su cuenta.

—Supongo que no te alegras de verme —fue lo que le dijo en cuanto Jan bajó del autobús.

El muchacho no contestó. Supuso que su cara hablaba de sobra por lo que estaba sintiendo.

—Vamos. Vas a llevarme ahora mismo a donde está Eilne. ¡Y sin perder ni un minuto! —ordenó el hombre.

«Ojalá pudiera», pensó Jan, mientras Lawinski le sujetaba por el cogote con una fuerza que no había empleado hasta ese momento, y echaba a andar con él agarrado de esa forma hacia el aparcamiento de la estación. Aquél no era, precisamente, el modo en que se saludan los amigos.

—No tengo ni idea de dónde está —repuso Jan, que comenzaba a asustarse.

—No me vengas con ésas. ¿Y pretendes que te crea? ¿Quieres que me trague que has recorrido varios centenares de kilómetros sin saber dónde estaba tu novia, o lo que sea?

«¿Mi novia? Ojalá también lo fuera», pensó Jan, sin poder evitarlo.

Sin intercambiar ni una palabra más, llegaron al aparcamiento, donde aguardaba el camión del hombre. Era el mismo que Jan había visto tantas veces, pero esta vez iba a transportar una carga muy distinta, de la que él mismo formaría parte.

Lawinski abrió el portón trasero y empujó al muchacho al interior del vehículo.

—Te quedarás aquí hasta que me des una respuesta que me convenza —le amenazó—. Y no pienses que vendrá tu mamaíta a rescatarte, porque no pienso decirle nada.

Luego volvió a cerrar la enorme puerta y echó el pasador por fuera.

116

En la oscuridad de la parte trasera del camión, Jan oyó cómo se alejaban los pasos de Lawinski y se sintió más solo que nunca.

«Menuda forma tan triste de terminar una aventura», pensó.

En ese momento no podía saber que su aventura iba a depararle aún muchas sorpresas.

Y no todas agradables.

Los cuadernos de Eilne (3)

He soñado que una voz de mujer me hablaba. Esto es lo que decía:
«Sé que eres todavía muy pequeña para soportar una carga tan pesa-
da y compleja, pero confío ciegamente en tu talento, en tu inteligen-
cia y en tus muchas otras cualidades para llevar a cabo la labor gigan-
tesca que no he tenido más remedio que encomendarte, hija mía».

No estoy segura de que sea un sueño.

«Hija mía», ha dicho.

No recuerdo la cara de la mujer que hablaba, pero juraría que te-
nía los ojos verdes más bonitos que he visto jamás.

Me he despertado llorando.

(Del cuaderno violeta,
escrito 4 días antes de la huida)

Otra vez el mismo sueño. Las mismas palabras, la misma voz. Me
llamaba «hija mía». Varias veces.

Me gustaría creer que mi madre hablaba como ella.
¿Se puede soñar dos veces lo mismo, exactamente igual?

(Del cuaderno violeta,
escrito 3 días antes de la huida)

Acabo de darme cuenta de que soy capaz de repetir el mensaje de mi sueño sin necesidad de estar dormida. No sé cuándo ni cómo lo he aprendido. Dice así:

«Eilne, hija mía. Te hablo desde una distancia que ahora no puedes ni sospechar. Una distancia insalvable, tanto como lo es la frontera de la vida y la muerte. Lo hago para decirte que se acerca el momento. Vas a cumplir muy pronto doce años, eres la mayor, y tienes que prepararte para llevar a cabo un importante cometido. No te preocupes, no vas a estar sola en ningún momento. Son muchos los que encontrarás dispuestos a ayudarte. Confía en ellos, del mismo modo que te pido que confíes en estas palabras que te parece estar escuchando en sueños.

»En realidad, no es un sueño, sino el único medio posible para hacerte entender qué haces aquí. Sé que eres todavía muy pequeña para soportar una carga tan pesada y compleja, pero confío ciegamente en tu talento, en tu inteligencia y en tus muchas otras cualidades para llevar a cabo la labor gigantesca que no he tenido más remedio que encomendarte. También confío en tu bondad sobre todas las demás. Nunca dejes que nadie empañe tu corazón. Y nunca olvides que te quiero más que a mi propia vida. Y este sentimiento, que confío en transmitirte con toda su fuerza, tampoco es un sueño. Es una realidad que deseo que te acompañe siempre».

(Del cuaderno violeta,
escrito 2 días antes de la huida)

El Clan de las Dos Lunas

Se trata de una organización de carácter secreto. Algunos especialistas afirman que sus miembros poseen ciertas características físicas distintivas, como el color de los ojos o una marca de nacimiento en la espalda en forma de dos lunas enfrentadas. También se la conoce como «el Clan de los Albos», en alusión a sus vestimentas ceremoniales de color blanco.

Los orígenes del Clan de las Dos Lunas, afirman algunos historiadores, son medievales, aunque muy oscuros. Se dice que su fundador podría ser un ermitaño llamado Lullus Illuminatus, un místico laico amigo de musulmanes y cristianos, cuyo hermano gemelo participó en las cruzadas e hizo la guerra contra los templarios. Sin embargo, se trata de meras especulaciones, que nunca han podido fundamentarse sobre documentos históricos.

Lo que sí parece bastante claro es que los albos se rigen por la historia de dos legendarias parejas de gemelos: Cástor y Pólux y Rómulo y Remo. Los primeros son los Géminis del Zodíaco occidental. Los segundos, los fundadores de la mítica ciudad de Roma.

También los detalles del Clan de las Dos Lunas deberán permanecer inmersos en las brumas de la leyenda, por lo menos de momento, ya que nadie conoce qué actividades realizan sus miembros, dónde ni cuándo se reúnen ni qué exacta finalidad tiene la organización.

Extraído de www.organizacionesecretas.net
(páginas impresas)
(Del cuaderno de recortes)

Leyenda de Cástor y Pólux
o los gemelos indivisibles

Cástor y Pólux eran hijos de Leda, la reina de Esparta, y del dios Zeus, quien para tener relaciones sexuales con ella adoptó la forma de un cisne. De esta unión nacieron dos hijos: uno de ellos era mortal como su madre humana y fue llamado Cástor. El otro era inmortal como su padre divino y se llamó Pólux.

A pesar de la distancia que separaba sus dos condiciones de mortal e inmortal, los gemelos estuvieron siempre muy unidos. Participaron juntos en cientos de batallas y campañas militares. Cuentan que en una de ellas, Cástor resultó herido de muerte. Desesperado por ver morir a su hermano y continuar con vida, Pólux renunció a su condición de inmortal si no podía compartirla con Cástor.

Entonces habló Zeus, conmovido por la generosidad de Pólux y el amor que ambos se profesaban:

—Os concedo la posibilidad de alternar vuestros días entre el reino de los dioses y el infierno. Desde hoy, viviréis seis meses al año en el Olimpo, con las otras divinidades y permaneceréis los otros seis en el Averno más profundo.

Desde ese día, pues, los dos hermanos están vivos la mitad del año y muertos la otra mitad.

Fragmento copiado de la *Enciclopedia de la mitología clásica*
(Del cuaderno de recortes)

Leyenda de Rómulo y Remo
o leyenda fundacional de Roma

Fueron hijos de Marte, dios de la guerra, y de una princesa llamada Rea Silvia, hija del rey Numitor. Poco antes del nacimiento de los gemelos, Numitor fue asesinado por su hermano Amulio, quien eliminó también a sus descendientes, los legítimos herederos del trono. Amulio fue un rey tirano, injusto, déspota y presumido a quienes sus siervos odiaban con toda la razón. Cada año mandaba ejecutar a todos los que habían discrepado de su manera de gobernar, incluidos mujeres y niños. En sólo un año asesinó a más de mil personas.

Cuando Amulio supo que su sobrina era madre de dos pequeños gemelos, mandó que los asesinaran. Le daba miedo que, con el tiempo, los hijos de Rea Silvia pudieran querer vengar todo lo que le había hecho a su familia. Mandó que los colocaran en una cesta y que los echaran al río Tíber, para que se ahogaran al llegar al mar embravecido. Pero la cesta embarrancó en unas plantas y los niños fueron encontrados por una loba que acababa de parir a sus cachorros, y que los crió junto a ellos. Luego, ya más mayores, los encontró un pastor, que los crió como a sus propios hijos hasta que fueron adultos.

Al crecer, los dos hermanos descubrieron su verdadero origen, regresaron al lugar donde habían nacido y mataron al tirano. Luego decidieron fundar juntos una ciudad en la llanura del río que les había salvado cuando sólo eran unos bebés.

Trazaron el perímetro de la ciudad con un arado. Al terminar, Rómulo hizo un juramento terrible:

—Juro matar al que traspase sin permiso los límites de nuestra ciudad.

Su hermano no debió de oírle, ocupado como estaba en las cuestiones prácticas.

—No tenemos nombre para este lugar. ¿Lo eliges tú o lo elijo yo? —preguntó Remo.

—Echémoslo a suertes. Que lo decida aquel que sea capaz de ver más pájaros en el cielo.

Rómulo ganó la apuesta y le dio al lugar un nombre parecido al suyo: Roma. Remo no estuvo de acuerdo con esta decisión y decidió abandonar a su hermano. Se dice que nunca más regresó, o que si lo hizo, nadie fue capaz de reconocerle.

Aunque existe otra leyenda que asegura que Remo intentó borrar las huellas trazadas por Rómulo y que éste, cumpliendo la promesa que acababa de hacer, lo asesinó con sus propias manos.

Cualquiera de los dos desenlaces es igual de terrible.

Fragmento copiado de la *Enciclopedia de la mitología clásica*
(Del cuaderno de recortes)

Eilne (7)

Cuando empezaba a pensar que todo había sido una broma de mal gusto, que estaba escondida en un lugar horrible sin que nadie se acordara de ella, Eilne oyó que alguien golpeaba la portezuela de su refugio. Poco después, la puerta se abrió y entró una claridad tan cegadora que por unos momentos la obligó a cerrar los ojos.

—Hola de nuevo, Eilne.

Reconoció la voz nada más oírla. Pertenecía a la mujer extraña de pelo muy corto que había conocido en el zoológico, la mañana en que se escapó del colegio.

—He venido para llevarte hasta la lechuza —le aseguró, agarrándola de la mano, y echando a andar hacia la salida.

Eilne estaba demasiado cansada para oponer resistencia. Ya ni siquiera podía pensar con claridad. Aquella mujer que le había parecido amenazadora sólo unas horas antes le parecía ahora algo así como una salvadora.

Tomaron un taxi hasta un lugar que quedaba bastante apartado, en la cima de un monte desde el que se divisaba toda la ciudad. Al llegar arriba, la desconocida dijo:

—Tengo que dejarte aquí. Debes continuar tú sola.

—¿Y si me ocurre algo? —preguntó Eilne, pensando en Lawinski.

—Tranquila, no va a ocurrirte nada malo —dijo la mujer.

Cuando bajó del taxi se dio cuenta de que se encontraba en la entrada de un parque de atracciones. Era casi la hora de cerrar, y fue precisamente por eso que le dejaron pasar sin pagar nada.

«Menuda suerte he tenido», pensó Eilne atravesando las puertas metálicas.

No había hecho más que adentrarse en el parque cuando una mujer con una camiseta naranja que paseaba acompañada de dos niños le dijo:

—Visita el laberinto de espejos. Merece la pena.

Si le hubieran preguntado por qué le hizo caso, habría contestado que porque llevaba una camiseta con un gran número 8 pintado en la espalda. Eilne había dejado de creer en las casualidades y estaba convencida de que todo lo que le ocurría tenía una razón de ser. Realmente, no se equivocaba en absoluto.

El laberinto de espejos estaba en lo alto de una escalinata. A su entrada, una mujer de uniforme miraba frunciendo el ceño a todo el que se acercaba, como si cada nuevo visitante le pareciera un sospechoso.

—Cerramos dentro de doce minutos —le anunció.

Aquel lugar podría haberse llamado «Museo de reflejos increíbles». En la galería de entrada, un buen número de espejos ofrecían imágenes deformadas de quienes se detenían ante ellos. En algunos, Eilne se veía gorda y bajita, casi como si fuera una esfera a la que de pronto le hubieran salido pies. En otros, era delgada y larguirucha como un palo. Los había en los que sólo se le veía la cara, deformada como si se estuviera derritiendo. En los últimos, su cuerpo no parecía tener más que cabeza y pies. Los visitantes se reían a carcajadas al contemplarse tan cambiados. No era para menos: también Eilne dejó escapar alguna risa.

Al final de la segunda sala estaba la entrada al laberinto. Era una sucesión de pasillos y ángulos rectos. Las paredes eran de espejos, y sólo de vez en cuando se abría en ellas alguna puerta, aunque era difícil verlas o saber dónde estaban exactamente. El reto consistía en introducirse en el laberinto y ser capaz de llegar al final sin chocar contra ningún cristal ni darse por vencido. Se podía pedir ayuda, y entonces un guardia venía por ti al lugar donde te encontraras y te llevaba de la mano hasta la salida.

Eilne no quería pasar por esa vergüenza. Por eso palpaba las paredes para dar con las aperturas del recorrido. Nada más entrar, había aprendido una cosa: en un lugar como aquél, lo que te muestran los ojos no suele ser toda la verdad.

Lo pasó muy bien. Sobre todo, al principio. Avanzó por algunos pasillos, tropezó con algunas salidas falsas y volvió sobre sus pasos de buen humor. Hasta que de pronto, al doblar uno de los ángulos rectos donde sólo conseguía ver su imagen multiplicada hasta el infinito, tropezó cara a cara con la imagen de su doble.

Si alguien hubiera estado contemplando la escena, tal vez ni siquiera se habría dado cuenta: la misma nariz, la misma cara llena de pecas, el mismo cabello y los mismos ojos raros, uno de cada color. Hubiera sido fácil también para ella reconocer su imagen en el espejo si no hubiera tenido tan claro desde el primer momento que no se trataba de su cara, sino de la imagen del otro, aquel a quien tantas veces había visto en sueños. Le observaba con la misma expresión de extrañeza y horror. Llevaba el cabello mojado. También le pareció que tenía los hombros desnudos y que todo su cuerpo rezumaba agua, como si terminara de salir de la ducha.

Frente a ella no había un espejo, aunque a simple vista fuera fácil pensar que sí. Lo que estaba tocando era un cristal, un cristal transparente. Apoyaba la mano sobre él y al otro lado lo hacía el otro, exactamente en el mismo punto. Se miraban con fijeza, como si ambos hicieran enormes esfuerzos por comprender lo que estaba ocurriendo.

Intentó hablarle, comunicarse. Golpeó el cristal. Al otro lado, su doble lo hizo también.

—¿Quién eres? —le preguntó.

Pero no podía oírle. Era como si cada uno estuviera encerrado en el interior de su propia pecera. Eilne levantó la voz aún más. Su doble también comenzó a gritar, pero era un grito mudo. Abría la boca, la cerraba. Pero su voz no llegaba al otro lado, como si para hacerlo tuviera que atravesar una distancia insalvable.

Alguien anunció de pronto que el parque estaba a punto de cerrar. Las luces se encendieron. Fue un efecto parecido al fogonazo de la cámara de un fotógrafo. Con la súbita claridad, la imagen se desvaneció. Tras el cristal, observó Eilne, aún deslumbrada, no había nadie. Sólo ella estaba allí, al final del pasillo de espejos. Ella y la mujer de uniforme, que acababa de asomar la cara por una puerta falsa y le señalaba la salida con cara de pocos amigos.

Salió del laberinto un poco aturdida por lo que acababa de ocurrir. Iba tan concentrada en tratar de encontrar alguna explicación a lo que había visto que por poco tropieza con el hombre de uniforme que indicaba con el brazo extendido a los visitantes que abandonaran el lugar.

—Por allí, por favor —repetía.

Eilne siguió la dirección que le indicó el señor mientras no dejaba de darle vueltas al asunto. ¿Qué relación guardaban sus sueños con la imagen que había descubierto tras el cristal? ¿Y por qué la imagen se había esfumado de aquel modo? Se dio cuenta de que era la primera vez que contemplaba esa cara idéntica a la suya estando plenamente despierta.

De pronto llegó al arranque de una escalera descendente. No parecía el camino de salida del parque. Miró a su alrededor, en busca de alguien que le indicara el camino correcto. No muy lejos estaba el hombre de uniforme con el que había tropezado. Sonreía y señalaba hacia abajo, en un gesto amable. Le indicaba que bajara la escalera.

Eilne obedeció.

A continuación del último peldaño encontró una cortina de terciopelo rojo y, debajo de la cortina, una puerta cerrada. Sobre la puerta, un rótulo iluminado en el que leyó:

MUSEO DE AUTÓMATAS

A un lado, en un panel, se ofrecía información al visitante:

Se encuentra usted en un museo único en el mundo. Fue inaugurado en el siglo xix y contiene la mayor colección de autómatas originales que se conoce. Todas las piezas han sido cuidadosamente restauradas y están en funcionamiento y en perfecto estado. Para accionarlas, sólo debe pulsar el botón rojo. Y ahora, si desea emprender este viaje a través de los siglos, siga las instrucciones recibidas: Pulse el botón.

¡Nunca deje de pulsar el botón!

¡Púlselo una y otra vez!

¡Eso nos hace revivir eternamente!

Una luz roja parpadeó, justo en ese instante, en la parte baja del panel. A su lado estaba el botón rojo, listo para ser pulsado. Puede que en otras circunstancias, Eilne no se habría atrevido a hacerlo. Pero, a la vista de todo lo que estaba ocurriendo, no era cuestión de negarse a un acontecimiento inesperado más.

Así que pulsó el botón.

En el acto, con un sonido a cosa vieja, estropeada y metálica, las puertas se abrieron.

En el museo reinaba un silencio absoluto. Los pasos de Eilne producían un ruido que las paredes multiplicaban por diez. Por supuesto, estaba sola. Enseguida se dio cuenta de que era un sitio muy especial y que ya lo conocía: era el mismo lugar que había visto en su sueño.

Los autómatas —había muchísimos— estaban protegidos dentro de vitrinas de cristal. Frente a cada uno de ellos, un panel explicaba su origen y su significado. La mayoría, según pudo comprobar Eilne, habían sido creados como atracciones de feria. Otros formaban parte de colecciones privadas de riquísimos europeos que habían muerto hacía un montón de años.

Le gustó especialmente el Pierrot que escribía en su mesa (en la explicación que le acompañaba decía que su mano era capaz de escribir un par de versos con sentido) o la pianista, elegantemente vestida y sentada tras su pianola (que tocaba música real). Le inquietó la pitonisa, que abría la boca y enseñaba el Arcano Trece del tarot (el que corresponde a la muerte). Por lo visto, el tema macabro era de los favoritos entre los artesanos que construyeron aquellos mecanismos, porque también había representaciones de la muerte —con su hoz y su caperuza negra—, asesinos famosos y hasta un patíbulo, cuyo botón pulsó sin saber que iba a asistir a una ejecución en miniatura. Continuó el paseo, fascinada, sin entender muy bien qué estaba haciendo allí o qué tenían que ver esas figuras mecánicas con ella.

Entonces vio la lechuza.

La reconoció en la distancia: era una lechuza blanca con las alas extendidas, cobijada en una hornacina que simulaba el hueco de un árbol. De tamaño natural, se parecía bastante a la que aquel verano habían cuidado, Jan y ella, en el cobertizo de su tía: la misma expresión de eterna tristeza, los mismos ojillos fijos y brillantes, idéntico plumaje esponjoso… Era tan perfecta que costaba creer que no era real.

La luz roja parpadeaba lentamente, como invitándola a pulsar la tecla.

Eilne lo hizo.

El interior de la hornacina se iluminó. La lechuza movió lentamente la cabeza, a un lado y a otro. Luego comenzó a levantar las alas. Lentamente. Como si quisiera echarse a volar. Entonces Eilne se dio cuenta de que cobijaba algo bajo las alas. Se fue haciendo visible poco a poco. Eran dos figuras humanas. Dos niños. No: un niño y una niña. Tenían el pelo rojizo, como ella misma. Pecas, la nariz respingona y la piel tan blanca como la suya.

Tenían un ojo verde y otro azul.

Asustada, se dio cuenta de que estaba contemplando una copia mecánica de sí misma… y de su doble.

—Hola, Eilne —saludó una voz cantarina desde algún lugar de la estancia.

Se volvió a mirar y descubrió que se acercaba una chica de pelo blanco muy corto, sentada en una silla de ruedas. La reconoció en el acto. Era Aris, la persona a quien había visto en sus sueños.

—Hola, Aris.

La chica sonrió, complacida.

—Me alegro de que sepas quién soy. Yo también hace meses que sueño contigo. Tenía ganas de conocerte. Te imaginaba un poco más alta.

La mujer se levantó ligeramente el suéter y echó el cuerpo hacia adelante para que Eilne comprobara que allí estaban las marcas de nacimiento que había visto en su sueño, las mismas que también Pol tenía al final de la espalda. Sin saber por qué, ver las dos lunas le dio una enorme sensación de seguridad. Al instante supo que podía confiar en Aris, del mismo modo que lo había hecho en Pol.

—¿Soy yo? —preguntó, mirando hacia la vitrina de la lechuza, que había vuelto a adoptar la postura inicial, la que cubría a los dos niños con las alas extendidas.

—Lo eres.

—¿Tengo un hermano gemelo? —añadió, y señaló hacia el ala izquierda de la lechuza—. ¿Es él?

—Eres una niña muy lista, ya veo que no vas a necesitar que te explique nada. Tú sola te has dado cuenta —respondió la mujer, con un extraño orgullo pintado en el rostro.

—¿Qué tengo que hacer para encontrarle?

La mujer se acercó a ella y le agarró la mano.

—Querida mía, estoy aquí para eso. Mi misión es ayudarte a que te reúnas con tu hermano.

Eilne abrió un par de ojos asombrados.

—Lo primero que debes saber es su nombre. Se llama Níe.

—Níe… —repitió la niña.

Y no pudo evitar que la palabra le sonara cargada de esperanza.

GÉMINIS
(AÑO 2012)

Níe (1)

Como cada día, primero llegó el estruendo de los pasos subiendo la escalera. Luego, la voz fuerte de Katliw Ibsan, la dueña del hogar para niños perdidos, anunciando que era hora de levantarse:

—Arriba, niños. El desayuno está listo.

Perezosos, los cuatro se removieron en sus camas.

El más rápido en levantarse siempre era Johan, el mayor de los cuatro (aunque sólo por un año). Algunas veces, ni siquiera estaba despierto cuando sus pies tocaban el suelo. Los otros tres solían reírse de él cuando le veían salir de la habitación con los ojos cerrados, aún atrapado en el sueño, camino de la ducha. Todo lo contrario de lo que le ocurría a Níe, que tenía fama de remolón y perezoso. Él necesitaba por lo menos un cuarto de hora para mentalizarse de que tenía que apartar las mantas y salir de aquel nido calentito para lanzarse al frío del mundo exterior. La sola idea le daba una pereza enorme. Los otros dos, los gemelos Lars y Erik, no tenían un comportamiento fijo: algunos días saltaban de la cama como liebres y otros remoloneaban como osos. Eso sí, siempre coordinados, como si se hubieran puesto de acuerdo previamente. Y si sólo hubiera sido en eso…

Lars y Erik siempre coincidían en todo: tenían los mismos gustos, contestaban casi siempre con idénticas palabras, poseían las mismas habilidades y torpezas y hasta enfermaban simultáneamente de los mismos males. Ellos aseguraban que podían saber el momento exacto en que el otro comenzaba a sentirse mal, y que de inmediato experimentaban sus mismos síntomas. Les ocurría lo mismo con los sentimientos: si uno estaba triste, no tardaba en estarlo el otro. Si uno se alegraba o se reía por algo, enseguida eran los dos quienes estaban alegres, o divertidos. Lars y Erik —sólo quien nunca les había visto necesitaba que se lo dijeran— eran gemelos idénticos: dos gotas de agua.

Tenían el mismo pelo moreno con un remolino en la coronilla, los mismos ojos negros vivarachos, la misma nariz achatada, los mismos pies ligeramente planos y hasta el mismo lunar en la parte interior de la muñeca derecha. Cada uno parecía el calco del otro. Ni su misma madre, en el caso de haber estado a su lado, habría sido capaz de distinguirlos.

—¡Arriba, niños! —repitió la señora Katliw Ibsan—. ¡Se enfría la leche!

La señora Ibsan vestía siempre una especie de uniforme, con muchos botones, y unos zapatos con plataforma que contrarrestaban su baja estatura. Era gorda y bajita, y su aspecto tenía algo de cómico: la cara muy redonda y colorada, los labios carnosos y las orejas de soplillo. Además, usaba gafas de concha de cristales muy gruesos.

Los chicos fueron ocupando por turnos el cuarto de baño. Johan se duchó el primero. Níe entró al retrete. Los gemelos se lavaron la cara con agua bien fría, y luego las rodillas, y las axilas y todas las partes del cuerpo que resultaban visibles o levantaban sospechas. Lars y Erik no eran muy aficionados a la ducha. Estaban atravesando una etapa en que la limpieza había dejado de interesarles. De pronto, les parecía una pérdida de tiempo y de energía eso de permanecer bajo el chorro de agua caliente un rato todos los días, y los dos eran de la firme convicción de que con bañarse una vez a la semana era más que suficiente. El resto, bastaba con echar un poco de agua en las zonas más conflictivas y apestosas, sólo para que la señora Katliw Ibsan no se diera cuenta. Ésa era la razón por la cual los gemelos bajaban todos los días los primeros a desayunar.

Pero la ducha no era la única actividad odiosa que tenían que afrontar a aquellas horas. Era obligatorio —bajo pena de quedarse sin desayuno— hacerse la cama, barrer el suelo de la habitación, dejar la ventana abierta para que entrara el helado aire de la mañana, y recoger sus cosas para que todo tuviera un aspecto pulcro y ordenado. La señora Ibsan supervisaba los cuartos a diario, con exigencia militar, y decidía quién de los cuatro había sido aquel día menos aseado. Siempre debía elegir a uno, eran las normas que ella misma había establecido. ¡Y pobre del que le tocara!

Aquel día, como cada mañana, Katliw Ibsan les estaba esperando en el refectorio. Los chicos entraron y se comportaron como siempre: se detuvieron en formación junto a las sillas del lado derecho, esperando a que la señora Ibsan aprobara su aspecto y les diera permiso para sentarse a la mesa, rebosante de manjares apetecibles.

Sin embargo, aquella gélida mañana de otoño, las cosas no eran como cada día. Al lado de Katliw Ibsan esperaba un hombre al que los niños no habían visto nunca.

—Niños, os presento al señor Odd —dijo la señora Ibsan, frunciendo los labios en una mueca orgullosa, como si fuera importante la presencia de aquel extraño—. Ha venido a explicaros algo importante.

Odd carraspeó. Dio un paso al frente. Miró a la mujer, aguardando su permiso para hablar. Sólo después de una ligera inclinación de cabeza de ella autorizándole, comenzó su discurso:

—Buenos días, niños. Me llamo Odd Oddsson. Soy uno de los monitores del nuevo programa municipal de deportes acuáticos. El ayuntamiento de nuestra ciudad, siempre velando por los intereses de los niños, pretende que este curso aprendan a nadar todos los niños y niñas de entre siete y catorce años. Por eso he venido a ofreceros un pase semanal para las piscinas municipales, y un cursillo gratuito de natación.

Odd Oddsson hizo una pausa, como para calibrar el efecto de sus palabras en las caras de sus oyentes. Continuó:

—La señora Ibsan me ha informado de que ninguno de vosotros sabe nadar, ¿es así?

Los cuatro chicos bajaron la mirada, algo avergonzados, y asintieron tímidamente.

—¡Eso no es ningún problema! —continuó Odd Oddsson, animoso, y señaló hacia una bolsa que aguardaba sobre una silla—. Os he traído unos trajes de baño. Espero que os sienten bien. Algunos de vosotros —observó a los gemelos— sois mucho más altos de lo que imaginaba, pero no creo que sea ningún inconveniente.

La noticia fue recibida con tanto entusiasmo que por un momento los niños no pudieron evitar algunas exclamaciones de júbilo.

—¡Silencio! —ordenó la señora Katliw Ibsan—. Aún no sabemos quién de vosotros no podrá ir. Os recuerdo, niños, que aún no he subido a inspeccionar vuestras habitaciones.

Se hizo un silencio inmediato, tenso y expectante.

—Veamos vuestro aspecto… —dijo la señora Ibsan, entrecerrando un poco los ojos para observar a los niños uno por uno y comportándose de pronto como si el señor Odd Oddsson no estuviera allí.

Al llegar a la altura de Johan, olfateó el aire, como un sabueso, antes de preguntar;

—¿Te has puesto colonia, Johan?

—Sí, señora Ibsan —respondió el muchacho.

—Ya sabes que no me gusta que lo hagas. Otro día, olvídate de la colonia. No hay nada mejor que el olor a limpio, sin disfraces. ¿Lo has entendido?

—Sí, señora Ibsan.

—Bien… —La mujer observaba ahora el pelo de Níe, como buscando algo. Introdujo los dedos bajo el espeso cabello cobrizo del chico y los agitó un poco—. No te has aclarado bien el jabón, Níe. Seguro que si echamos un poco de agua saldrá abundante espuma. Debes usar menos cantidad de champú.

—Sí, señora Ibsan.

Ya se iba cuando reparó en algo. Volvió atrás un paso. Observó el oído izquierdo de Níe. Le pidió que volviera la cabeza. Observó el derecho.

—¿Qué son estas orejas? —Elevó un poco la voz—. ¿Cuánto hace que no te las lavas?

—Ayer por la mañana… —repuso Níe, algo aturdido.

—¡¿Ayer por la mañana?! ¿No sabes que hay que lavárselas a diario?

El muchacho asintió. Comenzó a sentir mucha vergüenza. No le gustaba que Katliw le regañara en público. Y mucho menos si un extraño como Odd Oddsson le estaba mirando.

Con el ceño fruncido por la contrariedad, la mujer continuó su revista a la pequeña tropa. Les tocaba el turno a los gemelos Lars y Erik. La mirada de la señora Ibsan se detuvo donde siempre: el pelo húmedo, los oídos, las manos, los codos, las rodillas y el lustre de los zapatos. Como cada día, los dos hermanos presentaban un aspecto impecable.

—Muy bien —asintió—. Aprended de Lars y Erik. Ellos sí saben lo que significa verdadera limpieza.

Como habían hecho tantas otras veces, Johan y Níe escucharon las alabanzas hacia los gemelos mientras se dirigían miradas por el rabillo del ojo. Sus cabezas decían que sí, pero por dentro estaban pensando: «Esta mujer es boba, qué fácil resulta darle gato por liebre».

Katliw Ibsan les dio permiso para sentarse a la mesa del desayuno.

—Ordenadamente, niños, por favor. No como lo haría una jauría de animales hambrientos —les pidió.

Había hogazas de pan recién hecho, queso, galletas, mermeladas de diez sabores diferentes —todos deliciosos—, una fuente con embutidos, fruta, zumos y un enorme termo repleto de chocolate caliente. Cualquiera se habría lanzado con fruición sobre aquellos manjares, que olían de maravilla. Ellos, en cambio, esperaron a que la señora Katliw Ibsan se situara en la cabecera de la mesa y pronunciara sus palabras de todas las mañanas. Odd Oddsson lo observaba todo disimulando su asombro:

—No olvidamos la tierra de la que salieron estos alimentos. Tampoco la vida que nos permite disfrutar de los frutos de la tierra. —Dirigió a los cuatro una mirada complacida y dijo—: Podéis comer, niños.

En cuanto Katliw Ibsan salió de la sala, se lanzaron sobre la comida. Lo que más les gustaba eran las galletas. Hechas de harina de maíz, almendras y azúcar y recubiertas de chocolate, todavía estaban calientes. La propia señora Ibsan las amasaba nada más levantarse, cuando aún no había amanecido. Cuando en la fuente de las galletas no quedaron más que las migas, devoraron el pan, la mantequilla, la mermelada, los embutidos y el queso. Odd Oddsson no recordaba haber visto comer con tantas ganas desde aquella vez que las termitas acabaron con las plantas de su jardín.

—¿Adónde ha ido? —preguntó Odd, señalando hacia el vacío que había dejado Katliw Ibsan.

—A inspeccionar nuestras habitaciones —respondió Johan, con la boca llena.

—¿Todos los días hace lo mismo?

Los gemelos respondieron al mismo tiempo:

—Sí.

—¿Y por qué?

—Necesita alguien que barra, limpie los cristales, lave los platos, saque brillo a la plata y quite el polvo de los muebles. Ella odia hacerlo y, además, le duelen los huesos —explicó de nuevo Johan.

Odd Oddsson negó con la cabeza y arrugó la frente:

—No entiendo.

—Ahora bajará la escalera, fingiendo estar muy enfadada, y pronunciará el nombre de uno de nosotros y el olvido terrible que ha cometido al ordenar su habitación. Él será su esclavo por un día: hará todas las tareas de la casa hasta la hora de ir a dormir.

—¡Pero eso es horrible! —exclamó el encargado municipal.

—No tanto. Ya estamos acostumbrados —respondió Níe—. Es mucho mejor esto que ser adoptados por unos extraños que nos llevarían a cualquier parte y nos querrían no por lo que somos sino por lo que ellos querrían que fuésemos.

Odd Oddsson estaba consternado.

—Pero ¿cómo podéis decir eso? ¿No os gustaría tener una familia? ¿Unos padres que os quisieran? ¿Que os dieran una educación y un hogar?

—¿Y que nos obligaran a no defraudarles? ¿A vestir como ellos digan? ¿A ser sus hijitos perfectos? ¿A quererles aunque fueran unos monstruos? ¿A soportar a todos los parientes pesados? ¿Y a un hermano, o dos o los que sean, que te roben el espacio y los juguetes? —Era Johan el que hablaba con tanta seguridad y contundencia.

Los demás le dieron la razón de inmediato en cuanto terminaron de masticar:

—¡Yo no quiero tener hermanos!

—¡Nos obligarían a bañarnos con ellos! ¡Qué asco!

—¡Incluso si fuera una chica! ¡Puaj!

—¡Tendríamos que ir de vacaciones todos juntos!

—¡Y no volveríamos a ver a nuestros amigos!

—¡Ni a comer las galletas de la señora Ibsan!

—Ni a subirnos a nuestro árbol.

Odd Oddsson no podía creer lo que estaba escuchando.

—Pero… —balbuceaba—, entonces, ¿preferís ser huérfanos?

—Por lo menos de este modo sólo tenemos que soportar a una persona adulta, que es la señora Ibsan. Ya estamos acostumbrados a ella y a sus rarezas, y no nos sorprenden. Ella nos quiere mucho y siempre vela por nosotros. No queremos cambiar.

Odd abría unos ojos descomunales:

—No… no… no me lo puedo creer. Hablas así porque nunca…

Se oyeron pasos bajando la escalera y la voz atronadora de Katliw Ibsan resonó por las altas bóvedas del pasillo:

—¡Lars! —gritó—, ¡no has barrido bien tu cuarto!

—Vaya… —suspiró Lars, y susurró muy bajito—: ¡Me ha tocado a mí, chicos! Pasadlo bien en las piscinas.

Katliw Ibsan entró. Parecía muy furiosa, pero sólo Odd Oddsson pareció asustarse.

—¡El suelo de tu habitación estaba sucio, Lars! Confiesa: puede que incluso ni siquiera hayas utilizado la escoba.

Lars no contestó. En realidad, no merecía la pena, porque sabía que nadie iba a escuchar lo que dijera.

—¡Te voy a mostrar lo que he encontrado debajo de tu cama!

Katliw Ibsan extrajo algo de su bolsillo. Lo sostenía entre el índice y el pulgar, formando una pinza, y era tan diminuto que ni siquiera era fácil distinguirlo a simple vista.

—¡Ofréceme la palma de tu mano! —ordenó.

De inmediato, Lars extendió la mano con la palma hacia arriba. Katliw Ibsan depositó sobre ella, con mucho cuidado, el cadáver diminuto de un mosquito. Estaba tieso, como disecado.

—¡Es el que me picó hace dos noches! —exclamó Lars, que parecía muy contento de ver al bicho en ese estado.

—¡He aquí la evidencia! ¡No has barrido debajo de tu cama! ¡Reconócelo! —continuó Katliw Ibsan.

Lars bajó la mirada, dócil. Su hermano hizo lo mismo, como si también fuera contra él la reprimenda.

—Y ya sabes lo que eso significa, supongo… —le recordó ella.

—Sí, señora Ibsan.

—Muy bien. Comenzarás por las persianas —dijo—. Están muy sucias. No se limpian desde hace por lo menos…

—Trece días —respondió Johan.

Lo sabía bien porque fue él el último en limpiarlas.

—Y luego, puedes continuar con el cuarto de baño, el suelo del pasillo, las alfombras, el polvo de la biblioteca… ¡Ah! Y hay que darle un repaso a las manecillas de las puertas. Que brillen. Y no te olvides de revisar que no haya ninguna telaraña en los altos de las habitaciones, ya sabes que no las soporto. Y si te queda tiempo, limpia el cajón de los cubiertos —suspiró, como si aquella enumeración la hubiera dejado exhausta.

—¿No podría hacer una excepción sólo por un día? —medió Odd Oddsson—. Es una lástima que el chico no vaya con sus amigos.

—¿Una excepción? —La señora Katliw Ibsan le miró como si acabara de escuchar una extravagancia—. ¡Por supuesto que no!

—Yo le ayudaré —intercedió Erik, animoso.

Katliw Ibsan negó con la cabeza, tajante. También Odd Oddsson pareció muy contrariado.

—Ah, no, cariño. Tú debes irte a la piscina.

Cambió radicalmente el tono de voz para adoptar otro muy dulce:

—No me perdonaría que no disfrutarais de este regalo tan excepcional que os hace el ayuntamiento. Debéis pasarlo bien y sacar provecho, niños. Vuestra felicidad, recordadlo, me hace feliz a mí también.

—Entonces… —se atrevió a insistir Odd Oddsson, con un hilo de voz—, ¿por qué no permite que también Lars nos acompañe?

—No, señor, de ninguna manera. Lars ha olvidado barrer debajo de su cama, ¿acaso no ha escuchado usted nuestra conversación de hace un minuto?

—Sí, señora, pero…

—¡Pues ahí está su respuesta! Él debe quedarse aquí, conmigo, y cumplir con su obligación.

—Si yo también me quedo, terminaríamos antes —insistió Erik.

La señora Katliw Ibsan se puso colorada:

—¡No, no y no! ¡Estoy harta de que siempre que le toca a uno de vosotros el otro se ponga pesado! A partir de hoy, cada vez que uno salga en defensa del otro condenará a su hermano a un día más de limpieza, ¿lo has entendido? —Dicho esto, se volvió hacia los otros tres—: Y vosotros no perdáis tiempo, los trajes de baño os esperan. Vamos, id a cambiaros. ¡No sabéis cuánto deseo que disfrutéis muchísimo! Y usted, señor Oddsson, disfrute de ellos. Ya verá que mis muchachos son excepcionales en muchos sentidos. —Hizo una pausa, miró a los chicos con orgullo maternal y añadió—: Son la suerte de mi vida.

—¿Le apetece que tomemos una taza de chocolate caliente mientras los chicos van a vestirse? —ofreció Odd Oddsson, aprovechando el repentino buen ánimo para intentar convencerla de que todos ellos debían acompañarle.

—No, no, señor Oddsson. Lo siento mucho, pero es imposible. Tengo muchas cosas que atender.

Dicho lo cual, Katliw Ibsan se levantó y desapareció tras la puerta batiente de la cocina.

Lars, que se había quedado en su silla, rompió el silencio para decir:

—La señora Ibsan no quiere que la veamos comer. Por eso nunca se sienta a la mesa con nosotros, a ninguna hora.

«Menuda mujer más rara», pensó Odd Oddsson.

—¿Puedo preguntarte algo, Lars? —Formuló la pregunta como si llevara mucho rato pensando en ella. El muchacho le miró con atención—: ¿Nunca has pensado que podrías no obedecer a la señora Ibsan? Hoy, por ejemplo, ¿no querrías venir a las piscinas con nosotros? Tal vez ella no se enfadaría tanto como...

El chico no le dejó ni terminar.

—Mejor no, señor Oddsson. No quiero que se enfade conmigo. Es mejor así.

Oddsson comprendió que había llegado el momento de terminar con aquella conversación. Presentía que, por mucho que hablaran, no llegaría a comprender el conformismo de Lars. Muy disgustado, no tuvo otro remedio que dar el asunto por zanjado y, ya de paso, también el desayuno y su estancia en el hogar para niños perdidos:

—Vamos, chicos, ¡en marcha!

En ese momento, los tres afortunados bajaban la escalera, bien abrigados y cargados con sus mochilas. Salieron trotando de la casa y se acomodaron en la espaciosa furgoneta de Oddsson, que aguardaba en la puerta.

Visto desde fuera, pensó el hombre, el hogar para niños perdidos de la señora Katliw Ibsan tenía un aspecto un poco lúgubre: estaba construido íntegramente con madera oscura, incluido el tejado a dos aguas, la escalera de acceso al porche y, por supuesto, todo el interior. Las ventanas eran pequeñas, con contraventanas que se cerraban de noche, para evitar que el viento rompiera los cristales. Una valla también de madera oscura rodeaba la propiedad, en la que incluso la tierra era de un color muy pardo, casi negro. Sólo el verde del gran árbol que crecía en la parte trasera, en el cual los chicos solían encaramarse, rompía un poco con la tónica de los colores tristes.

Lo mejor de aquel lugar era la vista que se obtenía desde las ventanas. A un lado, las praderas, siempre verdes, en las que pastaban con absoluta libertad ovejas y caballos. Desde el otro se divisaba la grandiosidad azul del fiordo, con sus aguas cristalinas y calmas, en las que se reflejaba el brillo del sol y el blanco de la nieve. Era un lugar idílico, en el que reinaba un silencio que algunos habitantes de la tierra ni siquiera saben que existe.

Había quien afirmaba que aquella casa era un monumento nacional, porque fue construida por los primeros pobladores que tuvo la ciudad, algo más de dos siglos atrás. De hecho, a veces se acercaban hasta allí los turistas, hacían fotos con sus cámaras digitales y se marchaban de nuevo. Esos pocos turistas atrevidos —porque el lugar quedaba tan apartado que casi nadie llegaba hasta allí— eran casi las únicas personas a quienes los niños veían en todo el año, además de a la propia señora Katliw Ibsan y de la maestra que todos los días les daba clases.

De modo que para los tres niños que iban ahora en la furgoneta de Odd Oddsson, salir de la casa y dirigirse hacia un lugar bullicioso y divertido como las piscinas municipales suponía una verdadera celebración, algo que no ocurría todos los días. Aunque el ambiente no era todo lo festivo que Odd Oddsson hubiera deseado. Erik se mostraba cabizbajo, triste por tener que ir a alguna parte sin su hermano gemelo. Johan, que siempre era más reservado, no demostraba todo el entusiasmo que sentía ante la aventura. Sólo Níe, sentado junto al conductor, se pasó todo el rato charlando con mucho ánimo, dando a entender lo contento que estaba.

Las piscinas municipales ocupaban una superficie igual a la de un campo de fútbol. Eran unas instalaciones ultramodernas, formadas por dos piscinas olímpicas y una docena de pequeñas albercas de aguas termales. También había toboganes gigantes, trampolines y una zona dedicada a los juegos de agua. El recorrido comenzaba en los vestuarios, donde después de ponerse el traje de baño era necesario dejar la ropa en una taquilla cerrada con llave.

—Ataos el llavín a la muñeca, así —les indicó Odd Oddsson, mientras les mostraba cómo debían hacerlo.

Todos los usuarios de la piscina estaban obligados a darse una ducha bajo la mirada vigilante de un empleado. Incluso Erik tuvo que cumplir con ese ritual, y no pareció hacerlo de mala gana (sería por la novedad o por la emoción). Desde allí, atravesando un pasillo, llegaron a la zona cubierta. Bajaron unos pocos escalones para entrar en el agua. Se encontraban bajo una bóveda de cristal transparente. Unos cuantos bañistas iban y venían. Algunos hacían como ellos: mirar maravillados hacia arriba y sentarse en cualquier parte para gozar de la sensación de estar en el agua.

Antes de presentarles a su entrenador, Odd Oddsson intercambió con él unas palabras.

—Falta uno —le dijo—. No ha habido forma de convencer a esa mujer de que le deje salir.

—¿Qué vas a hacer?

—No olvidarme de él. No creo que pueda hacer nada más.

Ambos se dieron cuenta de que los tres amigos les estaban mirando y decidieron dejar la charla para más tarde. A los chicos les sorprendió descubrir que el monitor era idéntico a Odd Oddsson, pero mucho más atlético. Tenía ese aspecto inconfundible de los nadadores: espaldas poderosas, bíceps muy marcados, piernas como columnas… Les estrechó una mano enorme con mucha ceremonia y se presentó:

—Soy Gudmur, vuestro entrenador —se presentó— y, como habréis adivinado, soy el hermano gemelo y deportista de vuestro amigo Odd. Lo primero que vamos a hacer será familiarizarnos con el entorno, ¿os parece bien? ¿Alguien siente miedo de permanecer dentro del agua?

Los tres negaron con la cabeza, aunque ninguno fue del todo sincero.

El monitor echó a andar hacia un lateral, donde se abría un arco que daba al exterior. El agua apenas les llegaba a la cintura, pero en cuanto sintieron el frío de fuera, los tres procuraron cubrirse. La temperatura debía de rondar los cero grados. El único modo de permanecer allí era mantenerse a cobijo dentro del agua climatizada y tibia.

—Mientras os enseño las diferentes piscinas, realizaremos un sencillo ejercicio. —Gudmur comenzó a describir con los brazos círculos en el agua—. Así. Es muy fácil.

Se sentían un poco ridículos. Seguro que los tres estaban pensando: «Esto de la natación no me va a gustar». Recorrieron las dos piscinas olímpicas siempre por la parte más baja, donde hacían pie sin dificultad. Cada vez que Johan se cruzaba con una chica más o menos de su edad, dejaba de bracear. El monitor le regañó varias veces:

—Vamos, Johan, ¡no pares!

Pero él hacía caso omiso hasta perder de vista a la sirena rubia a la que no podía dejar de mirar. En eso, y en otras muchas cosas, a Johan se le notaba mucho que estaba a punto de cumplir catorce años. Las chicas empezaban a interesarle casi tanto como sus amigos (algo que a ratos le parecía muy preocupante, y le hacía preguntarse si volvería alguna vez a ser el mismo de antes).

Para Níe y Erik, en cambio, lo más fascinante de aquella primera mañana en las piscinas municipales fue descubrir la presencia del enorme tobogán tubular. Se elevaba varios metros por encima de sus cabezas —había que subir el equivalente a tres pisos para arrojarse por él— y desembocaba en una de las piscinas más profundas. Precisamente ésa era la razón por la que, de momento, tendrían que contentarse sólo con mirarlo. En ese mismo instante, por cierto, un chico que debía de tener más o menos su edad, caía al agua entre risas, propulsado por la última vuelta de la gigantesca atracción. No pudieron evitar sentir una fuerte envidia.

—Ése será vuestro premio —aseguró Gudmur— en cuanto seáis capaces de flotar en el agua, os dejaré subir al tobogán. Es mucho más divertido de lo que imagináis. Y os prometo que el momento de comprobarlo no está tan lejos como parece.

La mañana pasó volando. Bracear, caminar por el agua, sentarse en una piscina burbujeante y caliente. Tres horas más tarde, cuando tenían los dedos arrugados como pasas y habían perdido del todo la noción del tiempo, Gudmur les dio la orden que ninguno de ellos quería oír:

—¡Al vestuario!

Níe estaba entrando en la zona de duchas cuando se dio cuenta de que no llevaba su pulsera con la llave de la taquilla. La había anudado a su muñeca, como Gudmur les había dicho, pero debía de haberla perdido sin darse cuenta. Buscó al monitor, pero al no encontrarle decidió ir él mismo en busca de su llave. Realizó de nuevo todo el recorrido: desde la primera piscina cubierta a las más calientes, siempre caminando por la parte donde hacía pie y sin dejar de rastrear el suelo con la mirada.

Encontró la pulsera con el llavín en el fondo de una de las piscinas grandes, muy cerca del lugar de donde arrancaba la escalera del tobogán gigantesco. Intentó agarrarla con el pie, pero la llave se escabulló, y se dejó arrastrar por alguna corriente misteriosa. Níe dio un paso, sin darse cuenta de que el agua le llegaba más arriba del pecho. De nuevo intentó recuperar su pulsera ayudándose con el pie, pero otra vez ocurrió lo mismo: la llave se escabulló, y se desplazó por el fondo más de un metro.

Como Níe nunca había estado en una piscina, no reparó en lo extraño que resultaba que una llave describiera un recorrido tan largo sin que nada la impulsara. Para capturarla, dio un paso más. Y otro. Y otro aún. Ahora el agua le llegaba hasta la garganta. Estaba ahí mismo, podía verla perfectamente, pero ni siquiera alcanzaba a rozarla con el dedo pulgar. Un paso más le hubiera sumergido la cabeza en el agua. Níe, que era un muchacho valiente, decidió en ese momento que lo mejor era zambullirse. No iba a ocurrir nada malo: sería sólo un momento, el necesario para recuperar la llave y salir de nuevo a la superficie. Parecía lo más fácil del mundo.

Echó un vistazo a su alrededor: no quedaba nadie en la piscina. No le pareció extraño: el sol declinaba en el horizonte. Además, estaba comenzando a lloviznar. Hacía tanto frío que permanecer dentro del agua era una cuestión de vida o muerte. No lo pensó dos veces. Se agachó y se sumergió en el agua silenciosa.

A partir de ese momento, sintió como si las cosas se transformaran. Es difícil tener una noción clara de lo que está arriba y lo que está abajo cuando te encuentras dentro del agua. Tu cuerpo no tiene la misma percepción: parece pesar menos, se mueve con más libertad… pero a la vez, una piscina puede ser una trampa mortal para quien no sepa nadar.

Níe extendió el brazo y no logró agarrar la llave. Durante unos pocos segundos palpó el fondo rugoso, pero no encontró nada. Cuando quiso volver a intentarlo, se dio cuenta de que el suelo se había desvanecido, como si alguien lo hubiera hecho desaparecer. Tanteó varias veces a su alrededor, pero fue en vano. Su mano se movía en el vacío, sin encontrar nada donde detenerse. Intentó darse impulso con los pies, pero tampoco halló ningún lugar donde apoyarse. De pronto comenzó a faltarle el aire. Se asustó. Sus movimientos se volvieron más bruscos. Su corazón comenzó a latir con la fuerza de la desesperación. Se sintió perdido. Quiso gritar. Era algo superior a él, una especie de instinto: pedir socorro o encontrar una manera de desahogarse, lo mismo que gritan los animales salvajes cuando algo les asusta o les hiere. Pero, por supuesto, nadie le escuchó. Sólo consiguió que su garganta se llenara de agua. Siguió pataleando, luchando, moviéndose hacia todas direcciones, buscando la salida, el aire, la luz… La vida…

Hasta que de pronto oyó una voz que decía:

—Déjate ir, hijo mío. No te pasará nada.

Era una voz de mujer. La voz más dulce que había oído jamás.

—Déjate ir, Níe. Confía en mí. No sufrirás ningún daño.

Creyó con firmeza en lo que estaba oyendo. Por alguna extraña razón, pensó que no tenía nada que perder.

Y se dejó ir.

Jan (4)

—¿Vas a decirme dónde está Eilne?

La misma pregunta se repitió hasta una docena de veces en las horas que siguieron al desagradable encuentro de Jan con Bat Lawinski. Y todas las veces le respondió lo mismo: que no tenía ni idea de dónde estaba su prima, que no sabía nada. Todas las veces pensó: «Y aunque lo supiera, no te lo diría», pero se guardó para sí esos pensamientos.

Al final, perdió la noción del tiempo. No tenía ni idea de cuántas horas habían pasado desde que Lawinski le agarró por el cogote y le metió a la fuerza dentro del vehículo. Si juzgaba por el rugido de sus tripas, debían de ser muchas. Recordaba bien que en cuanto consiguió tranquilizarse un poco y pensar con la cabeza, decidió que había llegado la hora de cenar y se comió de una vez toda la caja de galletas rellenas de mermelada. Luego sintió un sueño muy agradable, se cubrió con algo blando que encontró en la oscuridad del camión (parecía una manta) y se echó a dormir. Su último pensamiento antes de caer rendido también fue muy práctico: tenía que ingeniarse un modo de salir de allí, pero lo haría mucho mejor después de descansar un rato.

Al despertar de nuevo, lo peor no fue el aburrimiento, como había pensado. Jan era un muchacho de grandes recursos, llevaba en la mochila cosas suficientes para garantizarse algunas horas de distracción. Empezando por una linterna, que había tenido la precaución de meter en su pesado equipaje. Gracias a ella pudo disponer de un poco de luz con la que leer y orientarse entre todo lo que había a su alrededor (comenzando por su propia mochila). Pero tal vez hubiera sido mejor no llevarla, ya que por culpa de la linterna terminó por ver algo que no habría querido ver nunca.

Ocurrió cuando estaba terminando el tercero de los cuadernos de Eilne. Decidió levantarse un poco para desentumecerse y, de paso, averiguar lo que guardaba Lawinski en el fondo de aquel camión que tantas veces había visto, y en el que tantas veces había ayudado a cargar las piezas que salían de las manos de su madre. Ojalá hubiera alguna botella de agua, porque comenzaba a tener sed y sus propias provisiones ya se habían terminado.

Pulsó el interruptor de la linterna y el haz de luz iluminó aquel reducido espacio. En cuanto sus ojos se acostumbraron de nuevo a la claridad, lo enfocó hacia todos los rincones en busca de cualquier cosa que pudiera serle útil. El camión viajaba prácticamente vacío, pero había algunas cosas junto a un lateral: algunos metros de cuerda, un par de mantas, una bolsa que parecía llena de herramientas de mecánico, un bidón de gasolina (no sabía si lleno o vacío), varias cajas de cartón sin montar (de las que Lawinski y Senda utilizaban para transportar las piezas de cerámica) y una neverita portátil que se apresuró a abrir. Por desgracia, estaba vacía.

De pronto reparó en algo más. Un bulto grande, cubierto con una manta. Estaba al fondo, junto a la pared, tumbado sobre un colchón como los que se utilizan para ir de campamento. Desde lejos parecía una alfombra o algo similar. Tuvo que acercarse para darse cuenta de que no lo era. Se arrastró, procurando no hacer ruido (no quería que Lawinski supiera que estaba despierto).

No fue hasta que estuvo muy cerca cuando se dio cuenta: del bulto que él había tomado por una alfombra sobresalían una mano y un pie. Ni siquiera tuvo que aproximarse más o apartar las bolsas para saber que se trataba de un cuerpo humano. Era una mujer. Tenía el pelo largo y muy moreno. A un lado de la cabeza tenía algo que parecía una herida. Tal vez el orificio de entrada de una bala. Incluso sin descubrirlo hubiera sabido que la mujer estaba muerta. No le veía la cara, pero tampoco quería hacerlo: mirar a la muerte frente a frente no entraba en sus planes para aquella noche.

Desde ese momento, el viaje se convirtió en algo mucho peor. Si es que acaso puede haber algo peor que la peor pesadilla.

De nuevo habían pasado muchas horas de silencio y miedo cuando Jan se dio cuenta de que el camión comenzaba a moverse. Al principio, sintió que el vehículo maniobraba por las calles de una ciudad, y luego le pareció que avanzaban a mayor velocidad, como si recorrieran una carretera. No se equivocaba. Lawinski se había cansado de su mutismo y había decidido hacer algo diferente.

Una de las veces que el vehículo se detuvo, Jan decidió escapar de allí. Ya había estado inspeccionando a fondo la puerta, y había llegado a la conclusión de que era irrompible e imposible de forzar. La única solución que le quedaba era esperar a que pasara alguien cerca y gritar con todas sus fuerzas pidiendo socorro. Con un poco de suerte, alguien avisaría a la policía y terminarían por detener a su secuestrador.

Fue en la primera parada. Escuchó pasos sobre la gravilla. Debían de estar cerca de un camino, o algo así. No esperó ni un segundo más para gritar con todas sus fuerzas:

—¡Socorroooooo! ¡Estoy dentro del camión! ¡Me tienen secuestrado!

Consiguió lo que se había propuesto. Una voz de mujer se acercó para preguntar si necesitaba ayuda.

—¡Abra la puerta del camión! ¡Estoy encerrado! —dijo él desde dentro, mientras oía cómo alguien comenzaba a manipular desde fuera el portón.

—Está cerrado con llave —dijo la voz de mujer—, ¡no puedo abrir!

Luego oyó un grito ahogado y un golpe contra la puerta. El silencio le hizo temer lo peor. Y sus sospechas se confirmaron cuando Lawinski abrió el portón y arrojó otro fardo al fondo del cubículo. Ya no había una muerta, ahora eran dos. Y por su culpa.

—Cada vez que consigas que alguien te oiga, habrá un muerto más —le anunció Lawinski, antes de cerrar de nuevo de un golpe seco.

Jan escondió la cabeza entre las rodillas y lloró de rabia y horror. Tenía que pensar en otra cosa. Lo que fuera, con tal de salir de allí. Y rápido.

Como ya sospechaba, no le quedaba mucho tiempo. En unas pocas horas más llegarían a su destino.

Para colmo de males, se habían agotado las pilas de la linterna.

Lars (1)

Erik acababa de entrar en la zona de duchas cuando empezó a encontrarse fatal. El corazón le comenzó a latir a toda velocidad, mientras sentía que un nudo se le formaba en el estómago. Sus nervios, sin causa aparente, se estaban descontrolando. En ese mismo instante supo lo que significaba: su hermano estaba en peligro.

—Tenemos que irnos a casa enseguida —apremió a Johan—. Ha ocurrido algo muy grave.

Nadie tomó a broma las palabras de Erik. Avisaron a Odd Oddsson para que les recogiera enseguida. Estaban terminando de vestirse cuando repararon en que Níe no estaba con ellos. Su taquilla estaba intacta. Él no se encontraba en las duchas, ni en ninguna otra parte. Lo sensato habría sido esperarle, pero Erik no podía esperar.

—¡Si no nos vamos enseguida, podría ser demasiado tarde! —aseguró.

Gudmur se ofreció a llevarles primero y regresar más tarde en busca del rezagado.

De camino hacia el hogar, Johan observaba con atención la cara de su amigo. Lo que veía en ella sólo lograba asustarle más y más: dolor, pánico, impotencia…

Sólo cuando se acercaron lo bastante al hogar para niños perdidos comenzaron a comprender las razones de la preocupación del muchacho. El olor les sorprendió a varios kilómetros de distancia. Era inconfundible: hedor a madera quemada. Tal vez no sólo a madera. El viento les trajo aquel anuncio de la desgracia, la misma que iban a conocer en sólo unos pocos minutos.

Pero no fue hasta la salida de la última curva cuando vieron las enormes lenguas de fuego.

El hogar de la señora Katliw Ibsan se estaba quemando por los cuatro costados. El incendio se había propagado tanto que arrasaba con todo. Los bomberos luchaban con todas sus fuerzas, pero era inútil: ya no quedaba nada de lo que hasta ese día había sido el hogar de los niños y de su cuidadora. Sólo maderas terminando de consumirse y cenizas que el viento esparcía en todas direcciones.

Nada más ver el incendio, Erik se echó a llorar. No dejaba de repetir:

—Lo sabía… Lo sabía…

Gudmur bajó del coche. Los dos niños hicieron lo mismo, y echaron a correr en dirección a los coches de bomberos. Había por lo menos dos docenas de hombres intentando sofocar el incendio. La mayoría corría de un lado para otro, llevando mangueras o extintores. Llegaban órdenes y gritos hasta sus oídos, mezclados con el crepitar de las llamas y el crujir de las maderas chamuscadas. El hedor era más insoportable cuanto más se acercaban.

Avanzaron hasta tropezar con un cordón policial donde se leía:

NO PASAR

Erik hizo caso omiso y levantó la barrera. Quería saber lo que había ocurrido. No tardó en tropezar con un agente de la policía que le franqueó el paso.

—Ahí dentro ya no queda nadie, sólo bomberos que hacen su trabajo —dijo—. Nadie puede pasar.

En medio de tanto desconcierto, tardaron un buen rato en averiguar qué había ocurrido.

—A nosotros nos han avisado hace un rato —le explicó el jefe de bomberos a Gudmur—. Un pescador que regresaba al puerto ha visto las llamas desde la cubierta de su embarcación. Cuando hemos llegado ya no se podía hacer nada. Estas casas tan antiguas arden enseguida. Parece que el incendio comenzó en la cocina. La dueña se durmió dejando la cafetera al fuego. Y era muy aficionada a decorarlo todo con tapetes y cortinas. Ardió en pocos minutos.

Todos escuchaban con mucha atención, impresionados.

Gudmur sentía un nudo atenazándole la garganta cuando preguntó:

—¿Se sabe algo de las personas que había dentro?

—Nos han dicho que una ambulancia se los ha llevado antes de que llegáramos.

El hombre respiró profundamente antes de decidirse a terminar de facilitar toda la información de que disponía:

—Pero mis hombres me han informado que hay una persona a quien no hemos encontrado. Mientras no aparezca… —Hizo una pausa compungida y añadió—: Nos tememos lo peor. Lo siento mucho, de verdad.

Todos se volvieron a mirar a Erik. Cuando todos los ojos convergieron sobre él, el chico se apresuró a decir:

—No es mi hermano. Él está bien. Puedo sentirlo.

Níe (2)

Níe se sintió caer por un túnel estrecho y muy oscuro. A ratos tenía una sensación parecida al mareo, como la de quien da vueltas y más vueltas con los ojos cerrados. Ya no le faltaba el aire, pero estaba completamente desorientado, perplejo. Oía un rumor de agua y sentía su tibieza, pero estaba seguro de que gran parte de su cuerpo ya no estaba sumergido en la piscina. Estaba en otro lugar, pero no era capaz de decir dónde.

De pronto, vio un resplandor al final del negro túnel. Se acercaba hacia él sin necesidad de hacer nada. Sintió que estaba llegando a alguna parte. Oía algún ruido. Pasos, voces… todo muy lejano, como se oyen los sonidos del mundo cuando estás dentro del agua. Entonces se detuvo. Miró a su alrededor. La luz era muy tenue. No reconoció el lugar. Parecía una piscina, pero estaba vacía. Sobre su cabeza, reinaba la oscuridad. No tenía frío.

«¿Estaré muerto?», pensó.

De una puerta del fondo vio salir una luz mortecina. Se dirigió hacia ella, lleno de curiosidad.

Nada más atravesar la puerta se encontró en un pasillo muy largo y muy estrecho cuyas paredes estaban formadas por espejos. Sólo espejos, multiplicando su imagen millones de veces. Caminó entre ellos, despacio, asustado. No había llegado ni a la mitad cuando oyó de nuevo aquella voz femenina y cálida, que decía:

—No te detengas, Níe. Continúa hasta el final, hijo mío.

«¿Y si al final de este pasillo encuentro el infierno? —se dijo—. Tal vez voy a conocer a mi madre y me explica por qué me abandonó nada más nacer», pensaba el muchacho mientras avanzaba cada vez más despacio.

Lo que le esperaba al final fue lo más sorprendente que le había pasado nunca. Un cristal. Un cristal transparente en mitad de los espejos. Y tras él un rostro igual al suyo, que le miraba. La cara que estaba al otro lado tenía su mismo color de pelo, sus pecas, su nariz respingona y, sobre todo, sus ojos extraños, uno de cada color, una característica que lo hacía diferente a los demás. Y, a pesar de que a simple vista eran idénticos, supo que lo que estaba viendo no era el reflejo de sí mismo, sino otra persona.

Apoyó una mano en el cristal y la imagen, en el otro lado, hizo lo mismo. Entonces oyó la voz cálida que susurraba en su oído:

—Hijos míos, ahora todo está en vuestras manos.

De inmediato, una luz cegadora se encendió al otro lado del cristal, y la imagen se desvaneció.

La claridad duró apenas unos segundos y enseguida dejó paso de nuevo a la oscuridad más absoluta. El rumor del agua regresó, y con él la sensación de mareo, de dar vueltas y más vueltas a través de un túnel negro y estrecho que no sabía adónde le conducía. Hasta que cayó como un saco dentro de una de las piscinas más profundas y oyó por última vez aquella voz que le decía:

—¡Nada, hijo! Muévete. Con todas tus fuerzas. ¡Nada!

Obedeció. Probó a mover las piernas y los brazos, todo al mismo tiempo, sin orden ni concierto, sin saber por qué lo hacía. No como alguien que nunca ha estado en una piscina, sino como quien hace muchos años que aprendió a comportarse como los peces. Incluso él se sorprendió. ¡Estaba nadando! Se movía con libertad, sus brazos y sus piernas le obedecían y, además, le parecía lo más fácil del mundo.

Abrió los ojos y contempló el fondo, borroso como se ven las cosas dentro del agua. Nadó sin dificultad hasta una escalera lateral y se agarró a ella para emerger a la superficie.

Le sorprendió encontrar al salir seis pares de ojos asombrados. Odd Oddsson, el socorrista y algunos curiosos le estaban mirando de hito en hito.

—Si me hubieras dicho que sabías nadar no te habría hecho perder tiempo con ejercicios para niños pequeños —le increpó Odd.

—No tenía ni idea de que sabía nadar —confesó Níe, aunque, claro, no le creyeron, lo cual era comprensible.

—También podrías haber avisado de que pensabas subir al tobogán. Llevamos un buen rato buscándote —le regañó de nuevo Odd Oddsson.

Níe miró a su espalda. Estaba en la piscina adonde llegaban los que eran escupidos por el tobogán gigante. Sólo que para conseguir eso, primero había que subir la escalerilla y entrar en las tripas de la atracción y dejarse ir... Y él no recordaba haber hecho nada de eso. En cambio, había aparecido exactamente en el centro de la piscina. Además, el túnel oscuro por el que acababa de pasar, la sensación de dar vueltas y más vueltas... todo parecía cuadrar a la perfección. Debía de ser verdad lo que le estaban diciendo, pensó, aunque no tenía ni idea de cómo demonios había ocurrido.

—¡Que sea la última vez que vuelves a las piscinas una vez que ha terminado la clase! —continuó regañándole Odd.

—¿Van a expulsarme del programa del ayuntamiento? —preguntó Níe, temeroso del castigo.

—¿Qué programa? —replicó desconcertado el hombre.

—El programa municipal para niños de siete a catorce años. Usted dijo que trabajaba para el ayuntamiento.

—Oh... Eso... Es verdad —sonrió Odd—. En realidad, hijo, no hay ningún programa. Sólo era una argucia para sacaros del hogar de la señora Ibsan.

—¿Por qué?

Odd Oddsson se encogió de hombros.

—No lo sé —reconoció—. Soñé que tenía que hacerlo.

La respuesta no tenía ni pies ni cabeza, pero nada de lo que estaba ocurriendo lo tenía, de modo que Níe prefirió no hacer más preguntas.

Intentó explicarle a Oddsson lo que había ocurrido: le habló de la pulsera perdida y de cómo intentó atraparla bajo el agua, de su atrevimiento al sumergirse y de la sensación de...

—¡No me vengas con cuentos! —le interrumpió el hombre—. ¡Si llevas la pulsera en la muñeca! Además, es el mismo nudo que yo te he hecho hace un buen rato. Vamos, al vestuario, han pasado muchas cosas esta tarde para encima tener que soportar tus mentiras.

Níe no tenía ni idea de hasta qué punto iba a impresionarle conocer las «muchas cosas» que habían pasado. De momento, aguantó en silencio la regañina mientras trataba inútilmente de poner orden en sus pensamientos. No era nada fácil: ¿a quién correspondía la imagen que había visto al final del pasillo de espejos? ¿Realmente era la de su madre la voz que había escuchado con tanta nitidez? ¿Cómo había hecho para pasar de la piscina olímpica donde se estaba ahogando al tobogán por el que cayó? ¿Era posible aprender a nadar en dos minutos? Y si no lo era, ¿cómo y cuándo había aprendido él? Estaba claro que a él también le habían pasado un montón de cosas.

Al salir del vestuario, después de ducharse y vestirse, Níe no encontró a nadie. Odd Oddsson había desaparecido, de modo que se sentó a esperarle en un banco de la entrada, convencido de que regresaría. Transcurrió más de una hora. Decidió entrar de nuevo en la piscina para no quedarse helado de frío. Allí dentro quedaba poca gente. Era bastante tarde. Además, comenzaba a tener hambre. También estaba muy cansado. No tenía ni idea de dónde debían de haberse metido sus amigos, ni el enigmático Oddsson.

Pocos minutos después, Níe no pudo aguantar más. Llevaba un buen rato sintiendo que los párpados le pesaban muchísimo. Se puso los guantes, la bufanda, el gorro, subió el cuello de su anorak, cerró la cremallera, metió las manos en los bolsillos y se acomodó en el banco, utilizando su mochila como almohada. Cerró los ojos y cayó en el más dulce de los sueños.

—Hola, Níe. Soy Rea, tu madre —dijo una voz que provenía de lo más profundo de su inconsciente—. Debo decirte que tú no eres mi único hijo. Tu hermana está a punto de llegar. Compórtate con ella como lo has hecho hoy en la piscina, dejándote llevar con valentía. Es importante que escuches los sueños de los gemelos. Ellos os guiarán. Al final del camino, todas las dudas encontrarán una respuesta. No desfallezcas. Es muy importante que seas fuerte. No olvides que te quiero. Que os quiero a los dos.

Despertó al oír un poderoso aleteo sobre su cabeza. Abrió los ojos. Una enorme lechuza blanca acababa de posarse a escasos centímetros de él. En cuanto abrió los ojos, el animal dejó escapar una especie de chillido.

Níe se incorporó de pronto, asustado. La lechuza le miraba fijamente. Era una mirada autoritaria, como la que tienen las personas acostumbradas a dar órdenes.

«Quiere que la siga —pensó Níe. Y al instante reparó en lo que se le acababa de ocurrir—. ¿Me estaré volviendo loco?»

Pero no era aquél el momento para pensarlo: la lechuza acababa de levantar el vuelo. Ahora le miraba desde la rama más baja de un árbol cercano.

Níe se cargó la mochila al hombro y murmuró:

—Está bien… Vamos.

La noche fue larga como ninguna otra. Erik y Johan esperaron en el coche de Gudmur.

—He hablado con los responsables de Asuntos Sociales y van a hacerse cargo de vosotros hoy mismo —les anunció el hombre.

Johan puso cara de fastidio:

—Eso es peor que tener una familia adoptiva. ¿Asuntos Sociales? ¿Y adónde piensan llevarnos? —murmuró para que le oyera su amigo, que estaba sentado a su lado.

Los chicos estaban perplejos: en sólo unas horas, sus vidas parecían haber dado un giro de ciento ochenta grados. La sensación de vértigo era tan abrumadora que les resultaba difícil adivinar lo que iba a ocurrir en los siguientes minutos. Erik sólo tenía un deseo: que le llevaran con su hermano.

A eso de las diez de la noche llegó una chica muy sonriente preguntando por ellos. Tenía el cabello tan rubio que casi parecía albina y lo llevaba muy corto. Vestía unos vaqueros blancos y un suéter de lana también blanco, aunque a ninguno le llamó la atención ese detalle.

—Soy Irsa —les dijo al presentarse— y vengo a llevaros a un lugar donde os están esperando.

—Yo no quiero ir a ninguna parte sin mi hermano —respondió Erik.

—Haces bien. Enseguida iremos a buscarle —dijo mientras le guiñaba un ojo.

Irsa le mostró unos papeles —parecían oficiales— al jefe de la policía, que los miró con mucha atención antes de dar su consentimiento. Superado este trámite, les pidió a los dos amigos que subieran a su coche y se despidió de Gudmur después de agradecerle todas las molestias que se había tomado.

—Muy bien, chicos —dijo nada más ponerse al volante del vehículo y mirando hacia el asiento trasero—, ¿quién de vosotros es Níe?

Johan se llevó la mano a la frente. Erik dio un respingo. Las palabras que pronunciaron los dos amigos fueron idénticas. Una sola:

—¡Níe!

Con todo lo que había ocurrido, se habían olvidado por completo de su amigo. Cuando se lo explicaron, Irsa comprendió cuál debía ser su primera parada: las piscinas municipales.

Lars (2)

Por mucho que tratara de recordarlo una y otra vez, Lars aún no podía creer lo que había ocurrido. Incluso en aquel momento, varias horas después, seguía repasando todos los acontecimientos de aquel día sin comprender nada. Le dolía la cabeza de tanto pensar.

La policía había ido a verle, y le había hecho muchas preguntas.

—Tienes que decirnos toda la verdad, contarnos todo lo que has visto —le dijo uno de los agentes.

Pero Lars de inmediato pensó: «Si en realidad no he visto nada… O casi».

Todo comenzó cuando estaba terminando de limpiar las persianas. En ese momento, comenzó a percibir un fuerte olor a quemado que provenía de la cocina. Miró hacia el final del pasillo y vislumbró una nube densa de humo negro que le alarmó. Lars tenía fama de conservar la calma incluso en las situaciones más difíciles, pero en aquel momento no supo qué hacer: no tenía ninguna experiencia en incendios, no sabía dónde estaba la señora Ibsan, no tenía ni idea de cómo se utilizaba un extintor. Por no saber, ni siquiera sabía si había extintores en la casa. Lo único que se le ocurrió fue agarrar bien fuerte el cubo donde estaba el agua sucia con los restos de la mugre de las persianas y dirigirse hacia la humareda.

El espectáculo que contempló nada más asomarse al pasillo fue infernal: la cocina estaba ardiendo. Las llamas lo estaban devorando todo: cortinas, manteles, el cubo de la ropa sucia, las puertas, las ventanas. El calor allí era tan insoportable que Lars se vio obligado a retroceder. Ni siquiera arrojó el contenido del cubo a las llamas: le pareció que, dada la magnitud del incendio, sería inútil. Se dio cuenta, además, de que el fuego había invadido también el comedor, la escalera, las dos habitaciones de la entrada, el porche y hasta algunos arbustos del jardín. No necesitó ver nada más para comprender que debía salir de allí cuanto antes: la casa era toda de madera, no tardaría en arder como una antorcha. Mientras se le ocurría algo mejor, gritó a todo pulmón:

—¡Señora Ibsan! ¡Señora Ibsan!

Por todas partes se oían los crujidos de la madera reseca. Daba la impresión de que la casa se fuera a desplomar de un momento a otro. Lo primero que pensó fue en escapar de allí cuanto antes. Pero enseguida se dio cuenta de que no había visto a la señora Ibsan ni tenía ni idea de dónde estaba. «No puedo dejarla aquí», se dijo.

La planta baja estaba tomada por las llamas. Y estaba claro que la dueña del hogar no estaba en ninguna de las habitaciones. Como pudo, esquivando las lenguas de fuego que avanzaban a gran velocidad, Lars subió al piso superior. Buscó a la mujer por todas partes. Decidió que debía mirar arriba, en la zona prohibida, allí donde nunca había subido. «Si se entera, me castigará a limpiar la casa durante un año», se dijo mientras comenzaba a subir por el último tramo de escalera, que era también el más empinado.

La escalera conducía hasta el desván, al que se entraba empujando una pesada puerta de madera. Esperaba encontrar la habitación de la señora Katliw Ibsan, un rincón repleto de cortinas con lazos y tapetes y alfombras y todo tipo de detalles inútiles, polvo y cachivaches viejos. Nada más entrar, sin embargo, se dio cuenta de que aquel lugar era muy distinto a como él lo esperaba. Estaba en penumbra, pero antes de que sus ojos se acostumbraran a aquella oscuridad, distinguió centenares de pequeñas lucecitas. Era como haber entrado en el puesto de mando de una nave espacial. A medida que sus ojos se acostumbraron a la oscuridad, pudo distinguirlo mejor: eran aparatos electrónicos, desde luego. Por todas partes había palancas, teclas, pulsadores e interruptores. Frente a sus narices distinguió dos ordenadores conectados. En sus pantallas había algo parecido a planos, organigramas, complicados diseños que él no supo interpretar. Se dio cuenta de que ambos tenían una misma forma: era similar a un ocho, pero en sentido horizontal:

No tenía ni idea de lo que podía significar, aunque le sonaba haberlo visto en alguno de sus libros de ciencias. ¿O tal vez en alguna otra parte, como en sus sueños?

Había aparatos por todas partes y en todas partes parpadeaban luces multicolores. En la pared contraria, frente a un amplio butacón con ruedas, distinguió un circuito cerrado de televisión, formado por más de una veintena de pantallas. Se quedó perplejo al darse cuenta de que no existía ningún rincón de la casa que no pudiera vigilarse desde allí. Había una cámara en cada una de las habitaciones. En otras pantallas se veían la cocina, y el pasillo, y la escalera y el comedor y el campo de fútbol del jardín trasero, el árbol al que les gustaba encaramarse y el sendero de la entrada. Ni siquiera el cuarto de baño se escapaba a la vigilancia de aquellos ojos que lo veían todo. En un rincón, después de mirar mejor, distinguió una pequeña cama y una mesita de noche atiborrada de libros.

El rincón prohibido de la señora Ibsan parecía más bien el cuartel general de un espía muy importante. Ahora entendía que tuvieran terminantemente prohibido subir por la escalera que conducía hasta allí. La dueña del hogar para niños perdidos escondía un enorme secreto… aunque a Lars, en aquel momento, se le escapaba cuál podía ser.

Se entretuvo mirando las pantallas del circuito cerrado de televisión: gracias a ellas pudo ver por dónde avanzaban las llamas y supo que le quedaba poco tiempo para escapar por la única salida que aún estaba disponible: la ventana de su habitación, desde donde se alcanzaban sin dificultad las grandes ramas del árbol del patio trasero. Se alegró de haber jugado tantas veces a fugarse por allí (aunque ahora se daba cuenta de que él y sus amigos siempre habían estado vigilados muy de cerca), porque gracias a eso pondría su vida a salvo.

Antes de abandonar el puesto de vigilancia, echó un vistazo general por si se le había escapado algo. Entonces descubrió una fotografía. En ella se veía a Katliw Ibsan al lado de un hombre que se parecía mucho a ella. Los dos tenían la cara regordeta y colorada. Los dos usaban gafas de concha con gruesos cristales. Tenían el mismo modo de sonreír, los mismos dientes mal alineados, incluso el mismo color de pelo. Parecían muy unidos y muy felices de estar juntos. Como si fuera un detective que necesita recopilar pistas, Lars sacó la fotografía de su marco, la dobló y se la guardó en el bolsillo. Entonces se dio cuenta de que había una puerta al fondo y que en su parte inferior se veía una delgada línea de luz. ¡Seguro que allí era donde estaba la señora Ibsan! Llamó con los nudillos, muy nervioso. Si no contestaba enseguida, tendría que derribar la puerta, como había visto hacer a tantos héroes en tantas películas.

Antes de que pudiera reaccionar, oyó un fuerte ruido detrás de la puerta y ésta se abrió de pronto. La señora Ibsan apareció con cara de sueño y el pelo alborotado. Estaba en el cuarto de baño.

—¡Me he quedado dormida! —dijo, sobresaltada—, ¡rápido!, ¡la casa se va a quemar! ¡Todo va a arder de un momento a otro! ¡Del edificio no quedarán ni los cimientos!

Corría de un lugar para otro, sin saber adónde ir.

—¡La casa ya se está quemando, señora Ibsan! ¡Ya no hay tiempo! —alcanzó a decir Lars antes de que la mujer percibiera el olor del humo y se pusiera aún más nerviosa.

—¡Tienes que escapar! —dijo Katliw Ibsan, señalando hacia la diminuta ventana que había a su espalda, sobre el retrete—. ¡Vamos, sube!

Con la ayuda de la mujer, se encaramó al váter y alcanzó la ventana, por la que apenas cabía.

—¿Por dónde va a salir usted? —preguntó Lars, comprobando que la dueña de la casa no conseguiría escapar por aquel agujero.

Pero no obtuvo respuesta. O no pudo oírla. En un instante, llegó al tejadillo del último piso desde donde saltó a la terraza del nivel inferior. Una vez allí, fue fácil alcanzar la rama del enorme árbol por el que tantas veces había trepado, y deslizarse por la rugosa corteza hasta poner los pies en el suelo.

Fuera, el sol se estaba escondiendo el fiordo con la misma solemnidad de todas las tardes.

Se sentó a una distancia prudente y contempló el espectáculo. No sólo el del sol. También el otro. La ambulancia aún tardó un buen rato en llegar. Más tarde le dijeron que los bomberos llegaron cuando de la casa apenas quedaban las paredes y los cimientos.

Luego la ambulancia le trasladó al hospital, donde le hicieron pruebas y le curaron los rasguños que se había provocado durante la huida. Más tarde llegaron los policías.

—La verdad, ha sido una suerte que tus amigos estuvieran fuera. Si llegan a estar en el hogar, tal vez habríamos tenido que lamentar alguna pérdida —dijeron.

Lars les preguntó por la señora Ibsan.

—No la hemos encontrado —respondieron—. Por ahora.

Cuando se marcharon los dos hombres, Lars se quedó un buen rato pensativo, tratando de ordenar todo lo que le habían dicho. Hasta que la enfermera regresó, muy sonriente, y le dio la mejor noticia del día:

—No estés tan serio, hombre —le dijo con voz cantarina—. Tu hermano ha venido a buscarte. Y creo que tiene planes estupendos para ti.

Jan (5)

Jan llevaba un buen rato maldiciendo su suerte en el interior del camión cuando oyó que sonaba el teléfono de Lawinski.

El hombre contestó sin dejar de conducir.

—Hola, Senda —saludó.

Jan permaneció muy atento a la conversación. ¿Qué le diría Lawinski a Senda cuando ella le preguntara por él? ¿Sería capaz de mentirle a sangre fría? La respuesta no se hizo esperar:

—Lo siento, pero no sé nada de tu hijo. Se ha esfumado. Como si se lo hubiera tragado la tierra —dijo, sin que la voz le temblara lo más mínimo, como habría hecho el más calculador de los asesinos.

Jan lo tuvo muy claro. Tal vez aquélla sería su única oportunidad. Con el mango de la linterna inútil, comenzó a golpear las paredes metálicas del camión. Sabía que su madre no era tonta. Si oía todo aquel ruido, tal vez podía pensar que no le estaba diciendo la verdad. También gritó, tanto como pudo:

—¡Mamááááááááááá! ¡Estoy aquííííííííííí! ¡Me tiene encerradooooo!

Pero Lawinski tampoco era tonto. Lo primero que hizo fue subir la música de la radio. De pronto sonó la voz aguda de un tenor italiano que cantaba algo completamente fuera de lugar.

A continuación, el hombre dio un violento volantazo para apartar el camión de la autopista.

Lawinski bajó hecho una furia y se dirigió de inmediato a la parte trasera.

Antes de llegar ya había dicho, muy resuelto y sin esperar respuesta:

—Perdona, Senda, pero tengo que colgar. Te llamaré más tarde.

Los pasos sonaban tan firmes como sonó el mecanismo del portón al abrirse. Lawinski entró en el camión hecho una fiera. Sin darle tiempo a reaccionar, golpeó a Jan en la cara. Dos veces. Muy fuerte. Jan sintió que se le desencajaba la mandíbula, pero aguantó el dolor como sólo lo hacen los valientes de verdad.

Sin detenerse un instante, Lawinski señaló hacia los dos bultos que se amontonaban al fondo del camión y le amenazó sin contemplaciones:

—Si vuelves a llamar la atención, terminarás como esas dos. ¿Me has comprendido?

A Jan le costaba reconocer a Bat Lawinski en aquel loco que acababa de golpearle. Nunca le había visto tan fuera de sí, a pesar de que siempre había sido un hombre esquinado, con apariencia sospechosa.

Asintió con la cabeza.

—¡Maldito niño! —refunfuñó Lawinski antes de salir de un salto del camión y volver a cerrar la puerta.

Ahora sí que se le habían pasado las ganas de escapar. Jan acababa de asumir que nunca lo conseguiría.

Lars (3)

Todos los gemelos comparten un montón de secretos que jamás le cuentan a nadie. Uno de los secretos de Lars y Erik tenía que ver con los sueños.

Eran muy pequeños cuando se dieron cuenta de que sus sueños estaban conectados de algún modo misterioso. No era raro en ellos que soñaran las mismas cosas. Lo más curioso era que no se trataba de sueños idénticos, como dos pases de una misma película. Más bien eran diferentes puntos de vista de una misma escena. En realidad, soñaban lo mismo, pero como si lo estuvieran mirando desde ángulos opuestos.

La primera vez que soñaron con Eilne, los dos creyeron que era Níe. Una persona con los rasgos de su amigo pelirrojo, acompañada de una chica de pelo blanco muy corto que se desplazaba en una silla de ruedas. El sueño era casi una pesadilla, porque en él aparecían los restos de una hoguera gigantesca. La chica de la silla de ruedas y su acompañante se

detenían frente a la madera que aún humeaba, entre los coches de bomberos aparcados junto al jardín, echaban una mirada prolongada al conjunto y se echaban a llorar. Luego se
marchaban en silencio.

Aquél fue el primer sueño en el que vieron a la niña, aunque no la reconocieron. Ni siquiera pensaron que podía ser
una chica. El sueño se repitió varias veces, pero ni con ésas.
Luego llegaron otros. Ambos soñaron que se encontraban en
una edificación imponente, algo así como un castillo levantado sobre el agua del mar. Era una fortaleza formada por dos
partes simétricas: dos circunferencias unidas por un solo punto. Visto desde el aire, tenía una forma inconfundible. Un número. Un signo. Las dos cosas al mismo tiempo.

A Erik le pareció un ocho.

Lars, en cambio, lo vio de otro modo. Era un signo alarga-
do, parecido a un ocho, pero dispuesto en posición horizontal. El símbolo de «infinito»:

Habían tenido el mismo sueño, pero habían visto cosas muy
diferentes.

En el interior de la gigantesca construcción, justo en el
centro, había una sala enorme. Se encontraban allí, rodeados
de gente, después de realizar un largo viaje. El salón estaba
engalanado como si se fuera a celebrar una fiesta. Había un
par de anfitriones muy elegantes, de pelo y barba blancos. El
lugar estaba atestado de gente venida desde muy lejos. Todos
vestían de blanco. Y todos compartían una particularidad:
eran gemelos. Todo allí estaba duplicado. Incluso el sueño en

el que los dos hermanos estaban viendo por vez primera ese lugar fabuloso.

Dos maestros de ceremonias anunciaban la llegada de dos emisarios muy especiales. Entonces, todos los asistentes aplaudían y era el momento más alegre del sueño. Luego, nada más. Abrir los ojos, despertar. La visión se interrumpía siempre en ese punto.

Este sueño se repitió varias veces en las semanas que precedieron al incendio. Aunque no siempre fue tan agradable.

Existía otra versión, mucho peor, en la que el lugar era el mismo, los asistentes iban igualmente vestidos con túnicas blancas. Pero cuando el maestro de ceremonias anunciaba la llegada de los dos emisarios, no se presentaba nadie. Sólo se hacía un silencio espeso y triste. Insoportable. Se abrían los grandes portones. Todos miraban hacia la entrada. Se escuchaba el oleaje furioso batiendo contra el castillo, pero nadie aparecía. Un extraño silbido se acercaba. Segundos después, miles de lechuzas atravesaban volando el portón principal. Ululaban con todas sus fuerzas, en un rugido ensordecedor.

Los maestros de ceremonias decían al mismo tiempo:

—Ya no hay esperanza para nosotros.

Y todos sabían que el final estaba cerca.

¿Qué significado podía tener todo aquello? Lars y Erik se lo habían preguntado muchas veces, pero sólo ahora habían comenzado a comprender: tal vez se trataba de dos posibilidades. Ninguna de las dos había ocurrido, por lo tanto las dos eran posibles todavía. Sólo eran dos de los desenlaces que el futuro podía depararles.

Mientras aguardaba en la soledad de la estancia del hospital que vinieran a recogerle, Lars meditó sobre todo esto y por fin se dio cuenta del sentido que tenía aquel primer sueño. Tal vez Níe no era Níe, sino su hermano gemelo. Los restos de la inmensa hoguera que había soñado no eran otros que los de su casa, ahora quemada. Sólo le faltaba ver a Irsa para acabar de componer todas las piezas de aquel rompecabezas complicadísimo.

Un rato después, Irsa entró en la habitación de Lars, muy sonriente, y le preguntó:

—Según vosotros, ¿ahora qué debemos hacer?

Los dos hermanos estuvieron de acuerdo al contestar:

—Tenemos que llegar a la fortaleza que hemos visto en sueños. La de la forma rara que se yergue en mitad del mar. Va a ocurrir allí algo muy importante.

Géminis (1)

El islote de roca sobre el que se construyó la fortaleza de Géminis tiene una forma sorprendente: dos circunferencias dispuestas una junto a la otra y unidas en un solo punto. Para muchos, simbolizaban la unión de los gemelos: delicada pero firme. A otros, les recuerda un reloj de arena de cantos redondeados.

La leyenda cuenta que fue Lullus Illuminatus quien eligió ese remoto lugar para construir un castillo en honor de su amado hermano, que acababa de morir en la guerra. Una lechuza le guió a través de los mares. Al llegar, el sabio se dio cuenta de que en el islote había miles de esas aves nocturnas, anidando en los escarpados acantilados de la isla. Por eso decidió tomarlas como símbolo de la fortaleza, reflejarlas en el escudo y hacerse acompañar para siempre por una lechuza.

Se dice que Lullus invirtió en la construcción de su castillo más de ochenta años, y que lo hizo sin más ayuda que su tesón y su coraje, cuidando al máximo todos los detalles. Cavó el foso con sus propias manos, y lo comunicó con el bravo mar del Norte, permitiendo así que los terribles monstruos que habitaban entonces aquellos confines del mundo entraran en él para defender el castillo. Con el paso de los años, los monstruos del mar se extinguieron, pero los del foso continuaron allí. Por eso suele decirse que las más terribles y feroces criaturas de los tiempos más oscuros de la humanidad perviven en las aguas que circundan la fortaleza de Géminis.

El sabio diseñó también toda la decoración del interior del castillo. Pintó ricos murales en el salón principal. Pensando en Cástor y Pólux, los dos míticos gemelos que volvieron a reunirse después de la muerte de uno de ellos, decoró la parte derecha de la bóveda. Su propia mano dibujó la escena en la que se veía a los dos hermanos sonriendo felices después de volver a encontrarse. En el centro, Lullus representó las estrellas más brillantes de la constelación de Géminis, que llevan los mismos nombres que los dos protagonistas del mito.

En el lado izquierdo representó a Rómulo y Remo en el momento de fundar Roma. Uno de ellos lleva el arado en la mano, y lo hunde en los surcos de la tierra. El otro mira hacia el cielo, y señala hacia arriba con un dedo índice extendido. Simbolizan lo terrenal y lo espiritual, pero también los dos momentos que mejor nos ha contado la leyenda de la fundación de la ciudad más mítica del planeta: Rómulo traza el perímetro que ocupará la muralla con sus puertas y Remo piensa en el nombre que deberá ostentar la nueva fundación.

Los expertos han debatido mucho sobre los frescos de la sala, qué representan y cuándo fueron pintados. La mayoría acepta que Lullus Illuminatus debió de pintar más tarde la pared principal, la que está justo tras los dos sitiales de los maestros de ceremonias. Hay quien considera que el genio se estaba quedando ciego cuando los realizó, porque sus formas no están bien definidas y cuesta mucho trabajo saber qué quiso representar exactamente. Aunque otros muchos ven en ellas una prefiguración de la obra de los impresionistas, a los cuales, no hace falta decirlo, Lullus se adelantó varios siglos.

Las interpretaciones de esta obra han sido diversas (y opuestas entre sí) a lo largo de los siglos. En el gran fresco predominan los tonos rojos, amarillos y ocres. Toda la imagen está presidida por dos grandes esferas anaranjadas. Para muchos, estas dos esferas son una representación abstracta de la propia fortaleza de Géminis. Así se ha visto durante muchos años, hasta que ya entrado el siglo xx, uno de los mayores expertos en historia del arte escribió que podía tratarse de la representación de dos planetas, uno de los cuales, por el color, recordaba a Venus. Enseguida hubo quien se burló de esa interpretación, por considerarla descabellada y rocambolesca.

¿Son dos naranjas, dos bolas de fuego o dos planetas, lo que quiso representar Lullus Illuminatus en la bóveda de su obra cumbre? ¿Es una escena figurativa pintada por un hombre que pierde facultades de visión o una escena abstracta de alguien que distingue perfectamente las formas y los colores? Por desgracia, Lullus se llevó todos estos misterios a la tumba, pero nos dejó las dos esferas.

«En su bóveda de la fortaleza de Géminis, Lullus Illuminatus pintó el destino de nuestro mundo, del sistema solar y de la humanidad tal como la conocemos», profetizó en el siglo pasado un sabio africano, justo antes de morir.

Lullus ocupó toda su vida en rematar su obra. Cuando terminó, tenía casi ciento veinte años. La leyenda asegura que había perdido casi por completo la visión, y que estaba tan débil que apenas le quedaban fuerzas para esperar a que se cumpliera su mayor deseo, aquel para el que había construido aquella fortaleza imposible. De modo que con el aliento de vida que le quedaba, se sentó a esperar a que ocurriera lo que debía ocurrir.

Esperó ocho días. Ocho largos días con sus noches en que no comió ni durmió. Sólo aguardó sentado en su sitial, padeciendo el lento paso del tiempo. Oyó el tictac de los segundos corriendo por las esferas. Oyó los pequeños granos de los relojes de arena amontonarse unos sobre otros. Comenzó a sentirse muy cansado, pero no perdió la esperanza: la única razón que le había llevado hasta aquel remoto punto del globo seguía intacta: deseaba con todas sus fuerzas que su hermano gemelo regresara a la vida desde el mundo de ultratumba.

Terminaba la octava hora del octavo día cuando le pareció oír unos pasos que subían la colosal escalera de entrada. Eran lentos, cansados, similares a los de un viejo. Enderezó la espalda, alerta, como un felino. ¿Sería posible que su hermano por fin estuviera allí, que hubiera acudido a su reclamo?

Le reconoció por el modo de andar. Por el ruido que llegaba a sus oídos, entendió que su hermano traía puesta la armadura que vestía en el momento de su muerte. También comprendió que la humedad de la tierra y las inclemencias de los lugares que habría tenido que atravesar habían oxidado bastante el viejo metal. Su hermano debía de haber emergido del agua, puesto que oía un leve gotear a cada nuevo paso suyo.

Todo eso dedujo Lullus Illuminatus mientras oía —sin moverse de su sitial— los pasos que se acercaban por la escalera. Sonaban cada vez más cerca, y la bóveda se encargaba de multiplicarlos, de modo que era como si se estuviera acercando un ejército completo de espectros.

De pronto, todo cesó. Se hizo un silencio absoluto.

A lo lejos, se oía el mar embravecido. Desde mucho más cerca, llegaba una respiración agitada. Su hermano estaba ahí, tras la puerta, y tal vez se estaba preguntando si debía entrar o no. Puede que se estuviera arrepintiendo de haber llegado hasta allí.

Lullus escuchó atentamente: su gemelo no respiraba como una persona, sino más bien como una cosa. Era una respiración de fuelle, de caldera, de mecanismo deteriorado. La respiración de alguien que lleva mucho tiempo sin respirar.

En ese instante, la manecilla de la puerta comenzó a moverse. Chirrió un gozne y retumbó el eco de un nuevo paso. Un segundo después ocurrió el prodigio: Lullus vio a su hermano. Pero no con los ojos de la cara, que no le servían ya para nada, sino con los del alma. Vio a su hermano joven y apuesto como era al partir hacia la guerra. Reconoció sus rasgos en los suyos punto por punto: sus ojos, su nariz, su mentón prominente, su poblada barba, sus manos nudosas y grandes y sus pies feísimos. También la marca de las dos lunas, las dos esferas que él había pintado en su mural, y que ambos tenían al final de la espalda. Todo eso vio, y ni siquiera le hizo falta mirarle.

Lullus se levantó y fue al encuentro de su gemelo espectral. Caminaron ochenta pasos cada uno por la enorme nave principal del castillo, y se encontraron exactamente en el centro.

Allí mismo se fundieron en un abrazo. Un abrazo que dio sentido a ese lugar.

—¡Que este sitio sea desde hoy punto de encuentro de idénticos! —exclamó Lullus.

—¡Que una vez unidos, los idénticos nunca vuelvan a separarse! —agregó, con voz cavernosa, el otro.

La leyenda dice que en el punto donde los dos hermanos volvieron a reencontrarse aún es posible apreciar las huellas de sus pies, que tomaron la forma del símbolo de lo infinito, grabado para siempre en el suelo. Ése es el lugar donde todo ocurre y todo converge.

Es el mismo lugar donde un día se reencontrarán los dos mensajeros. Y ese encuentro marcará el inicio de una nueva era.

Níe (3)

Por fortuna, Irsa parecía saber muy bien qué debía hacer a cada momento y se comportaba como si todo estuviera bajo control. Después de recoger a Johan y a Erik frente a los restos calcinados de la que había sido su casa, se dirigió a toda velocidad hacia el hospital donde estaba Lars.

—¿No deberíamos ir primero a buscar a Níe?

—Será sólo un momento —respondió la chica, pisando el acelerador a fondo.

Muy pronto, los dos amigos se dieron cuenta de que para su guía, la palabra «velocidad» cobraba un nuevo significado: Irsa conducía como loca, no parecían importarle los límites que marcaban las señales, ni lo que indicaban las líneas del suelo. Se comportaba como si en el mundo no hubiera más conductora que ella.

Tuvieron mucha suerte de no encontrar a ningún otro vehículo por la carretera y de que el recorrido no fuera demasiado largo. Cuando por fin se detuvieron frente al hospital, la chica se volvió para mirar a sus pasajeros. Estaban lívidos, tenían los ojos desorbitados y parecían pegados al asiento.

—Ya sé que conduzco un poco deprisa, ¿os habéis asustado?

—No, no… —se apresuraron a responder ambos chicos, que no estaban dispuestos a demostrar su debilidad ante una chica tan guapa como ella.

Como había ocurrido en el hogar, los papeles que la chica mostró a uno de los médicos le permitieron salir de allí sin mayores complicaciones llevándose a Lars consigo. Los dos hermanos se sintieron encantados de volver a estar juntos.

Ya sólo faltaba Níe. Se dirigieron a la piscina sin perder un minuto, algo que en el caso de Irsa se convertía casi en un deporte de riesgo. Johan y Erik trataron de prevenir a Lars de lo que le esperaba en el coche, pero nada de lo que le hubieran contado se habría acercado a la realidad.

Diez minutos más tarde estaban en las piscinas, pero no había ni rastro del muchacho. Níe no estaba a la entrada de las instalaciones municipales. De hecho, el lugar se encontraba a aquellas horas completamente desierto, en silencio y sumergido en la penumbra. Sólo el motor rompía la quietud de la noche helada.

Irsa buscó su móvil en uno de los bolsillos del abrigo y realizó una llamada. Sus acompañantes siguieron con atención lo que estaba diciendo:

—El chico no está aquí, ¿tienes alguna idea de dónde…? No, yo no.

(…)

—Claro, pensaba intentarlo ahora mismo. Te llamaré si te necesito.

(...)

—Buen viaje, pues. Nos vemos en unas horas.

Irsa volvió a entrar en el coche y desconectó el motor antes de hacer un anuncio sorprendente:

—Voy a dormir un ratito —dijo. Y añadió—: No me miréis así, no será mucho.

Los tres chicos se quedaron perplejos. Intercambiaron miradas asustadas que en realidad significaban: «Esta tipa está completamente loca».

Irsa se adelantó:

—Ya sé que esto os parecerá un poco raro, pero es la única solución. Luego os lo explico. Ahora no hay tiempo que perder.

Dicho lo cual, echó el respaldo de su asiento hacia atrás con un movimiento rápido, sacó un pequeño almohadón de la guantera, se quitó los zapatos y conectó el reproductor de música del coche.

Comenzó a sonar una melodía monótona y tenue, apenas unos acordes de guitarra, de laúd o algo parecido. Erik se señaló las sienes, frunció el ceño y miró a sus amigos. Era un gesto inequívoco. Significaba: «Esta mujer está loca». Lo peor era que, en aquel momento, los tres ocupantes del coche pensaban lo mismo. A pesar de todo, no les quedó más remedio que resignarse y esperar. La música era tan aburrida que después de escucharla durante cinco minutos, también los tres amigos comenzaron a adormecerse. Si no lo hicieron fue porque la conductora suicida comenzó a roncar. Se miraron, divertidos, confirmando todas sus sospechas. Seis ronquidos después, la chica abrió los ojos, subió el respaldo, apagó la música, se puso los zapatos y arrancó el coche.

—Ya está, ya nos podemos ir.

Los pasajeros palidecieron otra vez, y se aferraron al asiento como un náufrago a su tabla de salvación. Sólo que esta vez no iban a tener tanta suerte: Irsa bordeó el fiordo y dejó atrás el pueblo, lanzándose a toda velocidad por una carretera estrecha y serpenteante.

—¿No os alegra conocer mundo? —les preguntó.

Ninguno respondió. Tenían la impresión de que nada les alegraría más que bajar del coche. Además, los tres comenzaban a preguntarse hacia dónde estaban yendo, quién era aquella suicida misteriosa que les llevaba de un lugar para otro con tanta seguridad, y si no tendría algo que ver con el incendio del hogar de la señora Ibsan.

Durante más de una hora se jugaron la vida por carreteras secundarias muy mal asfaltadas. A Irsa esta circunstancia parecía traerle sin cuidado: ella tomaba las curvas como si estuviera en juego su título mundial de rallyes, y se saltaba las señales como si no tuviera ni idea de lo que significaban. En un par de ocasiones estuvo a punto de salirse de la carretera y dejar el coche colgando de un barranco. En otra, por poco se estrella contra la única casa que encontraron en todo el recorrido. Sin contar con que acababa de atropellar a tres ovejas despistadas.

—¡He visto pasar toda mi vida delante de mí! —dijo Johan, cuando por fin pudo bajar del vehículo.

Habían llegado a un puerto. Un gran ferry esperaba a los últimos pasajeros de la noche que, por supuesto, eran ellos. Irsa dejó el coche en el primer lugar despejado que encontró y echó a correr en dirección al barco.

—Hemos llegado, chicos. Hay que subir a bordo. Níe nos está esperando ahí dentro —gritaba, mientras se alejaba a grandes zancadas.

En ese instante, Johan decidió que ya había aguantado bastantes tonterías.

—Y si no queremos subir, ¿qué vas a hacernos? ¿Nos vas a matar aquí mismo? ¿Incendiarás también el coche?

Sus compañeros le miraron alarmados. Por un lado, admiraban la valentía de Johan. Por el otro, les daba miedo las consecuencias que podía traerles.

Irsa se echó a reír a carcajadas. Era una reacción que ninguno de ellos esperaba.

—¿Mataros? —rió—. ¡Qué imaginación tenéis! ¿Tengo yo aspecto de asesina, acaso?

Ninguno de los tres contestó.

—Ya sé que conduzco un poco mal, chicos… pero nunca he matado a nadie.

Los tres se acordaron en ese instante de las tres ovejas, dos de las cuales tardarían una buena temporada en volver a trotar por el prado.

—No eres de Servicios Sociales, ¿verdad?

Irsa pareció sorprenderse.

—¿Tanto se me nota? —contestó.

—¿Nos has mentido? —preguntó Erik, incrédulo.

—Sólo en algunas cosas. En otras, no —repuso ella, risueña.

—¿Qué le ha pasado a Níe? —quiso saber Johan, que no tenía ninguna dificultad para desempeñar el rol de mayor del grupo. Empleó, por cierto, su tono menos amistoso, sólo con la intención de parecer más seguro.

En ese momento, apareció Níe en la cubierta del barco, agitando los brazos y pronunciando los nombres de sus amigos. Parecía muy contento de verles por allí y, desde luego, tenía muy buen aspecto.

—Ahí tenéis vuestra respuesta, chicos —dijo Irsa, antes de recorrer la pasarela del barco—. ¿No pensáis subir? ¿Le dejamos que se marche sin nosotros?

A ninguno de ellos se le escapó que desde el puente de mando una gran lechuza blanca les estaba vigilando.

Géminis (2)

—¡No os lo vais a creer, chicos! —les explicó Níe en cuanto ocuparon sus asientos en el ferry—. Ha sido esa lechuza la que me ha traído hasta aquí. Quería que la siguiera.

Irsa se acomodó en su plaza y les explicó:

—En el lugar al que nos dirigimos hay muchísimas lechuzas. Es uno de sus enclaves de anidación favoritos.

No habían hecho más que subir a bordo cuando un marinero izó la pasarela por la que habían entrado y el barco comenzó las maniobras para salir del puerto.

—¡Habéis llegado por los pelos! —dijo Níe.

Durante las dos primeras horas de viaje, el ferry recorrió el fiordo de extremo a extremo, hasta salir a mar abierto. Los chicos disfrutaron observando las luces que brillaban en la costa, jugando a adivinar a qué pueblo o a qué granja de qué conocido pertenecían.

—Es mejor que vayáis al baño. Cuando estemos en alta mar

el oleaje nos zarandeará como si fuésemos una cáscara de nuez —les advirtió Irsa.

Menos mal que le hicieron caso. En cuanto las aguas resguardadas del fiordo quedaron atrás, la embarcación comenzó a moverse tanto que alguno pensó que iban a naufragar sin remedio. Irsa sacó de su mochila pastillas para el mareo y las repartió entre sus acompañantes. Todos tomaron la medicina, aunque no a todos les surtió efecto. Lars, por ejemplo, tuvo que correr hacia el baño, en mitad de los vaivenes de la embarcación, para vomitar todo lo que había comido en las últimas horas. Johan aguantó porque no se movió del asiento y mantuvo los ojos cerrados. Níe tuvo la inmensa suerte de quedarse dormido en el momento en que comenzaban las olas más fuertes. Sólo Erik permaneció despierto y charlando con Irsa durante toda la travesía.

Lo peor fue el primer tramo en alta mar. El viento era muy fuerte y el oleaje amenazaba con engullirles. Por si fuera poco, una tormenta descargaba con tanta fuerza que habrían sido incapaces de distinguir una ballena aunque estuviera al lado mismo del casco. Por fortuna, apenas un rato más tarde, el viento comenzó a amainar y las olas dejaron de ser tan amenazadoras. El temporal terminó por aplacarse hasta que no quedó ni rastro del mar revuelto de hacía un rato. Fue el momento en que los cuatro amigos aprovecharon para abrigarse bien y subir a la cubierta a disfrutar del espectáculo que les brindaba una noche única. Por supuesto, Irsa les acompañó. No se lo hubiera perdido por nada del mundo.

La luna no estaba llena, pero poco le faltaba. Su reflejo pintaba las olas de colores plateados. También la lechuza, que seguía aferrada a la parte alta del puente, parecía más blanca y más brillante bañada por aquella luz lunar. Las estrellas brillaban más que nunca. Irsa señaló hacia dos puntos bien visibles del firmamento.

—Mirad. Aquella de allí es Cástor. Y la de más allá, la que brilla tanto, se llama Pólux. Son los dos gemelos del universo.

Contemplaron el cielo con las narices enrojecidas por el intenso frío, hasta que algo les devolvió al mundo.

—¡Mirad, mirad! ¡Allí! —gritó Erik—. ¡Una ballena!

Bajo la capa de agua ondulante, todos vieron emerger un enorme lomo oscuro. Pasó junto a la embarcación pausada y silenciosamente, como si lo hiciera a cámara lenta, y luego se perdió en las profundidades.

—¡Hay más! ¡Mirad! —volvió a gritar muy emocionado Erik.

El espectáculo que les ofrecía el mar, la noche, la luna y la presencia casi fantasmal de los cetáceos les animó a permanecer allí. Se instalaron junto al puente, felices de sentir el aire helado en las mejillas mientras se subían el cuello de sus anoraks tanto como podían. Así permanecieron durante lo que quedaba de viaje, ajenos a todo lo que no fuera disfrutar de la libertad recién conquistada y saborear el misterio del lugar al que se dirigían.

Era ya bastante tarde cuando bordearon una isla no muy grande, con un puerto y varias casas iluminadas.

—¿Es aquí adonde vamos? —preguntó Níe, señalando las luces que titilaban en tierra.

—Ya queda poco, cariño —repuso Irsa.

El ferry bordeó la costa durante un rato y luego continuó navegando, alejándose de ella, arriba, arriba. Hacia el norte.

A lo lejos comenzaron a vislumbrar algo que al principio no identificaron. Una silueta oscura se recortaba en el horizonte. Parecía un bloque de piedra emergido directamente de las aguas del océano. A su alrededor, a medida que avanzaban, distinguieron la presencia de algunas aves. No las reconocieron del todo hasta que su lechuza abandonó el puente y echó a volar en dirección a la fantasmagórica construcción. Entonces se dieron cuenta de que su silueta en la distancia era igual que las demás. Eran lechuzas. Y había muchísimas. Cientos, miles, tal vez millones de ellas.

Sólo cuando estuvieron más cerca comenzaron a distinguirlas mejor. Alzaban el vuelo y se posaban en el castillo como moscas que revolotean alrededor de un dulce. Eran blanquísimas, preciosas. De pronto, les fue imposible distinguir a la que había realizado el viaje junto a ellos.

A medida que se fueron acercando más aún, los cuatro chicos se sintieron cada vez más sobrecogidos por lo que estaban viendo. Lo que habían tomado como un peñasco surgido de las olas era en realidad una impresionante fortaleza de formas redondeadas. Sus gruesos muros de piedra se elevaban más de veinte metros por encima del agua. Justo en el centro se alzaba lo que parecía una enorme torre de vigilancia, aunque alguno habría podido pensar también que era un campanario. Quién sabe, tal vez era ambas cosas al mismo tiempo.

Y si a lo lejos el castillo sobrecogía, desde más cerca cortaba el aliento. Las lechuzas se aferraban majestuosas a los pequeños salientes. Estaban muy quietas, observándoles en la oscuridad. No debían de ser muchos los visitantes que llegaban hasta aquel lugar. El ferry pasó frente a todas ellas en un silencio absoluto. Sólo alguna ululó, muy brevemente, pero todas giraron a la vez la cabeza, muy lentamente, para clavar sus ojos vigilantes en el paso lento de la embarcación.

Los muchachos no habían visto jamás algo tan impresionante. Aunque aquello era sólo el principio.

Cuando el ferry pasó bajo la gran arcada de piedra y se adentró en el foso, los niños pudieron ver formas fantasmales bajo la superficie de las aguas, y adivinaron que podía tratarse de los monstruos que allí vivían desde hacía centenares de años.

«Esto va a ser emocionante», pensaron varias cabecitas al mismo tiempo.

Jan (6)

Debía de ser muy de madrugada cuando llegaron a su destino. El camión se detuvo en seco, y Lawinski descendió de la cabina.

—¡Sal! —le ordenó al abrir la puerta de atrás.

Después de pasar tanto tiempo en la oscuridad, incluso la pálida luz de la luna molestó a las pupilas de Jan. Tardó un poco en echar un vistazo a su alrededor para saber que habían llegado a algún lugar que no conocía.

Lo primero que sintió fue el frío intenso. Se envolvió en su chaqueta y se colgó al hombro la mochila. Recortándose sobre la negrura de la noche, sus ojos tropezaron con la silueta de un silo.

Había muchos silos por la zona donde él y su madre habían vivido siempre. Eran enormes graneros, algunos de ellos abandonados, que generalmente se levantaban en mitad de una extensa zona de campos. Lo normal era que no tuvieran cerca ninguna otra construcción.

El que tenía delante cumplía a la perfección todas esas características. Era inmenso, estaba en un lugar apartado y a su alrededor sólo había sembrados. Campos, oscuridad, silencio y heladas nocturnas: un plan nada atractivo para un chico de once años.

—¡Camina! —ordenó Lawinski, agarrándole de nuevo con fuerza por el cogote.

Echaron a andar en dirección al enorme edificio vacío. De vez en cuando, un murciélago cruzaba el aire. La tierra reseca crujía bajo sus pies. La puerta de entrada chirrió cuando Lawinski hubo girado la llave en la cerradura. Le obligó a bajar por una escalera muy empinada. Era de madera, y crujía tanto que Jan temía que se rompiera en cualquier momento. Por ella llegaron al segundo sótano, el último de todos, un escondrijo lóbrego, sin ventanas, que olía horriblemente a humedad, y al que se accedía por una pequeña puerta de madera. Los muros eran de piedra, muy gruesos. Dentro sólo había un colchón, una vela, un orinal y un cajón con comida.

—Bienvenido a tu nuevo hogar —dijo Lawinski, cuando le obligó a entrar en aquel agujero.

Jan miró a su alrededor, lleno de espanto.

—La decoración está pensada para Eilne —continuó Lawinski—, pero espero que no os importe compartir habitación, una vez que la haya capturado a ella también.

Jan sintió un odio intenso contra el que nada podía hacer. Lawinski era más fuerte que él, y tenía una pistola. Sólo podía resignarse a lo que le estaba escuchando, por horrible que le pareciera. Ni siquiera se atrevía a preguntarle por qué le hacía eso, qué había ocurrido para que hubiera cambiado tanto. Prefirió callar, por no tentar a su suerte.

—Ahí tienes un orinal para hacer tus necesidades y un poco de comida —explicó Lawinski—. Yo regresaré cada tres o cuatro días, antes de que el cacharro ese rebose.

Lo que Lawinski llamaba «comida» era una botella de leche y otra de agua sin abrir, un paquete de magdalenas envasadas y otro de pan de molde. ¿Y con esas porquerías pretendía que se alimentara durante tres días?

Estaba claro que sí, porque Lawinski ya subía la escalera y se agarraba a la puerta para cerrarla de nuevo.

—Ah. —Asomó de nuevo la cabeza por la rendija—. Procura que no se queme nada cuando enciendas la vela o te encontraríamos igual que a un pollo asado.

Esta última frase le hizo mucha gracia a su secuestrador, que lanzó una carcajada tan sonora que el eco resonó en todo el edificio.

—Que tengas dulces sueños, querido —dijo antes de desaparecer.

Oyó un candado al cerrarse, y luego pasos cada vez más lejanos. Incluso pudo oír la puerta de entrada y las vueltas de llave con que Lawinski la cerró. Y el motor del camión, alejándose.

Jan se quedó completamente solo. Le hubiera aterrorizado saber que era la única presencia humana en más de cien kilómetros a la redonda. A pesar de no saberlo, estaba muerto de miedo.

Géminis (3)

El ferry atracó en el muelle, junto al puente levadizo de la fortaleza de Géminis, y echó a tierra la pasarela. Nadie más que ellos subió al barco ni bajó de él: ningún tripulante, ningún pasajero. El capitán les dijo adiós desde el puente de mando, sonriendo de un modo enigmático, como si envidiara su suerte.

Una vez que Irsa y los cuatro chicos pisaron aquella pequeña porción de tierra firme, la embarcación partió de nuevo envuelta en el poderoso sonido de una sirena. Al oírla, miles de lechuzas que estaban posadas en los salientes de los altos muros del castillo levantaron el vuelo, alborotadas.

Los cuatro amigos se sentían un poco inquietos ante la idea de quedarse en aquel lugar.

El barco no había hecho más que pasar de nuevo bajo la arcada en dirección a mar abierto cuando oyeron un estruendo a su espalda y los cinco se volvieron a mirar. El enorme portón del puente levadizo estaba descendiendo. Frente a sus ojos se abría el foso como un abismo. Allá abajo, en la oscuridad, las aguas turbulentas se movían. De buena gana se hubieran quedado a observar qué tipo de monstruos emergían de ellas, pero en ese mismo instante la puerta bajó del todo con un golpe seco y la voz de Irsa se impuso cuando dio la orden de entrar. El entorno era tan imponente que los cuatro chicos se sintieron como pulgas sólo de mirar hacia arriba, hacia las altas almenas que custodiaban la construcción.

No habían hecho más que salvar el foso y poner los pies en el interior de la fortaleza cuando el puente empezó a subir de nuevo.

—Es por aquí, chicos, seguidme —dijo Irsa, muy segura de sí misma, echando a andar hacia la más absoluta oscuridad.

—¿Tú conoces este lugar? —preguntó Johan.

—Sólo de verlo en mis sueños —contestó la chica—, pero es como si hubiera estado aquí cien veces.

Y, por si alguien no la creía, Irsa susurró:

—Ya casi estamos dentro. Un poco de paciencia. A quien construyó todo esto le preocupaba mucho la seguridad —añadió la chica.

Johan lo observaba todo con atención. «Es fácil enfrentarse a un ejército si sus soldados vienen de uno en uno», pensaba, mientras se daba cuenta de que por aquel angosto pasillo sólo era posible caminar en fila.

El túnel desembocaba en una especie de plaza, sobre la que se levantaba una imponente cúpula de cristal. El suelo estaba decorado con mármoles de varios colores formando parejas de círculos que se unían en un solo punto. Estaba tan pulido que reflejaba las cosas igual que un espejo.

Del centro de la plazoleta y hacia ambos lados arrancaba una escalinata de mármol blanco, coronada por una balconada majestuosa y decorada en cada uno de sus extremos por una lechuza. Los chicos se fijaron en las aves. Ninguno de ellos supo precisar si era de mármol o de carne y hueso.

—Venid —ordenó Irsa, decidiéndose por el lado derecho y comenzando la ascensión.

Los cuatro chicos la siguieron, en medio del silencio más asombrado. Al llegar arriba, continuaron unos cuantos metros más junto a la balconada, por una galería, y accedieron a otro pasillo de mármol cuyo suelo estaba tan pulido y brillante como el anterior. Todo allí tenía un aire de lujo y limpieza que no les recordaba a ningún otro lugar. Las paredes estaban abarrotadas de relojes de arena desde el techo hasta el suelo. Al final de ese corredor les esperaba una puerta cerrada. Al acercarse, se dieron cuenta de que destellaba igual que las piedras preciosas, aunque ninguno de ellos habría sabido precisar de qué material estaba hecha.

Irsa la abrió con convicción. Se encontraron en otra habitación circular, una especie de vestidor repleto de barras de las que colgaban docenas de túnicas blancas de todos los tamaños. En un lado estaban los zapatos, alineados con cuidado en varios estantes: sandalias de todas las tallas.

Cuando se fijaron un poco mejor, repararon en que todas las vestimentas eran iguales: túnicas blancas, decoradas con un bordado de plata en forma de lechuza con las alas extendidas.

—Vamos, chicos —suspiró Irsa, a la vez que daba una palmada resolutiva—. Tenemos que vestirnos ya. ¡No hay tiempo que perder! No podemos llegar tarde. Buscad ropa de vuestra talla.

Todos se entregaron con ahínco a la tarea de encontrar una túnica que les sentara bien. Erik y Lars lo consiguieron enseguida, pero con las sandalias no tuvieron tanto ojo. Níe necesitó algo de ayuda por parte de Irsa. Johan se vistió a regañadientes cuando la chica le entregó su túnica, porque al principio había fingido que no había ninguna de su talla.

—No entiendo por qué tenemos que disfrazarnos —protestaba el mayor del grupo—. ¡Yo no quiero ponerme una falda!

Todos fingieron no oírle. Además, las protestas de Johan formaban parte de su normalidad desde hacía tantos años que ya nadie le tomaba muy en serio.

Irsa también se afanaba en ponerse su túnica.

—¿Para qué es todo esto? —preguntó Níe.

—¡La ceremonia está a punto de comenzar! —repuso Irsa, mientras anudaba la segunda de sus sandalias.

¿La ceremonia? Todos hubieran querido saber de qué tipo de ceremonia estaba hablando la mujer, pero sólo Johan se atrevió a decir algo:

—Ya. ¿Somos los cuatro niños vírgenes que necesita un sumo sacerdote macabro para su sacrificio de hoy? ¿Nos van a arrancar el corazón y lo van a cocinar a fuego lento mientras nosotros miramos?

Irsa dirigió una mirada reprobatoria hacia Johan.

—Deja de decir estupideces, Johan. Dentro de un rato, te arrepentirás de haber sido tan superficial. —Miró de nuevo al resto del grupo, volvió a palmotear y dijo—: ¡Vamos, daos prisa!

Irsa les pidió que dejaran sus ropas dobladas en el vestidor. Luego echó una última ojeada a la indumentaria de sus jóvenes acompañantes. Los cuatro formaron uno junto al otro, igual que hacían cuando la señora Katliw Ibsan revisaba su higiene todas las mañanas. Sólo Johan parecía sentir un profundo fastidio ante lo que estaba pasando.

Irsa desfiló frente a ellos, comprobando hasta el último detalle.

—No dejes suelta la tira de la sandalia, Lars. Sujétala con la hebilla. Muy bien, Erik, tu aspecto es inmejorable, pero tal vez deberías peinarte un poco. Johan, por favor, ¿no podrías evitar esa cara de resignación? Pareces mucho más antipático de lo que eres en realidad. Y tú… —Se detuvo frente a Níe—. Déjame que te vea. —Le alisó un poco el flequillo y le enderezó un poco los hombros de la túnica—. Tienes que estar perfecto. Eres uno de los protagonistas de lo que va a ocurrir.

Níe sintió que los nervios le invadían el estómago. Pero fue aún peor cuando Irsa dio la orden de continuar y abrió la otra puerta de la sala, la que quedaba en el lado contrario a la entrada.

Entonces Níe oyó por primera vez el murmullo de la multitud que esperaba en el salón principal. Por un momento, sintió pánico. Ganas de marcharse de allí como fuera. Irsa debió de darse cuenta, porque se puso a su lado y le estrechó la mano.

—Tranquilo, cariño —le animó—. Todo irá bien, ya lo verás.

Níe sintió ganas de preguntar qué era lo que iba a salir bien, quién era aquella gente que murmuraba allá abajo, qué tipo de lugar era aquél. Sin embargo, no tuvo tiempo porque un gran portón se abrió y se encontró frente a todas sus dudas al mismo tiempo.

Un instante antes de que esto ocurriera, Níe no habría sabido precisar si el estruendo que llegaba a sus oídos eran sus pasos resonando por el pasillo vacío o su corazón a punto de desbocarse.

Níe (4)

Desde que pasó bajo el arco de entrada a la fortaleza de Géminis, Níe comenzó a pensar en su vida. Fue un poco raro,
porque nunca antes lo había hecho. Pero en las últimas horas
habían ocurrido tantas cosas que sólo un tonto habría pensado que se trataba de una casualidad.

Empezó por preguntarse cuál era el primer recuerdo que
guardaba en su memoria. Tenía que ver con la señora Katliw
Ibsan, seguro. Tal vez fueran las deliciosas galletas calientes.
O tal vez fuera el de aquella lechuza que una vez entró en su
habitación, siendo muy pequeño. Se asustó, claro. ¿Qué niño
de seis años no se hubiera llevado un susto tremendo si una
lechuza abre de pronto su ventana, se posa en el cabecero de
su cama y comienza a mirarle fijamente? Durante muchos años
le pareció un recuerdo desagradable, que conectaba con sus
terrores más inconscientes. Pero ahora, al llegar a ese lugar,
acababa de darse cuenta de que estaba totalmente equivocado:

la lechuza no pretendía asustarle. Puede que quisiera todo lo contrario, que fuera una especie de guardiana de su bienestar.

A la señora Katliw Ibsan pareció gustarle mucho aquel encuentro suyo con la lechuza. Llegó a decirle que dejara siempre la ventana abierta, para que el bicho pudiera entrar y salir a sus anchas. Y se enfadó mucho cuando Níe le rogó con todas sus fuerzas que le cambiara de cuarto porque no quería volver a ver a la lechuza allí nunca más.

—Las lechuzas son beneficiosas, hijo —le dijo—, mucho más de lo que imaginas.

Como todos los niños huérfanos, Níe sentía una curiosidad especial por conocer quiénes fueron sus padres. La señora Ibsan nunca le explicó que sus padres hubieran muerto. A veces se refería a su madre y la llamaba por su nombre, Rea. En ocasiones hablaba de ella como si estuviera viva y pudiera darle instrucciones. Siempre lo hacía con enorme respeto, como si Rea fuera una autoridad a quien ella no cuestionaba jamás, o incluso como si fuera una privilegiada por haber merecido su confianza.

—Me fue encomendada una importante labor cuando me pidieron que te cuidara —le dijo una vez Katliw Ibsan. Y enseguida se corrigió—: Quiero decir, que os cuidara. A todos.

Una vez, Níe le preguntó si su madre estaba viva y si pensaba volver.

—La vida te depara importantes sorpresas de las que no puedo contarte nada.

—Pero ¿mi madre regresará a buscarme? —insistió.

Katliw Ibsan negó gravemente con la cabeza:

—Por desgracia para todos, no se regresa del lugar al que se marchó tu madre.

—¿Fue ella quien me trajo aquí? ¿Quien me dio el nombre que llevo? —le preguntó.

—Ella eligió tu destino —contestó la señora Ibsan—, pero también el de todos nosotros.

—¿El de quiénes?

—Lo sabrás a su debido tiempo, joven Níe. Ya te he dicho que la vida te depara importantes sorpresas.

Níe terminó por cansarse de aquellas respuestas tan poco concretas. Y también del silencio o de la ignorancia de Katliw Ibsan, con los que siempre terminaba tropezando. Al fin, se resignó a todos aquellos misterios que rodeaban su vida y llegó a verlos como algo normal, como esa parte de nosotros mismos que todos soportamos a pesar de que no nos guste, porque no nos queda más remedio. Descubrió que se puede vivir con un montón de preguntas a cuestas y que la curiosidad, una vez que te has acostumbrado a ella, es mucho más soportable.

Hasta que llegó a aquel lugar y todas sus dudas resurgieron.

En las últimas horas habían ocurrido cosas que lo podían cambiar todo. Aquella voz en la piscina, por ejemplo.

«Hola, Níe. Soy tu madre», le había asegurado.

Le había dicho que no era su único hijo, que tenía una hermana. Y que su hermana estaba a punto de llegar.

Níe sentía un miedo extraño, desconocido, que le invadía el corazón.

¿Y si era otro engaño? ¿Y si volvía a confiar que ocurriera algo que nunca llegaba a suceder?

En ese instante, Irsa se acercó a él y le agarró la mano. Se dio cuenta de que estaba solo en la estancia circular que servía de vestidor. Sus compañeros ya habían atravesado la puerta de marfil. Él era el último.

—Espera —le calmó Irsa—. Tú debes ser el último en entrar. Lo manda el protocolo.

De pronto, la chica le pareció nerviosa. O emocionada, no sabía muy bien. Se acercó a su oído y susurró unas palabras que le hicieron cosquillas:

—Prepárate. Te toca.

Abajo, la multitud enmudeció al verle.

Géminis (4)

Níe bajó la escalinata de mármol procurando no tropezar, seguido por Irsa, que parecía muy orgullosa. Al llegar abajo, avanzó por un pasillo de personas que le miraban como si le conocieran. Delante iba Irsa, abriendo paso, caminando con gran solemnidad. En el gran salón reinaba de pronto un silencio absoluto.

Los ojos de Níe no alcanzaban a contemplarlo todo. Avanzaba bajo el eje central de la bóveda. A su derecha, pintada con llamativos colores, vio una escena que le sorprendió: un hombre manejaba un arado y describía un cuadrado sobre la tierra mientras otro, que parecía idéntico a él, observaba el cielo y señalaba el vuelo de las aves. Eran Rómulo y Remo, aunque Níe nunca había oído hablar de ellos.

En el otro lado, Cástor abrazaba a su hermano Pólux. Tenía un pie sumergido en las llamas del infierno mientras con el brazo rozaba el azul del cielo. Su rostro mostraba un gran dramatismo, a pesar de que Níe no tenía ni idea de lo que podía significar.

No se atrevió a volver la cabeza hacia la derecha, pero descubrió que en uno de los lados había un estrado elevado sobre varios escalones. Allí se situaban dos enormes sitiales de marfil, y en ellos se sentaban, en actitud beatífica, dos hombres de largas barbas blancas. Le hubiera gustado observarlos con atención, pero había demasiados ojos puestos sobre él para poder hacerlo.

De pronto, comenzó a oírse un murmullo entre los asistentes. Era uno de esos rumores que siempre indican que algo va a suceder.

Miró hacia arriba: en la bóveda había un par de estrellas pintadas con tanto realismo que parecían centellear. Níe recordó cuando, durante la navegación, Irsa les había señalado el cielo. En ese momento descubrió que la señal de Irsa iba destinada sólo a él, a pesar de que estuvieran presentes sus amigos, y que las estrellas de la bóveda eran las mismas que un rato antes había visto en el firmamento: Cástor y Pólux, los gemelos del universo. Géminis.

Ya casi había alcanzado el centro del gran salón. Si hubiera contado los pasos, habría sabido que le faltaban sólo cinco para llegar a los ochenta.

Sólo cinco.

Uno. La gente que se arremolinaba a ambos lados se apartaba para dejarle pasar.

Dos. Los murmullos aumentaban.

Tres. Había algo electrizante en el ambiente.

Cuatro. Vio el círculo que las baldosas dibujaban en el suelo. Aquél era el lugar.

Cinco. Entonces la vio. Era su imagen. La que había encontrado tras el cristal, al final del pasillo de los espejos, cuando cayó en la piscina.

Sus pies se habían detenido exactamente junto al borde del círculo sin atreverse a rebasarlo. En el centro del mismo, el símbolo del infinito resplandecía, esperándoles.

Observó fijamente a su doble, detenido también junto al borde, exactamente frente a él. Entonces se dio cuenta de que era una chica. Su hermana mayor. Y también su hermana gemela.

Al lado de su doble, sonreía una mujer sentada en una silla de ruedas. Era idéntica a Irsa.

Los murmullos callaron cuando los dos hermanos se miraron a los ojos.

A Níe le pareció que podía leer los pensamientos de su hermana, del mismo modo en que ella podía conocer los suyos. Y le pareció algo más, algo profundo y extraño: sintió que estaba mirando a otra persona, pero que sentía como si fuera algo suyo. Había oído hablar alguna vez de la unión invisible y poderosa que existe entre hermanos gemelos. Pues bien, en aquel momento la experimentó por sí mismo.

Nada más mirar a Eilne, sintió cómo una corriente de electricidad subía por su columna vertebral. El corazón no podía latirle más rápido. Sintió que en aquella niña que tenía sus mismos rasgos se concentraba toda su vida. Que ella era, sólo verla, lo que más le importaba en el mundo. Su única familia. Lo más antiguo e importante que tenía.

En ese momento, los maestros de ceremonias se pusieron en pie solemnemente y todos los gemelos asistentes a la ceremonia agacharon la cabeza en señal de respeto.

Sólo Eilne y Níe permanecieron con la cabeza erguida y mirándose fijamente. Dos ojos verdes y dos ojos azules, brillando juntos de nuevo después de doce años.

Eilne (8)

«De modo que era él. La visión de mis sueños. Mi doble, mi Doppelgänger. El torso desnudo al final del laberinto. Mi hermano gemelo. Níe. El hermano del que me separaron al nacer, y al que necesitaba aun sin saberlo. Fuimos una sola cosa desde antes de nacer. Ahora que estamos juntos, lo seremos todo.

»Me mira con cara de asombro. Seguro que en este momento piensa que observar mi cara equivale a ver la suya en un espejo. Parece no poder creer que existo, que tiene una hermana y que está viva. A saber qué le han contado sobre su nacimiento, de dónde le han dicho que procede. Tengo la impresión de que le conozco tan bien como si nunca nos hubiéramos separado. Le he soñado tantas veces… ¿Es probable que él no haya soñado nunca conmigo, que jamás me haya visto? Después de todo, yo soy la mayor. A mí me corresponde hablarle de nuestra madre, de lo que ella me dijo en sueños. Si pudiera hablarle ahora, se lo contaría todo. Aunque, no sé por qué, tengo la impresión de que puede oírme, puede entenderme, estamos comunicados de alguna forma.

»Él también parece asustado de estar aquí. No puedo decir que no le comprenda. Él también debe de estar preguntándose qué se espera de nosotros. Qué se supone que tenemos que hacer, por qué están aquí todas estas personas, por qué nos miran, por qué sonríen, por qué nos han traído hasta este castillo.

»Níe y yo nos hemos detenido junto al círculo. La mujer que le acompaña y Aris, mi acompañante, intercambian miradas de complicidad. Ellas han sido quienes nos han guiado hasta aquí. Nuestras guardianas, nuestros ángeles.

»Miran a los dos maestros de ceremonias, que ocupan sus tronos, y ellos les dan una orden con sólo mover una mano. Entonces las dos chicas nos piden, a mi hermano y a mí, al mismo tiempo:

»"Entrad en el círculo".

Damos un solo paso. Un paso y ya nos encontramos en el interior de la circunferencia. Me sienta bien estar aquí. Experimento algo raro. Es como si fuera más fuerte que antes. Mejor.

»Frente a nosotros, en mitad del círculo, resplandece el símbolo de lo infinito. Nos situamos justo encima de él. Somos dos esferas idénticas que están a punto de unirse en un punto.

»Los maestros de ceremonias levantan las manos hacia el cielo.

»Níe me mira con ojos asustados. Juraría que está a punto de llorar. Me emociona mucho ver que sus ojos son iguales a los míos. Siento que yo también voy a echarme a llorar en cualquier momento. ¡Me alegro tanto de tenerle frente a mí, de que nos hayamos encontrado! Siento como si este encuentro fuera un acto de justicia que todos los demás celebran con razón.

»Mi doble acerca una mano hacia mí. Yo le imito. Su palma encuentra la mía. Noto una especie de corriente que pasa entre nuestras palmas. Creo que él siente lo mismo. Me mira muy asombrado.

»Tal vez no sea una corriente. Tal vez sea algo más complejo. Más profundo.

»De pronto lo comprendo todo.

»Nos separaron al nacer. Estaba escrito que debíamos reencontrarnos.

»Pertenecemos a una estirpe única. Somos portadores de una verdad inigualable. Tenemos una misión que cumplir.

»Su voz y la mía estallan al mismo tiempo:

»"Níe", digo yo.

»"Eilne", dice él.

»Es como si alguien hubiera despertado mi cerebro.

»Recuerdo. Comprendo.

»*Sé.*

»Lo sé todo. Incluso lo que me duele. Lo que hubiera preferido no saber.

»Sin que nadie nos diga nada, nos fundimos en un abrazo. Me aprieta con sus brazos y yo hago lo mismo. Por fin sé por qué estoy aquí, quién soy, por qué todo era siempre tan extraño.

»A una señal de los maestros de ceremonias, todos los asistentes comienzan a lanzar gritos de alegría. Nos aplauden, nos vitorean, parecen muy felices de que hayamos comprendido.

—¡El primer capítulo de la profecía se ha cumplido! —exclaman muy contentos los dos maestros de ceremonias.

»Prosigue el júbilo de los asistentes. Aplauden, se felicitan unos a otros, cantan. Parecen liberados de una gran tensión. Son felices.

»"Llamamos ahora a los gemelos Eilne y Níe para que dirijan unas palabras a los anticipadores que se han reunido aquí hoy", añaden los maestros de ceremonias.

»"¿Anticipadores?", pregunto.

»Alguien contesta:

»"Desde nuestro nacimiento soñamos con vosotros y con vuestro futuro. A veces, nuestros sueños se cumplen. Nuestra única misión es protegeros".

»Creo que por fin comprendo del todo.

»Sobre nuestras cabezas, una gran lechuza blanca levanta el vuelo, ululando de felicidad.

»Por primera vez, mi hermano y yo sabemos de quién se trata.»

Géminis (5)

Siguiendo las instrucciones de los dos líderes, Eilne y Níe se dirigieron hacia la tarima. Subieron los escalones de mármol en medio de un silencio expectante, recibieron la mirada de aprobación de los maestros de ceremonias —que sonreían por primera vez desde que había empezado la reunión— y se situaron frente a ellos, dispuestos a hablar a la multitud.

De pronto, se sentían más calmados que nunca. Ahora sabían lo que tenían que hacer y por qué razón.

—¡Los mensajeros van a hablar! —anunciaron al unísono los maestros de ceremonias. Sus voces retronaron en el silencio de la sala.

Eilne dio un paso al frente. Nadie le dijo que lo hiciera. Simplemente, sabía que debía ser así. Su voz sonó fuerte y clara. Mientras hablaba, todos tenían la impresión de que era otra persona, de apariencia igual que la anterior, pero mucho más fuerte, mucho más segura. No se equivocaban en absoluto.

—¡Hola! —comenzó Eilne con timidez, dirigiéndose a todos los presentes, que estallaron en un aplauso entusiasta. Eilne se ruborizó, antes de continuar. Nunca había hablado en público. Ni siquiera era capaz de dirigirse a sus compañeros de clase sin ponerse colorada.

—Gracias por estar aquí en este día tan importante para mi hermano Níe y para mí —añadió.

Los maestros de ceremonias intercambiaron una mirada de aprobación y esperaron a que terminara la ovación antes de tomar la palabra. Hablaron alternativamente:

—Creo que todos aquí compartimos la alegría de nuestros jóvenes mensajeros —intervino—, y no nos faltan razones: ellos son el fin y el principio del mundo en el que vivimos. La encarnación del símbolo de lo infinito sobre el que ha tenido lugar su unión.

De nuevo un aplauso obligó a hacer una pausa:

—La misión de Eilne y Níe no habría sido posible sin vuestra ayuda, anticipadores. Si ellos han conseguido abrazarse en el lugar exacto, bajo la bóveda que para ello pintó Lullus Illuminatus ha sido, precisamente, gracias a vuestros sueños y a vuestra colaboración. Es por eso que, en nombre de nuestros jóvenes mensajeros, los maestros os damos las gracias. ¡Gracias a todos vosotros, de corazón! Habéis actuado con sabiduría y generosidad.

El otro tomó la palabra, para continuar con mucha solemnidad con los parlamentos:

—Todos conocéis a nuestros mensajeros, pero creo que no está de más contaros algo sobre ellos.

Ambos maestros de ceremonias se dirigieron una mirada afirmativa, antes de proseguir:

—Eilne y Níe tienen casi doce años. Nacieron en el año 3003. Supongo que os asombrará saber que los dos gemelos proceden del futuro y que fueron arrojados al pasado por su madre, Rea, en un intento desesperado por salvarles la vida. Aunque los mensajeros tienen un cometido que cumplir desde antes de ser concebidos, y es por eso que estamos aquí, para ayudarles a cumplir con su misión, de la que también nosotros formamos parte.

El otro continuó con el discurso:

—Puede que os estéis preguntando quiénes sois, albos. Cuál es el origen del Clan de las Dos Lunas, del cual formáis parte, incluso sin saberlo, incluso sin proponéroslo. El Clan de las Dos Lunas es desde el principio de los tiempos un grupo de personas que vive en conexión con las más profundas entrañas del universo. No podría deciros por qué razón, pero nosotros comprendemos. Y respetamos. Nuestra curiosidad nos lleva hasta el arte, hacia la ciencia y también hacia la investigación tecnológica. Muchos científicos famosos han pertenecido a los nuestros. Hemos sido astrónomos, biólogos, naturalistas o médicos… Hemos amado el conocimiento en todas sus formas.

—Con el tiempo, los albos nos convertiremos en los únicos transmisores del conocimiento. Lucharemos por salvaguardar el arte y la cultura, por que todo el saber de la humanidad no se extinga para siempre. Habremos hecho grandes avances en tecnología. Sabremos de mecanismos microscópicos capaces de evitar todas las enfermedades si se insertan bajo la piel. Poseeremos tarjetas de memoria cerebrales que restauran recuerdos, o eliminan temores. Tendremos células robóticas al servicio de la salud. Y experimentaremos con la grieta del tiempo, un sistema para viajar al pasado.

»Aunque con el paso de los siglos, también hemos aprendido a manejar muy bien la tecnología. Eso es lo que realmente nos ha hecho fuertes, lo que nos otorgó el poder. Nuestros científicos y nuestros artistas trabajaron conjuntamente hasta perfeccionar muchos logros inéditos hasta su tiempo. Los microchips que se insertan bajo la piel y consiguen que nunca enfermemos, las microtarjetas de memoria retardada, los glóbulos rojos robóticos o la grieta del tiempo son sólo algunos de nuestros mejores logros.

El otro líder tomó la palabra:

—Ya sé que es difícil imaginar un mundo sin arte, sin libros, sin sabiduría, sin hermosura... Un mundo en el que los grandes avances científicos y tecnológicos sólo estén al alcance de un tirano que ostente el poder absoluto del modo más brutal... Nos resulta casi imposible imaginar un mundo devastado, inundado o convertido en un enorme desierto, un mundo en el que la huella del ser humano ha quedado grabada a fuego para siempre, y en el que ya no hay solución para la vida. Sin embargo, Eilne y Níe os explicarán que el mundo del que ellos proceden es una Tierra agotada, inhabitable. Y también es un lugar sin belleza, en el que el conocimiento no tiene ningún valor, donde la gente es ignorante porque así lo establecen las leyes del tirano. Un mundo sin música, ni pintura, ni cine, ni libros... Un verdadero infierno.

Eilne observaba a la multitud. A lo lejos, vislumbró a Pol, el niño cantor a quien había conocido en el monasterio. A su lado había una niña tan rubia y pecosa como él, que sólo podía ser su hermana. Se alegró al verle, y le dirigió una mirada agradecida, sin saber si él llegaría a darse cuenta.

No muy lejos de Pol, a la niña le pareció ver a la mujer del zoológico. Y, si le hubiera conocido, también habría podido ver a Johan junto a un muchacho que se le parecía en todo, y al que tampoco se le borraba la expresión de sorpresa que le había dejado descubrir de pronto que tenía un hermano gemelo.

—Nigro Vultur, el tirano que gobernará ese mundo infame —continuó el líder—, no podrá tolerar que exista una estirpe como la nuestra. Su poder radicará, precisamente, en la ignorancia. Los seres cultos como nosotros representarán una amenaza constante. Por eso declarará la guerra al Clan de las Dos Lunas, y no descansará hasta exterminarlo por completo. Aunque también ambicionará nuestros descubrimientos, toda nuestra tecnología, hará lo que sea por conocer nuestros secretos, por poseer el control sobre la grieta del tiempo. Tenemos la sospecha, además, de que Nigro Vultur capturará a muchos de los nuestros para convertirlos en sus esclavos, en fabricantes de tecnología a su servicio… aunque no será fácil descubrir dónde los esconde. Suponiendo que sea cierto que esclavizará a alguno de los nuestros, ninguno vivirá para contarlo.

Se hizo un silencio tenso en la sala. De pronto, las palabras de los dos maestros sonaban terribles.

Uno de ellos elevó una mano hacia la bóveda para decir:

—Os mostraremos mucho mejor el mundo del que os hablamos a través de algunas imágenes. Por favor, bajen la pantalla.

Una tela de color blanco se deslizó sobre el mural de la pared principal, hasta cubrirla. Inmediatamente, las luces bajaron su intensidad y de un proyector situado al fondo de la sala surgieron algunas imágenes. En la primera se veían las pirámides de Egipto. Aunque hubiera sido más exacto decir lo que quedaba de ellas. Sólo el desierto permanecía igual que siempre. Las imponentes tumbas de los faraones se habían convertido en un montón de escombros. Lo mismo había ocurrido con la esfinge que desde siglos las acompañó. No quedaban de ella más que las dos grandes pezuñas delanteras, varadas en la arena como dos impresionantes restos de un naufragio.

—Esto es lo que Nigro Vultur hará con el arte —sentenciaron los maestros de ceremonias—: borrarlo por completo de la faz de la Tierra. Lo considerará dañino, inútil, un vestigio de un pasado opulento que él quiere olvidar. Por eso organizará bombardeos sistemáticos contra museos, palacios, castillos, iglesias, obeliscos y, en general, cualquier cosa hermosa que aún se mantenga en pie.

A una indicación de la mano de uno de los maestros, la imagen de la pantalla cambió.

Apareció entonces la foto de unas montañas no muy escarpadas, pero sí muy profundas, de color rojizo. Hasta donde alcanzaba el ojo de la cámara, sólo era posible ver montes y más montes. Hubiera recordado a las dunas del desierto de no ser por los montículos de piedra como hormigueros que se adivinaban de vez en cuando.

—Esto es todo lo que quedará de la Gran Muralla China —profetizó uno de los maestros de ceremonias, señalando uno de los montículos de piedras—. También las montañas, que antes eran verdes y frondosas, se arruinarán. Aunque la sequía no será culpa de Nigro Vultur.

La muchedumbre escuchaba con estupor. Algunos se habían sentado en el suelo para estar más cómodos. Había quienes se apoyaban los unos en los otros. Muchos fruncían el ceño con rabia al contemplar las imágenes. Un silencio impresionado crecía entre los asistentes.

Otro movimiento de la mano de uno de los líderes y la imagen volvió a cambiar. Se vio ahora un panorama desolador: parecía una ciudad, pero estaba completamente derruida, calcinada. A los más viejos les recordó de inmediato las imágenes de las guerras más recientes, un escenario de pesadilla donde sólo se mantenían en pie las bases de algunos edificios que en otro tiempo debieron de ser imponentes.

—Así quedará Nueva York después de los bombardeos —dijo uno de los anfitriones, y de nuevo señaló hasta una montaña de escombros—: Esto era el Empire State Building y esto (un amasijo de hierros sobre un cauce seco) el puente de Brooklyn. Lo fundirán con cañones de plasma. El río ya se habrá secado para entonces, claro.

Algunos dejaron caer lágrimas.

Una mujer levantó la mano para formular una pregunta, que fue atendida de inmediato:

—¿Y dónde vive...? —Se corrigió—. Perdón, ¿dónde vivirá la gente en ese mundo destruido?

—Es complicado de explicar —prosiguieron los maestros—. La raza humana tal y como la conocemos habrá dejado de existir. La población del mundo aumentará muy deprisa. En unos cuantos años, habrá millones de personas sobre la Tierra. Llegará la desertización. Y las epidemias. Muchos morirán. Ningún gobierno podrá evitarlo, ni siquiera los más fuertes. La población quedará reducida drásticamente. Luego, el calor aniquilará a algunos más. Los que quieran sobrevivir tendrán que buscar sus propias soluciones.

Habló el otro:

—Se crearán grupos sociales muy diversos, aunque sólo en formas de vida. Estarán los subterráneos, que se habrán habituado a vivir en el subsuelo y que harán gala de su oscuridad; los ciborgs, que presumirán de ser perfectos como máquinas sólo porque algunas partes de su cuerpo no son humanas (los ciborgs son unos presumidos, si queréis nuestra opinión); y estarán también los supersanos, tan obsesionados con mantenerse jóvenes y hermosos... y muchos más.

Todos parecerán distintos, pero todos serán iguales en algo: su idiotez. Será gente temerosa, dócil, capaces de obedecer sin pensar, a cambio de una compensación miserable. Sólo pensarán en su triste supervivencia diaria porque no conocerán nada más, serán incapaces de rebelarse, unidos ante el terror que Nigro Vultur les provoca, pero también odiándose entre ellos. Conseguirán algo terrible: vivir sin pensar, sin hacerse preguntas. Serán mansos y felices, desquiciantes. Serán los amigos estúpidos del poder, sus mascotas.

Como el maestro de ceremonias —todos lo notaron— se estaba alterando, continuó su hermano gemelo, con mucha más calma:

—Y también son iguales en otra cosa —dijo—. En el mundo del futuro ya no hay negros, ni blancos, ni amarillos... todos comparten una misma raza.

Esta noticia pareció sorprender mucho a los asistentes.

»Se logrará, en pocos años, lo que podría entenderse como un logro: todas las razas fundidas en una: la gran raza mestiza. Todos serán de cabello castaño y ondulado, ojos ligeramente almendrados, no muy altos de estatura y piel suavemente tostada. Muy hermosos, por cierto.

»Todos excepto nosotros —prosiguieron los maestros—. Para nuestra desgracia, algo en nuestros genes mantendrá durante generaciones los rasgos físicos que nos caracterizan: los ojos verdes y la marca de nacimiento de las dos lunas. Nigro Vultur nunca nos perdonará estas peculiaridades.

»Será un mundo gris —continuaron—, donde la diferencia estará duramente penalizada. La ley obligará a todos los ciudadanos a ser iguales, y castigará a quienes vulneren la norma. También estará prohibido pensar, crear, imaginar y, por supuesto, discrepar. Sólo no estará prohibido obedecer ciegamente a Nigro Vultur, y no cuestionarse nada de lo que ordene.

—¡Pero eso es una idiotez! —señaló un señor mayor que estaba sentado en el suelo junto a su hermana gemela.

—¡Exacto! —exclamaron los dos maestros de ceremonias—, pero mucho nos tememos que el mundo de Nigro Vultur será un mundo de idiotas. En la idiotez se basará su penoso sistema de gobierno. La idiotez fundará una nueva sociedad en la que nadie llevará nunca la contraria y donde la gente habrá olvidado incluso el significado de la palabra diferente.

—¿Y por qué no se rebelan?

La pregunta llegó de labios de una muchacha rubia y pecosa que no tendría más de trece años. Escuchaba con el ceño fruncido, como si lo que estaba escuchando la enojara mucho.

—¡Porque serán demasiado conformistas para hacerlo! —continuaron los anfitriones desde el estrado—. ¡Ellos creerán que están bien! ¡Nunca habrán vivido de otro modo! No puede rebelarse quien no sabe lo que se está perdiendo.

Se oyó un clamor de consternación general. El otro maestro pidió la palabra.

—Lo primero que prohibirá Nigro Vultur, nada más llegar al poder, será que en los colegios se enseñe a leer y a escribir. Desde ese momento, cualquiera que diga que sabe leer o que tenga un solo libro en casa será condenado a muerte. ¡Incluso los que sepan leer quemarán todos sus libros, por miedo a morir! Las bibliotecas arderán como antorchas. Incluso se declarará festivo el día de la quema de libros, y desde entonces se celebrará por todo lo alto. Será el 3 de febrero, toda una celebración mundial. Nigro Vultur elegirá para su terrible masacre el día en que se conmemora la muerte de Gutenberg, el inventor de la imprenta. No se puede decir que el tirano no vaya a pensar en todos los detalles, desde luego. Para compensar esta pérdida, inventará una religión: el culto a Venus. Los habitantes de ese mundo lamentable adorarán a Venus como hacían los hombres prehistóricos con el sol o con la luna. Creerán que el planeta rige sus destinos y controla todas sus acciones. Su credulidad sin fin les hará bobos, les impedirá pensar. Es su punto débil: a través de esa religión absurda que les gobierna, podríamos llegar a tener algún poder sobre ellos, si fuera necesario. No hay gente más inclinada a creer en cualquier cosa que la que vive en la ignorancia.

—¿Y qué ocurrirá con los animales? —preguntó alguien—. Ellos son inocentes.

—En este mundo sin libros donde los niños ya no aprenderán a leer y las madres ya no contarán cuentos, habrá algunos problemas mucho más graves. La superficie de la Tierra se habrá vuelto irrespirable. Las temperaturas serán de más de setenta grados cuando brille el sol. De noche podrán alcanzar los treinta bajo cero. Esto se debe a que la Tierra habrá modificado su órbita, atraída por la fuerza de gravedad de un enorme cuerpo celeste, y ya no girará a la misma distancia del sol que hoy conocemos. No quedará capa de ozono. No lloverá casi nunca. El ambiente asfixiante perdurará para siempre. Ningún ser vivo sobrevivirá a esto, salvo los humanos y los insectos. Los humanos lo harán gracias a su ingenio, inventando pequeños refugios donde poder respirar gracias a las máquinas de oxígeno. Los insectos se adueñarán de todo el espacio exterior. Estarán por todas partes, se multiplicarán a un ritmo frenético, se devorarán entre sí, algunos morirán calcinados por la luz solar, pero quedarán miles, millones, miríadas de billones. No habrá quien los pare. Todos estamos convencidos de que en cuanto hallen el modo de invadir el espacio de los seres humanos, terminarán por devorarlos. Y la causa de todo lo que os hemos explicado sólo es una…

En la pantalla, a un gesto del maestro, apareció una enorme esfera anaranjada. Parecía de fuego, refulgía como si fuera incandescente. La foto parecía tomada desde un desierto y la esfera dominaba el cielo, imponente como un gran planeta a la deriva.

—Es curioso pero… Es Venus —explicó uno de los maestros a un público cada vez más sobrecogido—. Lo que en nuestro mundo es aún una amenaza, en el otro no sólo es un dios, también es una pesadilla.

Se creó un silencio frágil como la superficie del agua estancada, como si el miedo se hubiera contagiado a todos los presentes. Continuaron:

—Todos habéis oído hablar del meteorito que los mejores técnicos y científicos del mundo hicieron eclosionar contra Venus para evitar un choque contra nuestro planeta. Aquella colisión generó un cataclismo a escala de todo el sistema solar. A causa del impacto, Venus perdió su trayectoria y fue atraído por los sistemas de gravedad de sus países vecinos. Entró en una especie de deriva, un fenómeno rarísimo como no se conocía otro en el universo, hasta detenerse justo aquí.

El maestro de ceremonias levantó la mano y la escena de la pantalla desapareció. En su lugar apareció un esquema del nuevo sistema solar, en el que Venus ocupaba un lugar junto a la Tierra. Era como si de pronto alguien se hubiera olvidado de poner orden entre los planetas.

—Este desplazamiento causará importantes daños, pero los más importantes los sufriremos nosotros, a causa de la nueva distancia con relación al sol, y de la llegada de ese nuevo satélite. La gente comenzará a llamar a la Tierra el planeta de las Dos Lunas, aunque en realidad Venus en su nueva situación no debería ser considerada un satélite, sino un planeta gemelo de la Tierra. No hay que olvidar que la Tierra y Venus son prácticamente iguales en tamaño, tienen características muy parecidas. Es por eso que no es tan descabellado pensar que Venus podría albergar una nueva humanidad.

Se encendió la luz mientras todos meditaban estas palabras, y todos los ojos se achinaron de pronto, deslumbrados. La gente parecía ahora más taciturna, más triste. No era extraño, después de lo que acababan de saber.

Fue una joven de la primera fila la que terminó con la quietud que se había apoderado de los presentes:

—¿Y qué podemos hacer nosotros ante esta catástrofe?

Fue Eilne la que respondió esta vez. Dio un paso al frente y levantó la voz para que todos pudieran oírla.

—Nosotros somos la esperanza. Mi hermano y yo hemos venido hasta aquí para que nos acompañéis al futuro. Fundaremos una ciudad nueva en la que no harán falta máquinas de oxígeno. Antes de que naciéramos, el Consejo de las Dos Lunas decidió insertar en nuestra memoria todo el conocimiento que aún se podía preservar. Durante nuestra estancia aquí, hemos recopilado información suficiente para reproducir gran parte del mundo que Nigro Vultur destruyó. Hemos venido a buscaros para que el Clan no desaparezca, sino que viva en todos vosotros.

—Pero ¿dónde está ese mundo del que hablas? ¡El mundo del que nos has hablado hasta ahora no da muchas ganas de abandonar éste! —dijo alguien.

—En... —Eilne hizo una pausa en la que trató de prever las consecuencias de lo que iba a decir—. En Venus.

Un murmullo se extendió entre los espectadores. Algunos asentían impresionados. Otros negaban con la cabeza. Incluso había parejas de gemelos que discutían entre ellos acerca de lo que debían hacer.

Uno de los maestros de ceremonias habló ahora:

—Sabemos que es una decisión arriesgada, y por eso nadie está obligado a seguir a los mensajeros. Sabemos que os estamos pidiendo que cambiéis un mundo enfermo (el vuestro) por uno que murió hace mucho tiempo. Lo hacemos convencidos de que somos capaces de crear algo nuevo y diferente. Acompañaremos a Eilne y a Níe a través de la grieta del tiempo, y luego viajaremos hasta la superficie de Venus, donde fundaremos nuestra ciudad nueva y perfecta, lejos de todo lo que ya no tiene remedio en nuestro planeta. Será como construir el mundo de nuevo.

—¿Y dónde está esa grieta del tiempo de la que habláis? —preguntó esta vez un hombre de mediana edad con la frente arrugada.

—Aquí mismo, pero tenemos que construirla antes de poder utilizarla —aclaró el otro maestro—. Aunque ellos aún no lo saben, Eilne y Níe tienen los planos y las instrucciones para interpretarlos. Cada uno posee una parte, de modo que para abrir la grieta son necesarios los dos. Así lo quiso el Consejo y también Rea, su madre.

Los asistentes lanzaron una exclamación, impresionados. Continuó el líder:

—Y eso no es todo. Entre vosotros están los científicos que harán posible cuanto acabamos de decir, los que sabrán interpretar las instrucciones de los constructores de la grieta y desarrollar las complejas máquinas que son patrimonio de los nuestros.

El silencio llenó de nuevo la sala. Los albos se miraban unos a otros, deseando descubrir en su vecino.

—Necesitamos saber quién de vosotros se ofrece como voluntario para esta empresa.

Más silencio. Cuchicheos. Caras de extrañeza que miraban para todos lados. Hasta que un par de manos se alzaron tímidamente en mitad de la sala. Otras dos lo hicieron al fondo. Cuatro personas en total.

—¡Magnífico! —exclamó el anfitrión—, ¿podéis acercaros, por favor?

Los cuatro que habían levantado la mano se dirigieron a la tarima de los sitiales. Parecían un poco incómodos, como si la inesperada situación les viniera un poco grande.

Eilne se fijó en ellos. Dos gemelas de raza negra y dos gemelos muy rubios avanzaban hacia el estrado. Las dos primeras llevaban gafas de montura plateada y parecían más seguras de sí mismas que los dos jóvenes. Los cuatro se detuvieron junto a los maestros de ceremonias.

—Gracias por identificaros —dijeron éstos—. ¿A qué os dedicáis?

—Yo soy arquitecto —dijo uno de los rubios.

—Y yo bióloga —dijo una de las hermanas negras.

Los otros dos hablaron a continuación:

—Informático.

—Ingeniera.

—Bien —asintió el maestro de ceremonias, que parecía muy satisfecho—. Los cuatro sois científicos jóvenes, imaginativos y brillantes, cada uno en lo vuestro. Sois los únicos capaces de construir una máquina como la grieta del tiempo. Nos gustaría saber si estáis dispuestos a hacerlo.

—Tendríamos que ver primero los planos. Tienen que ser muy precisos —opinó uno de los rubios, con acento extranjero.

—Los planos están aquí —informó el anciano—, dentro de las memorias de activación retardada de los mensajeros. Los microchips les fueron implantados cuando aún estaban en el útero de su madre. Ellos son los portadores de ésta y de muchas otras informaciones que necesitáis.

—Necesitaremos tiempo —objetó una de las chicas.

—Lo tendréis —aseguró él.

—Hay que elegir un buen lugar —continuó el informático.

—Ya existe un lugar —le interrumpió la bióloga—, y es la torre central. Ahí debe estar la grieta.

—¿Aceptáis, pues, el reto de abrir ese paso hacia el mundo del que proceden los mensajeros? —preguntaron de nuevo los maestros de ceremonias.

Por un momento, hubo quien temió que se negaran. Era una empresa importante, difícil, pero también toda una experiencia para mentes despiertas como las suyas. Aunque no lo confesaran, les resultaba casi imposible resistirse.

—Lo intentaremos —respondió la bióloga.

Hubo exclamaciones de alegría. Los mensajeros se abraza-
ron. Los maestros de ceremonias estrecharon calurosamente
las manos de los cuatro científicos.

—Entonces, comenzad a trabajar. Nosotros os ayudaremos
en todo lo que necesitéis. En cuanto a vosotros… —El maestro de ceremonias se volvió hacia los congregados en el gran salón—. Ahora tenéis la ocasión de marchar para siempre o, por
el contrario, de uniros a la aventura. Analizad cómo queréis que
sea vuestro futuro, quién os espera fuera, y decidid. Lo que es-
cojáis no tendrá vuelta atrás. A la entrada, junto al foso, os están esperando varios ferrys para llevaros de vuelta a casa. La fortaleza está preparada para aquellos que decidan quedarse. Tenéis
absoluta libertad para escoger vuestro destino, pero debéis saber
que los que decidáis permanecer entre nosotros estaréis escribiendo una importante página del futuro de la humanidad.

Algunos atravesaron los grandes portones de entrada. Los
había decididos, seguros de lo que estaban haciendo, y también cabizbajos.

Cuando el último de los que habían decidido marcharse
atravesó el umbral, los maestros de ceremonias tomaron de
nuevo la palabra:

—La profecía comienza a cumplirse. El viaje del Clan de las
Dos Lunas no ha hecho más que comenzar. ¡Lo conseguiremos!

Hubo vítores y hurras. Sólo una tímida voz se atrevió a expresar su curiosidad preguntando:

—¿Tiene nombre la ciudad perfecta que vamos a fundar
en Venus?

Eilne no lo dudó. Sonrió un poco al responder:

—Por supuesto —dijeron al mismo tiempo Eilne y Níe—.
Géminis.

INFINITO
(AÑO 1574)

Las leyes de los viajes
en el tiempo

(Aprobadas por el Clan de las Dos Lunas en el año 2808 después de quinientos años de pruebas)

1. La grieta del tiempo pertenece al Clan de las Dos Lunas; no obstante, es el Consejo el que debe decidir de qué modo se utiliza.
2. Únicamente los viajes aprobados por el Consejo están permitidos. Si alguien utiliza la grieta del tiempo para su propia conveniencia, será automáticamente expulsado del Clan de las Dos Lunas.
3. No se permiten viajes por puro placer. Cualquiera que viaje a través de la grieta del tiempo debe hacerlo según un plan establecido por el Consejo.
4. Está terminantemente prohibido:
   a. Facilitar información a los habitantes de otros tiempos paralelos. Se castigará especialmente el trasvase de infor-

mación tecnológica y personal. La información tecnológica es aquella que anticipa descubrimientos de la ciencia o aplicaciones de la tecnología. La información personal es la que revela datos que tengan que ver con la fecha de la muerte de cualquier persona y el modo de evitar que ocurra.

b. Evitar la muerte de alguien anticipándose al momento en que ésta se produce.

c. Desvelar cualquier secreto del viaje a los habitantes de otro tiempo.

d. Utilizar los conocimientos que el viaje proporciona para conseguir cualquier clase de beneficio.

5. Viajes al pasado:

a. No se permite la utilización de cualquier tipo de utensilio o tecnología que aún no sean conocidos en la época a la que se viaja.

b. Es necesario adaptarse al modo de hablar del destino elegido (el Consejo implantará al viajero el software con el idioma correspondiente unos días antes de emprender el viaje).

c. Es necesario conocer y respetar las costumbres del tiempo y lugar de destino (el Consejo proporcionará los programas con la información junto con el programa de asimilación rápida de conocimientos).

d. Está terminantemente prohibido traer objetos de cualquier tipo en el viaje de regreso, salvo lo que se llevó en el viaje de ida.

e. Una vez transcurridos diez años en el tiempo elegido, el viajero en el tiempo tiene totalmente prohibido su regreso.

6. Viajes al futuro:
   a. Están prohibidos, salvo cuando se realicen para regresar de un viaje al pasado.
7. El Consejo podrá decidir en cualquier momento cegar, restringir o clausurar la grieta del tiempo.
8. Si lo cree oportuno, el Consejo también podrá decidir la destrucción total de la grieta del tiempo.

Videomensaje de Rea a sus hijos (dos horas antes del final)

(La grabación comienza sin títulos de crédito. Al principio se ve una silla vacía frente a un muro de piedra clara —parece tratarse del de la Ermita de la Cruz—. Rea aparece por la derecha de la imagen, se sienta en la silla, carraspea una vez y comienza a hablar):

Parece que esto ya funciona.

Hola, Eilne; hola, Níe. Queridos hijos:

Cuando veáis esta grabación, muchas cosas habrán ocurrido. Todo se habrá perdido y el mundo estará de nuevo por construir. Vosotros seréis la única esperanza. Aunque si estáis viendo estas imágenes, significa que la primera y más difícil parte de vuestro viaje se ha cumplido con éxito. Sé que sois capaces de hacerlo, aunque sé que son muchos también los peligros que os acechan. A medida que se producen, estas imágenes se graban en un pequeño microchip que lleváis al final de la espalda. Puedo imaginar el estupor que os provoca

242

conocer esto, pero debéis saber que el dominio de la tecnología es lo que caracteriza al Clan de las Dos Lunas, del cual formáis parte, y que es también la razón por la que tanto nos han odiado y han deseado exterminarnos. Nuestra estirpe ha llegado a controlar de tal modo los avances científicos y técnicos que los poderosos nos temen, a la vez que ambicionan todos nuestros conocimientos.

Pero me estoy yendo por las ramas... El videochip forma parte de vuestro cuerpo igual que vuestra columna vertebral o vuestro corazón desde que nuestros microcirujanos os lo insertaron, hace un par de meses. Pero para que se active es indispensable que estéis juntos. Cada uno de esos pequeños prodigios emite una onda que activa el otro. De modo que cuando por fin os encontréis, hijos míos, miles de pequeños archivos de memoria se activarán. Recordaréis muchas cosas acerca del Clan al que pertenecéis, cosas que nunca os habrá contado nadie. Conoceréis los secretos de las máquinas, como han hecho los de nuestro Clan durante generaciones. Y esa primera noche llegarán a vuestros sueños estas imágenes. Supongo que a estas alturas ya sabréis que nada de lo que habéis soñado era una casualidad. Todo formaba parte de un plan urdido con mucho cuidado con la finalidad de salvaguardar nuestra memoria, nuestros conocimientos y todo lo que somos en este mundo, y que habrá sido totalmente destruido justo antes de nacer vosotros.

Estoy grabando estas imágenes, hijos míos, en el peor momento que ha atravesado nuestro Clan. Me encuentro en el año 3003. Por primera vez en nuestra historia, los albos hemos sido traicionados. Nigro Vultur ha seducido a uno de los nuestros, llamado Ignus, y ha conseguido atraerlo hacia su poderosa influencia. Ha logrado así tener acceso a todos nuestros secretos, incluida la grieta del tiempo, que hasta ahora nadie ajeno a las Dos Lunas conocía. Eso significa que Nigro Vultur sabe ahora cuáles son nuestros planes y nuestros puntos débiles. Pensamos que no tardará en venir por nosotros con la intención de robarnos todo lo que somos. Por esa razón hemos convocado una reunión para dentro de...

(Fija la vista en un punto fuera del alcance de la cámara.)

... dentro de veinte minutos. Los miembros del Clan de las Dos Lunas celebraremos una reunión de emergencia para decidir qué hacemos, qué escapatorias nos quedan (si es que existe alguna para nosotros). No nos importa morir, pero sí que desaparezca nuestro legado, todo lo que hemos conseguido, todo aquello por lo que hemos luchado. Y mucho menos deseamos que nuestro trabajo científico, todos nuestros avances, queden en manos de un poder tan peligroso como el de Nigro Vultur. Eso, sencillamente, no puede ocurrir. No debemos permitirlo.

(Pausa larga.)

Hace tiempo, pues, que empezamos a trazar un plan. Supimos que nuestra estirpe sería destruida. Conocimos el triste destino de la humanidad, sometida a la opresión y los caprichos de una familia de tiranos que con el tiempo llegarían a prohibir incluso la risa, o la conversación. Y decidimos luchar contra ello con nuestras mejores armas: las tecnológicas.

Por esa razón convocamos un cónclave de emergencia para elegir a aquel de nosotros que sería un buen mensajero a través de la grieta del tiempo. Los mensajeros tenían, de antemano, la importante misión de ocultar todo lo que el Clan de las Dos Lunas se ha encargado de proteger durante tanto tiempo hasta que llegue el momento de volver a mostrarlo al mundo. Los mensajeros debían ser los más capacitados, pero no bastaba con eso. Era indispensable que no levantaran sospechas. El Consejo nos eligió, a mi hermana Cristina y a mí, para que escogiéramos al candidato perfecto. Pensamos mucho. ¿Quién podría ser el mejor mensajero? ¿Quién era el más capacitado? ¿Quién parecía más inocente? La cuestión nos llevó días, semanas, meses. Realizamos entrevistas a muchos de los miembros del Clan, estudiamos sus perfiles y la posible modificación de los mismos. Y llegamos a la conclusión de que ninguno de nosotros era el candidato perfecto.

Se nos ocurrió una idea. Era arriesgada y necesitaba la aprobación del Consejo. Los maestros de ceremonias nos convocaron de nuevo en la cripta de la Ermita de la Cruz, el lugar al que destinamos los asuntos de mayor importancia. Cristina y yo expusimos nuestra idea:

—Mi hermana y yo —empezó ella— creemos que no hay nadie en este momento en el Clan de las Dos Lunas que cumpla todos los requisitos para convertirse en un buen mensajero. Por eso, pedimos al Consejo que nos conceda el permiso para engendrar al mensajero perfecto.

La estupefacción se apoderó de todos los miembros del Consejo.

—¿Engendrar?

Mi hermana y yo asentimos. Era una locura, pero era un buen plan. Ellos también lo sabían.

—¿Vosotras y quién? Necesitaréis un padre.

—Hemos elegido un padre —respondí yo.

—¿Según qué criterios?

Habló Cristina:

—Hemos buscado entre los genios de la historia de la humanidad hasta dar con uno lo bastante creativo, valiente, ambicioso e inteligente.

—Y no muy feo —añadí yo (este comentario hizo sonreír a más de uno de los miembros del Consejo).

—No sabía que podía existir un solo genio que reuniera todas esas características —bromeó uno de los maestros de ceremonias. Rieron—. Proseguid, por favor —añadió.

—Pues sí existe, señor. Y nosotras pensamos que lo hemos encontrado. Será el padre ideal de los mensajeros perfectos.

Cada uno de los maestros de ceremonias miró con sorpresa a su hermano gemelo.

—Considero que han hecho un gran trabajo, es una idea muy original. Ni a mí mismo se me hubiera ocurrido —reconoció uno de los miembros del Consejo—. Aunque no niego que lo que proponen comporta su riesgo.

—¿Y bien? —preguntó uno de los maestros de ceremonias—. ¿Cuál es el nombre de ese ser afortunado a quien habéis elegido?

—Tycho Brahe —dijimos al unísono.

Todos abrieron mucho los ojos.

—¿Tycho Brahe? —preguntó el otro maestro de ceremonias—. ¿El astrónomo? ¿Sabéis lo que estáis diciendo, criaturas? ¿Vais a tomaros la molestia de ir hasta el siglo XVI sólo para tener una aventura con un científico visionario?

Nos molestó su tono condescendiente, y también el significado de sus palabras. Cristina, que siempre había sido más decidida que yo, habló en nombre de las dos:

—No, señor —atajó Cristina, que siempre había sido más respondona que yo—. Vamos a tomarnos la molestia de ir al siglo XVI para engendrar a los mensajeros que salvarán a los nuestros.

El otro maestro de ceremonias carraspeó, en una señal que su hermano interpretó en el acto.

—¡Es una idea descabellada! —dijo el primero.

—Lo es —secundó el otro—, pero gracias a ideas como ésta hemos avanzado, y con nosotros el mundo entero, ¿no te parece?

Era la primera vez que veíamos a los dos maestros de ceremonias no estar de acuerdo en algo. Mi hermana parecía muy segura de sí misma. Yo comenzaba a albergar mis dudas, pero disimulaba por no defraudarla.

—Está bien —aceptó al fin el más reticente—. Es un poco extraño, pero lo estudiaremos. ¿Tenéis alguna relación de parentesco con ese hombre? Conocéis las reglas, supongo.

Lo cierto es que no las conocíamos, aunque dijimos que sí.

El maestro de ceremonias que aprobaba nuestro plan recitó a toda velocidad todo el reglamento (cuando eres nombrado maestro de ceremonias, el Consejo manda transferir a tu cerebro todo el ordenamiento jurídico en vigor, y toda la jurisprudencia de los últimos ciento cincuenta años). Nos informó acerca de lo que estaba permitido, y qué no podíamos hacer bajo ninguna circunstancia. Al terminar, preguntó si lo habíamos entendido todo o hacía falta repetir algún punto.

Ambas asentimos al decir:

—Lo hemos entendido, gracias.

—Ya que al parecer tenéis claro los riesgos que corréis, os pedimos que esperéis un rato. Debemos retirarnos a la biblioteca para meditar sobre este asunto hasta que alcancemos una decisión unánime —dijo el sabio representante.

Los ocho miembros del Consejo, acompañados de los dos maestros de ceremonias, salieron en un orden muy silencioso de la sala. Se apagaron las luces y Cristina y yo nos quedamos a solas, esperando, durante más de cuatro horas. No fueron las cuatro horas más divertidas de nuestra vida, precisamente.

Transcurrido ese tiempo, se volvió a iluminar la nave central y entraron los ocho miembros del Consejo precedidos de los dos maestros. Los rostros de algunos reflejaban un gran cansancio, como si vinieran de practicar un ejercicio extenuante. Se situaron frente a nosotros, en sus sitiales correspondientes, y nos pidieron que nos acercáramos.

—El Consejo ha decidido —dijo uno de los maestros de ceremonias.

Cristina contuvo la respiración. Lo supe porque mi corazón se aceleró en ese mismo instante.

—Hemos investigado un poco acerca de ese Tycho Brahe. Nació en 1546. A los diecisiete años ya era un genio de la astronomía y se sentía muy enojado por el modo en que se había cartografiado el cielo hasta ese momento. Él pensaba que podía hacerlo mucho mejor. Y, realmente, lo hizo. A los veintiséis años, en 1572, el rey de Dinamarca y Noruega le construyó un castillo que era también un observatorio astronómico. Se llamó Uraniborg, «la ciudad de Urania». Luego poseyó otro castillo cerca de Praga, cuando ya era un hombre mayor, de cincuenta años. Precisamente allí fue donde murió, a los sesenta y cinco años, a consecuencia de una caída. No tuvo hijos, ni esposa conocida.

Cristina y yo asentíamos en silencio. Conocíamos de memoria la historia del astrónomo. Precisamente en eso se fundamentaba nuestra elección.

—¿Habéis pensado en qué momento de la vida de Brahe deseáis irrumpir?

—Sí. —De nuevo se adelantó Cristina—. Queremos ir al año 1574. Le visitaremos en su observatorio astronómico.

—¿Y por casualidad habéis previsto qué ocurrirá si os desprecia? No parece un hombre muy dado a las conquistas, precisamente.

Cristina tenía siempre respuestas para todo:

—No nos despreciará. Pero si lo hace, buscaremos a otro. Tiene un alumno que tampoco está mal. Kepler, creo que se llama.

—Y también está Galileo —añadí yo.

—Ah… Ya veo que apuntáis muy alto, muchachas.

Nos miraban como si quisieran entender qué extraños motivos nos llevaban a querer hacer algo así. Por fin, el maestro de ceremonias pronunció su veredicto:

—Partiréis en una semana. Ya hemos dado las órdenes precisas para que los ingenieros ajusten la grieta del tiempo a vuestra solicitud. Comenzaréis ahora mismo los cursos preparatorios. Lo primero será la transmisión de datos. Ya os hemos reservado dos plazas en el laboratorio central, donde están preparando los archivos que precisáis para vuestro viaje. Por supuesto, se os transferirán los idiomas necesarios, y también conocimientos de historia, geografía y sociología, entre otras materias. Todos los miembros del Consejo os consideramos muy capacitadas para esta trascendental misión, y os deseamos de corazón que tengáis mucho éxito.

Quisimos dar las gracias, pero un gesto imperativo de la mano de uno de los consejeros nos detuvo.

Fue una semana muy intensa de entrenamiento y transmisión de datos. Siete días después, estábamos preparadas para hablar con cualquier persona nacida poco después de 1500 en gran parte de los países por los que íbamos a pasar. Incluso íbamos vestidas como dos mujeres de esa época, gracias a la indumentaria que nos habían fabricado un par de sastres expertos en moda de otras épocas. Quedábamos de lo más creíble.

Uno de los maestros de ceremonias nos entregó un papel doblado en cuatro partes.

—En el papel está escrito el nombre de una persona. Preguntad por ella nada más llegar.

Comencé a desdoblar el papel, pero el maestro me detuvo:

—No seáis impacientes. No debéis mirarlo hasta que lleguéis. Cuando encontréis a esa persona, entregadle esta carta en nombre del Consejo.

Nos ofreció un sobre, lacrado y sellado con el emblema de las Dos Lunas, que sólo el Consejo puede utilizar en sus comunicaciones oficiales.

—Sólo así os identificará y podrá ayudaros a llegar hasta la fortaleza de ese hombre al que buscáis. También os proporcionará dinero, servidores y un medio de transporte. El salto a través de la grieta del tiempo no es el viaje más largo que tenéis por delante. El Consejo, en nombre del Clan de las Dos Lunas, os desea mucha suerte en vuestra empresa. Esperamos veros muy pronto de vuelta, sanas y salvas.

Formaron una fila y cada uno de ellos nos besó a la manera ceremonial, justo en el centro de la frente. Luego entraron los ingenieros y nos invitaron con un gesto a subir al campanario. Tuvimos que sujetar con mucha fuerza nuestras pesadas faldas durante la ascensión, para no pisarlas. La escalera era empinada y estrecha, y los tramos inferiores estaban peor conservados que los más altos. A partir de la mitad, las paredes estaban recubiertas de láminas de titanio y estaño, y los escalones eran de oro. Nos entretuvimos leyendo las inscripciones en latín que adornaban los escalones al lado de varios símbolos de lo infinito, y que hacían referencia al tiempo. «El tiempo se escapa», «El tiempo lo cura todo», «El tiempo devora las cosas»… A medida que alcanzábamos el final de la escalera, un ruido ensordecedor y una luz muy brillante lo iban llenando todo. No era sólo el tañido de las dos grandes campanas. Era algo más, algo así como un gran zumbido. Sonaba también el viento, y brillaba el sol sobre la tierra yerma que rodeaba la torre por sus cuatro costados.

(Pausa. Suspiro.)

Debo reconocer que me sentía muy impresionada. Nunca había estado en la grieta del tiempo, y nunca la hubiera imaginado de ese modo. Era un lugar imponente, sobrecogedor.

Cristina y yo nos detuvimos un momento al llegar arriba. Queríamos mirar nuestro mundo fatigado como si lo hiciéramos por última vez. Hasta donde alcanzaban nuestros ojos, sólo se veía tierra calcinada. Era el efecto del sol inclemente, de los rayos que a todas horas caían sin piedad sobre la Tierra. La temperatura debía de superar los setenta grados. Todo tenía un color tostado, casi negro. El cielo crepuscular emitía destellos rojizos que se propagaban sobre los campos muertos. Y allí, en mitad del cielo, distinguimos la presencia imponente, difuminada por la bruma y casi fantasmal del planeta Venus, a quien los incultos habitantes del mundo llaman «la Segunda Luna». Parecía un enorme vigilante al acecho. Pensé que no es tan extraño que lo veneren como si fuera un dios.

«Pronto voy a ver un mundo vivo», me dije, ilusionada. ¡No podéis imaginar lo que significaba eso para nosotras! Lo sabréis cuando conozcáis a qué ha quedado reducido el mundo en que nosotras vivíamos.

Mi hermana debía de estar pensando lo mismo que yo, porque tenía los ojos húmedos y me miraba, muy emocionada.

—Estamos listas —dijo ella, volviéndose hacia los ingenieros.

—Bien. Entonces, debéis colocaros aquí y aquí. —Señaló dos puntos del suelo, bajo las campanas—. Justo en el borde del hueco.

Hicimos lo que nos dijo. Ante nosotras, se abría el abismo: el hueco del campanario. Era un salto equivalente a la altura de diez pisos. Sólo mirar hacia abajo, sentí que el mundo daba vueltas. Por un momento, mis fuerzas flaquearon. Menos mal que en ese momento, uno de los ingenieros ordenó:

—Tomaos de las manos.

La calidez de la mano de mi hermana me ayudó a reaccionar. Me apretó cariñosamente y me guiñó un ojo. Gracias a eso, permanecí junto al borde de aquel hueco imponente, y logré mantener la sangre fría.

El ruido se hizo insoportable. También el zumbido. Las campanas tañían, algo emitía chispas sobre nuestras cabezas, de pronto me pareció que las paredes recubiertas de planchas metálicas comenzaban a girar. La torre ya no parecía cuadrada, sino redonda. Transparente. Opaca. Los cambios se sucedían a gran velocidad. El ruido se iba haciendo más y más insoportable. Cristina me apretaba las manos cada vez con más fuerza. Me miraba a los ojos fijamente. Me concentré en sus pupilas. Entonces oí la orden:

—¡Dad un paso al frente! ¡Ahora!

Obedecimos. El mundo desapareció. Todo desapareció, salvo los ojos de mi hermana y la sensación de vacío en el estómago. Me sentí caer, primero. Luego, flotar. Al momento, reparé en que mis pies parecían sujetos al suelo, y mis manos a las de Cristina. Los tañidos se hicieron más soportables. Una ráfaga de viento frío me sobresaltó. El sol parecía más alto. Las paredes volvían a ser visibles, pero no estaban recubiertas de planchas de metal. Estábamos en la torre del campanario. Era como si no nos hubiéramos movido del lugar. Fue Cristina la primera que se dio cuenta:

—Mira. ¡Los campos! ¡El cielo! —dijo.

Eché un vistazo a nuestro alrededor. Vi los campos de trigo y la arboleda del fondo. Una pequeña ciudad se extendía al borde del camino. Algunos campesinos trabajaban sus tierras. El cielo tenía un azul que ni mi hermana ni yo habíamos visto nunca. No había rastro de Venus en el cielo. La temperatura era fresca.

Un aleteo nos sobresaltó. Nos asomamos a mirar. Era una cigüeña. Por supuesto, no habíamos visto nunca ninguna. Nos pareció un bicho un poco desgarbado, aunque debo reconocer que mi experiencia en animales, como la de mi hermana, era inexistente. Por extraño que os pueda parecer, no habíamos visto nunca ninguno. Salvo insectos, claro. Los insectos siempre sobreviven.

—Mira el papel —le dije a Cristina.

Escritas con una tinta de color oscuro, tres palabras que formaban un nombre:

Juan de Yepes

Por descontado, aquel nombre no nos dijo nada. Las dos lo miramos con curiosidad, a la vez que advertíamos que los trazos de la letra del maestro de ceremonias comenzaban a desaparecer del papel.

—¡Es tinta fotosensible! —dijo Cristina—, tenemos que acordarnos. Juan de Yepes. Juan de Yepes. Juan de Yepes. ¿Lo haremos?

Por supuesto que lo haríamos. No era eso lo más difícil que debíamos hacer, ¿no creéis?

(Rea se remueve en su silla. Bebe un poco de agua de un vaso que tenía en el suelo. Suspira.)

No quiero aburriros con los pequeños detalles. Supongo que podéis imaginar la impresión que nos causó el lugar al que llegamos. Nosotras sólo habíamos conocido un mundo de condiciones extremas, donde exponerse a la luz del sol era un suicidio y salir después del anochecer una muerte segura. Allí, en cambio, se podía pasear.

La luz del sol era un bien maravilloso, la temperatura era perfecta, los colores eran tantos y tan intensos que resultaba imposible apreciarlos todos. De todas partes llegaban olores penetrantes (algunos no muy agradables), había animalitos que correteaban por los caminos (ardillas, ratones, gatos, perros, liebres) y pájaros que revoloteaban en cualquier parte. Los caminos estaban atestados de personas que iban y venían. Algunos cargaban sus cosas en un carro tirado por mulas, o por caballos. Otros vendían sus mercancías en cualquier parte. Los alimentos que exponían a la vista de todos también eran nuevos para nosotras, que en la vida habíamos probado: las verduras o las frutas y mucho menos la carne de cerdo o de vaca.

En fin… para vuestra tía y para mí todo aquello fue el comienzo de una verdadera aventura. Aunque antes de esos descubrimientos, tuvimos que trabar contacto con el hombre cuyo nombre llevábamos escrito en el papel que nos había entregado el maestro de ceremonias. Fue mucho más fácil de lo que podríamos haber imaginado.

Nada más bajar del campanario —la parte baja de la empinada escalera estaba mucho mejor ahora que cuando habíamos subido por ella—, nos encontramos en la nave de lo que para nosotras era la sede del Clan de las Dos Lunas. Ahora, en cambio, era un lugar de culto. La iluminación era tenue, proporcionada por algunas palmatorias. Había algunos feligreses arrodillados en el suelo y con la cabeza gacha. Otros estaban, simplemente, sentados en los bancos, en actitud de rezar. A un lado, distinguimos a un hombre ataviado con una túnica marrón. Nada más vernos, se acercó a nosotras y nos habló directamente:

—Deben cubrirse la cabeza vuestras mercedes si desean permanecer en sagrado.

—Cúbrete la cabeza —ordenó mi hermana, que había comprendido mejor que yo lo que el hombre había dicho.

También fue ella la que entabló conversación con el capellán. Era un hombre pequeño, con poco pelo y aspecto afable.

—Disculpadnos, padre, por favor —dijo Cristina, como si estuviera muy acostumbrada a hablar con curas del siglo XVI—. Estamos buscando al caballero llamado Juan de Yepes. ¿Podéis iluminarnos acerca de su paradero?

255

Vuestra tía era así: jamás desentonaba en ninguna parte. Era una gran aficionada a la historia, y también una gran actriz, como seguro que os queda claro después de lo que os estoy contando.

El párroco palideció al oír el nombre que le acababa de decir Cristina.

—¡Y quién no le conoce, señoras mías! Podéis encontrarle ahí, donde suele estar. —Señalaba hacia afuera—. Si necesitáis su confesión o su consejo, él siempre está dispuesto a prestarlos. Es un santo varón.

Como le mirábamos con cara de no entender nada, levantó de nuevo la mano y pareció echarnos de su iglesia:

—Marchad, marchad, señoras. Al final del camino, por la cuesta. Y que la providencia os guíe.

Con sus indicaciones, después de caminar por un sendero serpenteante y lleno de cuestas, llegamos hasta la puerta de lo que parecía una pequeña ermita. Llamamos tímidamente. Nos abrió un hombre que llevaba un hábito raído y los pies descalzos. Nos miró entrecerrando los ojos, como si así pudiera vernos mejor.

—¿Es usted Juan de Yepes?

Abrió la puerta de par en par.

—¿Qué buscáis tras mi puerta, hermanas en la fe? —preguntó.

Le entregamos la carta. Observó el sello. Nos miró de nuevo, pero como si fuera la primera vez.

—Entrad, por favor, y acomodaos.

Era un lugar pequeño y austero. Apenas un ventanuco por el que se filtraba la luz solar y cuatro paredes sucias. El suelo era de tierra y sobre él reposaban una mesa y un camastro. Sobre la mesa había una vela (apagada), papel, una pluma y un tintero. Al parecer, habíamos interrumpido al ermitaño en el momento de escribir algo.

Leyó la carta a toda velocidad. Al terminar, volvió al encabezamiento. Luego nos miró de nuevo. Parpadeó varias veces antes de hablar:

—De modo que debo ayudaros a llegar a la isla de Hven —dijo.

—Así es —repuso Cristina.

El hombre sonrió.

—El vuestro habrá sido un largo viaje, en más de un sentido.

Nos sentimos mucho más tranquilas ahora que sabíamos que podíamos contar con alguien.

—Es cierto —afirmó Cristina, repitiendo sus palabras—: Un largo viaje…

—Debemos ponernos en camino de inmediato, pues. Os espera otro de por lo menos… —meditó un poco—, de por lo menos tres semanas, si todo va bien.

—¿Tanto? —pregunté—, ¿tres semanas?

—Me temo que sí —aseguró el hombre—. Nuestro mundo es lento y se siente orgulloso de ello. Os hará bien descubrirlo. Venís de un lugar en que la prisa lo ha corrompido todo.

No nos hizo falta entrar en la ciudad para conseguir un carruaje. El ermitaño nos condujo hacia una posada donde almorzamos mejor que nunca. De allí salimos en coche de caballos, y con él nos dirigimos hasta el centro de la ciudad. Era un lugar multitudinario, de calles empedradas atestadas de vendedores y compradores de todo tipo de mercancías. El carruaje apenas podía atravesar las vías más principales. La gente nos miraba al paso de nuestro vehículo con enorme curiosidad, antes de intercambiar opiniones entre ellos. Nuestra presencia era algo excepcional. Así continuamos hasta la puerta de un gran edificio de piedra, con las ventanas cubiertas de rejas.

—Esperad aquí un momento, voy a traer a vuestros compañeros de viaje.

Un buen rato después, el ermitaño regresó acompañado de un hombre fuerte y fornido, de un muchacho que no debía de tener más de doce años y de una mujer de mediana edad, algo rolliza. Los tres sonreían y parecían muy satisfechos de haber sido elegidos.

—Aquí tenéis a vuestro séquito. Ella es Sebastiana y éstos son Benjamín y Jaco. Gente buena y de mi confianza, que pondrá su vida en peligro con tal de salvar la vuestra. —La mujer se acomodó en el interior del carruaje, junto al muchacho, mientras Jaco lo hacía junto al cochero. El carruaje se inclinó hacia un lado bajo su peso.

—Jaco lleva dinero más que suficiente para hacer frente a cualquier gasto. Si lo termina, Sebastiana utilizará sus fondos. Id, pues, sin perder tiempo, por esos montes y riberas. No os entretengáis en recolectar flores, no temáis a las fieras salvajes, pasad todos los fuertes y fronteras que encontréis en el camino.

Todavía meditábamos las palabras de Juan de Yepes cuando nos sorprendió al decir:

—Mi cometido termina aquí, pero tened por seguro que continuaré rezando para que alcancéis vuestro noble objetivo.

Así fue como nos despedimos de aquel hombre santo que tanto nos había ayudado.

Nada más emprender la marcha, nos dimos cuenta de que Sebastiana y Benjamín nos observaban muy fijamente, como si estuvieran viendo a un par de fantasmas. Pensé que la causa de su sorpresa era que fuéramos iguales y me apresuré a tranquilizarla:

—Somos gemelas. No hay nada que temer —dije.

—Ya sabemos que no hay nada que temer —nos respondió Sebastiana—. Es sólo que no puedo creerme que estéis aquí. Mi hermana y yo os habíamos visto tantas veces, en sueños, cuando éramos niñas...

—A mi hermano y a mí nos ocurre lo mismo —añadió Benjamín.

—¿Y dónde están vuestros hermanos? —pregunté.

—La mía murió, pobrecita... —respondió Sebastiana.

—También el mío —dijo Benjamín.

Con esta revelación tan sorprendente emprendimos un largo camino que había de durar, tal y como había pronosticado el ermitaño, veinte días con sus veinte noches, y en el cual atravesamos cordilleras altísimas barridas por enormes glaciares, ríos que ninguna embarcación podía cruzar, ciudades donde vivían miles de personas y grandes llanuras verdes adornadas con flores de todos los colores. Conocimos tempestades, granizo, nieve, hielo y hasta los calores de algún volcán. Y todo para llegar hasta un mar helado en el que nos embarcamos, los cinco, con rumbo a la isla de Hven.

Como podéis imaginar, conocimos también muchos peligros y vicisitudes a lo largo de este camino e incluso cuando ya nos encontrábamos a las puertas de nuestro destino temimos no poder alcanzarlo. Fue al cruzar el estrecho que separa la isla de Hven del continente: allí, unos guardias reales nos abordaron para pedirnos, en nombre del monarca, el dinero para pagar el peaje. Jaco les pagó, como había hecho durante todo el camino, pero equivocó una de las monedas y le entregó en su lugar otra, que allí no tenía ningún valor.

Los dos miembros de la guardia real se pusieron hechos una furia.

—¿Cómo os atrevéis a estafar sus tributos al rey? ¡Voy a dar orden de que hagan naufragar vuestra embarcación a cañonazos!

Tuvo que intervenir Cristina para que los ánimos de los guardias se calmaran. Costó un poco, pero finalmente pudimos continuar nuestro camino, sólo con un ligero retraso sobre la hora prevista.

Finalmente, nos encontramos frente a las puertas del palacio de Uraniborg, nuestro destino final.

—¿Y ahora qué? —le pregunté a vuestra tía.

—Nada más fácil que convencer a un hombre curioso —dijo muy segura de sí misma—. Tú, déjame a mí.

Le pedimos a Benjamín que nos anunciara a los sirvientes del dueño del palacio. Que dijera que estaban allí Cristina y Rea, las gemelas astrónomas. Cristina tuvo que corregir algunas cosas de la pronunciación del muchacho, que se limitó a aprender de memoria la frase que debía decir. Finalmente, consiguió que pronunciara algo comprensible. Muy poco después, entrábamos en la sala principal del palacio siguiendo a uno de los mayordomos del astrónomo más famoso de su tiempo, el caballero Tycho Brahe.

Era un lugar realmente lujoso, incluso excesivo. De todas las paredes colgaban enormes cuadros. Los suelos eran de mármol y oro. Las sillas, de maderas preciosas, estaban decoradas con esmeraldas y rubíes. Las lámparas eran de cristal de Bohemia, y las alfombras habían sido traídas directamente del Lejano Oriente.

En un extremo de la sala, nos esperaba el mismísimo Tycho Brahe, con el ceño fruncido y las manos entrelazadas sobre el pecho. Era mucho más apuesto de lo que parecía en sus retratos. Tenía el pelo de color zanahoria, peinado hacia atrás, la piel muy blanca y los ojos de un azul luminoso y brillante como jamás habíamos visto. Un enorme bigote le caía a ambos lados de la boca y le llegaba hasta más abajo de la barbilla. Vestía ropas negras que nos parecieron un poco ridículas, como todas las que habíamos visto en nuestro viaje, y llevaba una gruesa cadena de plata al cuello, rematada por algo que parecía un medallón. Sólo al acercarnos, nos dimos cuenta de que el símbolo del medallón no era otro sino... ¡un ocho dispuesto en horizontal! ¡El símbolo de lo infinito! Fue la primera vez que tuvimos la certeza de haber llegado al lugar exacto.

—Me ha dicho mi mayordomo que dos astrónomas venidas de muy lejos deseaban verme. Tengo mucha curiosidad por saber qué deseáis.

Cristina se adelantó después de guiñarme un ojo disimuladamente, como si dijera: «Ya te lo dije».

—Deseamos entrar a formar parte de la escuela de astronomía que dirigís tan sabiamente en vuestra casa —anunció.

Aquello pareció desconcertar a Tycho Brahe. Como si tuviera ganas de reírse pero en el fondo no se atreviera a hacerlo. Como si dudara. La propuesta, se notaba, le parecía lo más insólito que había escuchado en su vida.

—No hay ninguna mujer entre mis pupilos. Las mujeres no saben de…

—Entonces con más razón —le interrumpió Cristina—, ya es hora de que haya alguna. O, mejor, dos.

—No está demostrado que las mujeres puedan entender las cuestiones científicas —insistió Tycho.

—La razón será del primero que lo intente —añadió Cristina—. Sólo es cuestión de tiempo. Como tantas cosas en el mundo de la ciencia.

—Nunca he visto una mujer mirando al cielo —observó entonces él.

—Ni yo ningún hombre con los pies en la tierra —replicó ella—. ¿Vos los tenéis? Ahora estáis a tiempo de demostrarlo, caballero Brahe.

Brahe parecía muy interesado de pronto por alguien capaz de someterle a aquel combate dialéctico.

—Hum… Eres una criatura prometedora —reconoció, mirando a mi hermana como se mira un pastel de chocolate.

Ella le devolvió la intención con otra mirada a la vez que decía:

—Hum… Vos tampoco estáis mal.

Después de las bromas y los coqueteos, el mayor astrónomo del mundo quiso saber qué conocimiento de los astros podía aportar mi hermana para ser admitida como discípula en su escuela.

—Este palacio… —empezó ella entonces— está construido en el lugar equivocado.

—Tonterías… —replicó Brahe, con un gesto de la mano—, está en el mejor lugar posible para observar las estrellas. La inclinación es perfecta, igual que…

—Es poco estable —siguió ella—. El mejor lugar está a unos kilómetros de aquí, en el otro lado del estrecho de Sund. Yo que vos construiría allí el observatorio. Los resultados serán mucho mejores, hacedme caso.

Tycho Brahe no daba crédito a lo que estaba escuchando, pero su gran educación y su aún mayor curiosidad le impedían ser desconsiderado.

—¿Poco estable? —preguntó, comenzando a perder ligeramente la compostura—, ¿a qué os referís, exactamente?

Mi hermana se lo explicó. Habló tan rápido y con tanta propiedad que puede que se le escapara alguna idea que aún habría de tardar doscientos, trescientos o cuatrocientos años en formularse. Pero funcionó. Tycho Brahe quedó tan profundamente impresionado que en aquel mismo instante admitió a Cristina como pupila en su escuela.

—¿Y la otra dama? —preguntó, refiriéndose a mí.

—Es Rea, mi hermana y ayudante. No sé dar un paso sin ella.

Así fue como vuestro padre nos admitió a las dos en la academia de estudios astronómicos más importante de su tiempo.

(Suspiro.)

Necesito hacer una pausa. Perdonadme un segundo.

(Salto en la imagen.)

Ya estoy aquí de nuevo. Necesitaba ir al baño. Ya no queda mucho de la historia que os trajo al mundo, pero tendré que contárosla a saltos, para no entretenerme demasiado. Se hace tarde, hijos míos, y creed que lo lamento, porque quisiera poder explicaros muchas cosas más.

(Carraspeo. Sorbo de agua.)

El palacio de Uraniborg era un lugar increíble, el lugar más increíble que he pisado en toda mi vida. No sólo era lujosísimo, inmenso, precioso… también albergaba laboratorios llenos de artilugios misteriosos con los que era posible observar el firmamento. En aquella época, los científicos aún no habían inventado el telescopio, de modo que el cielo se observaba fijando la mirada, valiéndose de ciertos inventos mecánicos y también, aunque esto lo sabe muy poca gente, de algunas pócimas que el mismo Tycho Brahe fabricaba en sus laboratorios. Como podéis imaginar, era muy divertido vivir allí.

No llevábamos ni dos semanas como alumnas de Brahe cuando Cristina me anunció algo que, de algún modo, yo ya estaba esperando:

—No quiero regresar —espetó.

—¿Cómo dices? ¿Te has vuelto loca?

—Sé muy bien lo que digo. Mi sitio está aquí. Quiero casarme con él y ser su mujer y su ayudante. Tendrás que engendrar tú a los mensajeros y regresar sin mí.

No me dio opción a discutirle nada. Al parecer, había tomado todas las decisiones necesarias sin contar conmigo para nada. Pero las sorpresas no habían terminado todavía, como enseguida pude comprobar.

—¿Y cómo se supone que voy a engendrar yo a los mensajeros si su esposa eres tú?

—Sustituyéndome en la noche de bodas —dijo.

Al parecer, mi hermana lo tenía todo previsto. Me lo explicó con todo detalle:

—Te pones mi camisón, te peinas y te maquillas como yo y te haces pasar por mí. No notará la diferencia, y sólo tú y yo lo sabremos.

Levantó un dedo índice:

—¡Aunque sólo por una noche, por supuesto!

Durante unos días pensé que mi hermana había enloquecido. Luego comencé a comprender que era una buena idea. Su plan era tan descabellado que nadie lo creería posible. En cuanto supiera que estaba embarazada, regresaría con la misión cumplida, y ella se quedaría en su nueva vida para ser feliz junto a su esposo. No levantaríamos sospechas y nunca nadie lo sabría.

Accedí a hacer lo que me había propuesto. Su boda con Tycho Brahe se celebró en el palacio, delante de una multitud de invitados. Vuestra tía llevaba un vestido de novia decorado con estrellas. También en su pelo, que llevaba recogido en la nuca, los peluqueros habían engarzado piedras preciosas que representaban los astros del firmamento.

Ésa fue la parte más complicada, que requirió toda nuestra paciencia y dedicación: mi hermana tuvo que aplicarse mucho para colocarme todos y cada uno de los adornos. Cuando estuve vestida con su traje de novia, zapatos incluidos, y terminó de copiar su peinado con mi pelo, ni yo misma era capaz de reconocerme. Salimos de nuevo a la fiesta y desde ese momento yo fui ella. Despedí a los invitados uno por uno, y me retiré con él a su dormitorio nuevo. Le pedí a Brahe que apagara la luz del dormitorio para que todo fuera más fácil para mí. Aunque lo hubiera sido de cualquier forma, porque él era un caballero, además de un hombre tierno y comprensivo. Aquella noche entendí los motivos por los cuales mi hermana deseaba quedarse junto a aquel hombre y me alegré de su fortuna. La de ambos, puesto que tampoco Cristina era una mujer común y corriente.

Por la mañana, le dijimos a Tycho Brahe que yo debía regresar a casa, que se encontraba en una península a muchos kilómetros de allí, para hacerme cargo del cuidado de nuestros padres, que tenían una salud muy delicada. Él accedió, aunque pareció entristecido.

—Me apena pensar lo mucho que te va a echar de menos tu hermana —dijo—. Va a ser muy difícil para ella vivir sin ti, Rea. Tienes que prometerme que regresarás a visitarnos.

—Lo haré —dije, aunque no sabía si podría cumplir mi palabra—. Aunque ahora ella te tiene a ti —le dije.

Me abrazó como un hermano. Cristina lloró en nuestra despedida. Separarme de ellos fue lo más difícil que he hecho jamás. Sólo otra separación se parecerá a aquélla. Qué digo. Ésta será mil veces peor.

(Sorbe por la nariz. Se le empañan los ojos.)

Perdón.

(Pausa. Cuando se reanuda la grabación, Rea está repuesta.)

La noticia de que lo habíamos conseguido fue muy bien recibida por los albos. Los maestros de ceremonias me felicitaron con mucho entusiasmo, y desde ese día me dispensaron un trato especial, «el que correspondía a la madre de los mensajeros», dijeron. Desde aquel día, me senté con ellos en la tarima de las ceremonias, y todos pudieron ver cómo ibais creciendo dentro de mi vientre.

Y no sólo eso. Todos los albos pusieron mucho empeño en que fueseis especiales. Y en verdad lo sois. Desde el cuarto mes de embarazo, todo el Clan de las Dos Lunas se esforzó para que los mensajeros fueran perfectos. Os implantaron microchips de memoria retardada, os sometieron a una operación para mejorar vuestro sistema inmunológico de modo que nunca enferméis, os indujeron una inteligencia muy superior a la media, una forma física envidiable… y son sólo algunos de los muchos prodigios de que sois capaces. Por eso sois nuestra memoria y nuestro futuro.

(Niega con la cabeza con el ceño fruncido.)

Aunque no todo se lo debemos a la tecnología. Hay fenómenos que ni siquiera la ciencia más avanzada es capaz de explicar. Es lo que ocurre con los anticipadores: nadie sabe, ni ellos mismos, a qué se debe su talento, pero su presencia nos ha ayudado mil veces a lo largo de los siglos, porque ellos son capaces de detectarnos. Saben lo que tienen que hacer y actúan en grupo sin proponérselo. En eso se parecen a los insectos: son como abejas, como hormigas. Se comunican, pero nadie sabe cómo. Los anticipadores os ayudarán, hijos, en ellos debéis confiar siempre. Siempre ha sido un ejército al servicio de los albos, sobre todo en los momentos de más necesidad.

(Pausa. Mira hacia un lado. Parece triste.)

Puede que os estéis preguntando qué fue de Cristina y Tycho Brahe. Bueno, él es muy famoso. Está considerado el mayor astrónomo de su época, el más importante antes de la invención del telescopio. Cristina cambió un poco su biografía, como podéis comprobar si buscáis su nombre en cualquier base de datos: tuvieron ocho hijos. Cuatro parejas de gemelos, en realidad. Vivieron juntos durante muchos años, hasta la muerte de él. Cristina vivió algunos años más, en el último de los castillos que habitaron, cerca de Praga. Por cierto, Cristina tenía razón respecto al observatorio. Después de comprobarlo, su marido hizo construir otro exactamente allí donde ella le había dicho. Lo llamó Stjerneborg, que significa

«Ciudad de las estrellas». Desde allí realizó sus estudios más famosos: midió el universo y analizó el movimiento de los planetas y de la Luna. Todavía hoy día existe una estrella y un cráter de la Luna que llevan su nombre, Tycho, en honor a él.

(Largo suspiro.)

Y hasta aquí llega todo lo que puedo contaros de la historia de vuestra vida. El siguiente capítulo está a punto de ocurrir.

(Se lleva la mano al vientre.)

Ya siento las contracciones. Espero que pueda llegar hasta el final de la asamblea extraordinaria de hoy. Ojalá podamos encontrar el modo de salvarnos.

Oigo ruidos. Han llegado los primeros asistentes. Tengo que irme. Espero que todo vaya bien. Nunca olvidéis que os quiero, hijos míos.

(Se acerca a la pantalla con la mano extendida, como si fuera a apagar un interruptor. La imagen se interrumpe.)

DOS LUNAS
(AÑOS 2009 Y 3015)

La grieta (1)

La fortaleza de Géminis se sumergió en una especie de hibernación mientras los cuatro ingenieros trabajaban día y noche a partir de los planos que habían traído los mensajeros. Se respiraba la expectación y el nerviosismo, pero los gemelos prefirieron encerrarse en sus habitaciones durante la espera y dedicarse a lo más útil que podían hacer: dormir.

—Sólo si soñamos lo que va a pasar, podremos ser de alguna ayuda —opinaron, sabiamente.

No fue una empresa fácil para los cuatro ingenieros, sino todo lo contrario: con toda seguridad, la grieta del tiempo fue lo más complejo que habían construido en toda su vida.

El lugar elegido fue el campanario que se alzaba sobre la fortaleza. Era una torre cuadrada de más de treinta metros, elevada sobre el embravecido mar helado. En el piso superior, bajo el tejado, había dos campanas tan grandes que dentro de cada una de ellas habrían cabido varias personas. Justo debajo, siguiendo las instrucciones recibidas, un grupo de albañiles voluntarios recubrió las paredes con una cuadrícula precisa de planchas de estaño, titanio y oro, aunque respetando las cuatro grandes aperturas. Desde allí, las islas cercanas parecían enormes cachalotes al acecho.

Los ingenieros se repartieron el trabajo. Las dos hermanas se encargaron del entramado de conexiones y cables que tuvieron que extender bajo las planchas, como si fuera un sistema nervioso. Mientras tanto, los gemelos rubios se ocuparon de los generadores de electricidad del tejado, conectados, como todo lo demás, al ordenador central, que controlaba centímetro a centímetro el hueco de la torre, la verdadera grieta. En el centro de todo, colocaron un reloj de arena.

Ajustaron, atornillaron, pulieron y soldaron sin descanso, con la ayuda de docenas de hombres y mujeres que se iban turnando. Hasta que bien entrada la madrugada del noveno día, vencidos por el cansancio, los cuatro ingenieros se recostaron en el suelo, miraron a la enorme luna llena que brillaba en el cielo y exclamaron, aliviados:

—¡Está terminada!

Enseguida se dio aviso a los maestros de ceremonias. La fortaleza, que llevaba tantos días en silencio, se llenó de pronto de voces que gritaban consignas y pasos que avanzaban con precipitación por los pasillos. Las órdenes fueron claras:

—¡Despertad a los gemelos! ¡Hay que ponerse en camino de inmediato!

En sólo unos minutos, una marea humana se dirigía hacia la torre. En el arranque de la escalera estaban Irsa y Aris, registrando en sus carpetas a todos los que llegaban y preguntando por última vez a cada recién llegado:

—¿Estás seguro de que deseas acompañarnos? ¿Lo haces por propia voluntad?

Si las dos respuestas eran afirmativas, añadían:

—Firma aquí, por favor. —Y extendían frente a los ojos de cada uno de los viajeros una pantalla y un puntero.

Poco después de alcanzar el tercer piso, los maestros de ceremonias, situados simétricamente sobre los escalones, indicaban a cada cual dónde debía situarse, y les animaban a encontrar rápidamente su lugar:

—Seguid las instrucciones y no perdáis tiempo, por favor —pedían a todos los que iban subiendo.

Al final de la escalera, bajo las campanas, aguardaban Eilne y Níe, custodiados por los cuatro ingenieros, que habrían de ser los encargados de poner en marcha el mecanismo que abriría la grieta. Los dos mensajeros iban recordando a todos que debían situarse en círculos concéntricos alrededor del hueco de la torre, muy apelmazados, y esperar en silencio a que el viaje comenzara.

»No temáis cuando sintáis un hueco en vuestros estómagos, o cuando veáis una luz muy blanca ante vuestros ojos. La sensación de caer al vacío es normal, a pesar de que sentiréis vuestros pies aferrados al suelo en todo momento —informaban a todos los recién llegados.

»Hay que aprovechar el espacio, apretaos. —Era una de las órdenes más repetidas por los ingenieros.

Ya todo estaba preparado, y los albos avanzaban como un río de armiño, iluminado por la enorme luna llena que presidía el cielo estrellado, cuando Irsa y Aris registraron al último par de gemelos. Detrás de ellos, se cerraron los enormes portones que aislaban la torre del castillo. La propia Irsa se encargó de dar dos vueltas a la llave y luego la guardó en uno de sus bolsillos. Toda precaución era poca y convenía no descuidar la seguridad. Terminada la operación, se unieron a la fila que subía y ocuparon su sitio junto a los demás.

Los maestros de ceremonias anunciaron, con gran solemnidad:

—Estamos todos. ¡Podemos empezar!

Con sólo pulsar una tecla, las campanas comenzaron a sonar muy lentamente. También comenzó a oírse una especie de persistente zumbido.

—¡Eilne, Níe, venid conmigo! —ordenó uno de los ingenieros.

Justo frente al reloj de arena —que daba la vuelta nada más vaciar el contenido de un lado, en una rueda sin fin— había dos escalones paralelos. El hombre les ordenó que subieran a ellos.

Los dos hermanos obedecieron.

—Y ahora, tomaos de la mano. No debéis soltaros hasta que todo haya pasado, ¿entendido? Hasta que lleguemos a nuestro destino.

Los dos niños asintieron. El estruendo comenzaba a ser insoportable. Los ingenieros estaban afanados observando la pantalla del ordenador o revisando la posición de algún pulsador o alguna palanca. Sobre la torre, donde se habían instalado los generadores eléctricos, parecía haberse desatado una tormenta eléctrica. Las campanas tañían ahora más deprisa. Algunos de los gemelos se tapaban los oídos para protegerse. Sólo los ingenieros permanecían como si tal cosa, entregados a su trabajo, como si todo aquello no les afectara.

De pronto, sonó un poderoso trueno sobre las cabezas de todos y comenzó a emerger una luz blanca muy brillante del interior de la torre. Al principio, apenas era visible, algo así como un resplandor lejano. Luego, la luz también fue haciéndose más y más intensa, como si fuera líquida y espesa, deslumbrando a todos los presentes, obligándoles a cerrar los ojos.

—¡Preparaos! —anunció el rubio que manejaba el ordenador.

El zumbido, la luz, las campanas, el frío intenso… Todo se conjugaba en la parte alta del campanario y resultaba tan insoportable que algunos de los gemelos comenzaron a gritar.

—¡Un momento! —ordenó la voz del ingeniero, frunciendo el ceño mientras miraba la pantalla, como si algo estuviera saliendo mal.

Eilne y Níe cerraron los ojos y apretaron las manos con fuerza, mientras esperaban a que llegara la orden definitiva.

—¡Ahora! —oyeron.

Eilne acató el mandato enseguida y dio un paso hacia el centro de la torre. Níe dudó. La voz le había parecido extraña, distinta. Miró a su alrededor, pero sólo alcanzó a darse cuenta de que sus sospechas eran ciertas y de que ya no estaba a tiempo de escapar.

Eilne sintió que su hermano tiraba con fuerza de su brazo. Oyó los gritos de pánico de muchos, confundidos con el estruendo de la grieta.

Entonces también abrió los ojos.

Un desconocido que antes no estaba ahí había aprisionado a su hermano. Vestía como un soldado, llevaba pasamontañas, casco, botas militares y algo parecido a una metralleta enorme entre las manos. La niña estiró el brazo para intentar atraparle, pero no lo alcanzó.

El pánico en los ojos de Níe fue la última imagen que le quedó de él. Más allá de eso, Eilne sólo tuvo tiempo de darse cuenta de lo que había ocurrido: había sangre por todas partes, los cuerpos de los albos caían como muñecos de trapo, sus bocas se abrían en aullidos de horror que era imposible oír, la gente corría de un lado para otro intentando escapar de los disparos. Las campanas y el fuerte zumbido eléctrico también impedían oír el martilleo de las metralletas. Docenas, tal vez centenares de túnicas blancas manchadas de sangre yacían por el suelo.

Ni Eilne ni Níe tuvieron tiempo de reconocer a nadie, ni siquiera de saber dónde estaban Erik, Lars, Johan, Irsa, Aris o los maestros de ceremonias.

La historia se estaba repitiendo.

Tres décimas de segundo después, ya era demasiado tarde.

Eilne (9)

La experiencia de Eine le alcanzaba para saber que cuando las cosas van mal, nada hay mejor que reaccionar rápido. Por eso, ni bien terminó aquella sensación en el estómago y en cuanto la claridad le permitió mirar a su alrededor, Eilne intentó sobreponerse a la rabia y el miedo y gritó:

—¡Seguidme todos por la escalera!

Se podría decir que estaban en la misma torre, más de mil años después. Lo cual cambiaba un poco las cosas. Para empezar, hacía un calor sofocante. Era de noche, pero una claridad extraña proveniente de un inquietante cuerpo celeste lo invadía todo.

A pesar de la prisa y el pánico, todos se fijaron en la extraña presencia en el cielo de otra luna. Brillaba más que la de siempre, y tenía un color más bien rojizo. Era una enorme esfera anaranjada en mitad de la negrura del firmamento. Y debajo, no quedaba agua. Aquella luna, ya no dibujaba ningún reflejo sobre las olas del frío mar del Norte. El mar había desaparecido. Todo era un interminable desierto. El aire era asfixiante y estaba plagado de pequeños insectos que revoloteaban por todas partes.

Había algunos cadáveres por el suelo, los de los compañeros muertos que habían logrado pasar al otro lado de la grieta. Eilne intentó reconocerles: sus rostros le resultaban familiares, aunque sólo les había visto en el gran salón de actos de la fortaleza de Géminis, la noche de su llegada. Sintió una enorme tristeza por ellos, los gemelos que habían dejado sus países de origen para unirse al Clan de las Dos Lunas, sin pensar que su viaje terminaría de un modo tan brusco.

Los vivos no llegaban a diez. Entre la comitiva que había conseguido traspasar la barrera del tiempo estaba una de las dos ingenieras de raza negra.

—¡Eilne! —oyó que alguien la llamaba mientras bajaba la escalera.

Era Lars. Parecía muy asustado. La muchacha se alegró mucho de verle.

—Deberíamos quedarnos aquí hasta que vengan por nosotros —dijo uno de ellos, que se resistía a acatar las órdenes de la muchacha.

—Nadie va a venir por nosotros, a menos que sea para matarnos —le respondió ella—. Lo mejor que podemos hacer es ponernos a salvo.

La seguridad de Eilne debió decidir a los que aún dudaban, porque todos corrieron escalera abajo siguiendo los pasos de la líder.

«Ojalá el portón de abajo no esté cerrado», pensaba mientras continuaba bajando.

No lo estaba. De hecho, no había allí nada que cerrar. De los portones no quedaban ni los goznes. También el arco donde encajaban había desaparecido. Como todo lo demás. El lugar, sucio, polvoriento, ruinoso, parecía desierto.

—Vamos al salón principal —ordenó Eilne, intentando no perder la confianza con que guiaba al grupo.

La fortaleza de Géminis era una pura ruina. Los ricos suelos de mármol estaban llenos de socavones. Del material precioso apenas quedaba nada: debía de haber sido arrancado losa a losa por saqueadores. Las paredes del salón principal estaban cubiertas de un polvo negro como carbón. Los techos, semiderruidos. Por todas partes se amontonaban las ruinas.

Ya no eran visibles las pinturas de la bóveda, por la sencilla razón de que de la bóveda apenas quedaban un par de nervaduras. Lo demás era un tremendo vacío por el que se filtraba aquella claridad extraña de la noche y aquel calor sofocante que lo abrasaba todo.

—¿Qué es eso? —preguntó alguien señalando hacia la luna roja del cielo.

—Es Venus —contestó Eilne—. El culpable de todo. Pero también una especie de dios. Una verdadera pesadilla. Ellos le llaman «la Segunda Luna».

—¿Cómo sabes todas esas cosas?

—No tengo ni idea. Es como si las hubiera sabido siempre.

La ingeniera negra se detuvo de pronto; utilizó su tono más desesperado para preguntar:

—¿Qué clase de lugar es éste?

—Aquel que han creado juntas la ignorancia y la mala suerte —respondió Eilne sin detenerse.

La ingeniera reaccionó con una indignación desesperada:

—¿No te parece, Eilne, que deberíamos pensar un plan en lugar de dar vueltas explorando esta ruina de lugar?

Eilne ni siquiera la miró. Continuó caminando:

—No damos vueltas. Buscamos algo con que defendernos, ropa para cambiarnos y un lugar donde dormir. Ya tenemos un plan. Debemos regresar con nuestros compañeros. Están en grave peligro. Y, de paso, ver si por aquí hay algo que pueda servirnos.

Se oyó un ruido impreciso que venía del piso de arriba.

La negra dejó escapar una sonora risotada.

—¡Ja! ¿Ellos? ¡Creo que los peligros a los que se exponen ellos son un juego de niños comparados con el mundo al que hemos llegado nosotros!

Eilne se detuvo un momento. Escuchó con atención, levantando un poco la cabeza, como hacen los felinos cuando olfatean el aire para encontrar rastros.

Se dio media vuelta y le plantó cara a la mujer.

—No sabes de qué hablas, ingeniera. Nigro Vultur ha pasado al otro lado. Le he visto. No podemos quedarnos aquí como si tal cosa.

Acto seguido, sin esperar respuesta, Eilne echó a correr a toda prisa hacia la puerta en ruinas del salón.

—¿Adónde vas? —preguntó Lars.

—Al piso de arriba. He oído algo.

El chico no lo pensó: echó a correr tras ella, mientras decía:

—¡Voy contigo!

Níe (5)

Tenía razón Níe al pensar que se estaba repitiendo la historia. Sólo que en esta ocasión, la historia no se repetía, sino que más bien se anticipaba.

El comando de operaciones especiales, formado por una docena de soldados armados hasta los dientes, disparó sin ninguna misericordia contra todos los gemelos que se apelmazaban en la escalera. El cabecilla del grupo, a quien todos llamaban Número 1, debía encargarse de capturar a los dos niños que habían montado todo aquel revuelo, y que eran la causa de las iras del Supremo desde hacía varios años. En teoría, era una misión sencilla: una vez que entraran en la grieta del tiempo, sólo tenían que capturar a los dos gemelos albos y regresar sin perder ni un segundo, procurando que nadie viajara con ellos (a menos que estuviera muerto).

Pero nada más poner un pie en el pasado, Número 1 comprendió que las cosas se estaban complicando: en aquella maldita torre había demasiada gente. Era imposible que todo saliera bien. Localizó a los niños enseguida, y los agarró a ambos de los brazos, pero uno de ellos —la chica— se escabulló con tanta habilidad que le fue imposible volver a encontrarla. Pensó que tal vez en medio del revuelo se había caído al mar. O algo todavía peor.

Los miembros del comando apenas tenían una idea remota de cuál era su misión. Ellos obedecían órdenes, no las analizaban. «Un buen soldado —estaban cansados de escucharlo— es aquel capaz de hacer algo sin pensar por qué lo hace.» La única motivación que conocían los miembros de los comandos especiales era la paga y la posibilidad de conseguir una pequeña parcela subterránea donde terminar sus días sin que la luz solar les abrasara la piel.

—¿Qué pasa? —alcanzó a preguntar Níe antes de ser capturado.

—Algo ha bloqueado el sist... —El ingeniero rubio que manejaba el ordenador cayó desplomado, con una gran mancha de sangre sobre el pecho.

Cinco minutos después de la llegada de los soldados, sólo quedaban con vida los dos maestros de ceremonias y Níe. Los demás eran arrojados al mar desde las ventanas de la torre. Caían como sirenas muertas. Las lechuzas sobrevolaban el campanario, ululando con una inmensa tristeza.

—¿Dónde está la niña? —preguntó la voz metalizada de Número 1—, ¿alguien la ha visto?

Los soldados se miraron. Parecían estupefactos.

—Te correspondía a ti captur...

—¡Silencio! —vociferó el jefe—, ¿qué estás diciendo, inútil? ¿No tenéis oídos? ¡Pues sirven para escuchar las órdenes!

Ninguno intervino. Nadie salió en defensa del compañero que había hablado, aunque todos sabían que tenía razón. Estaban resignados: cuando algo salía mal, alguien tenía que pagar siempre los platos rotos. Y ese alguien nunca era el líder.

—¡Andando! —ordenó Número 1—, ¡el Ser Supremo nos espera!

La comitiva empezó a bajar la escalera. Delante iba Número 1, con aire de general romano que vuelve victorioso de la batalla más importante. Le seguían los tres prisioneros, sujetos cada uno por dos hombres. Cerraban la fila los seis soldados restantes.

Los dos últimos, por cierto, caminaban de espaldas, mirando hacia lo que quedaba atrás. Era absurdo que lo hicieran, porque sólo dejaban muerte y destrucción, pero obedecían órdenes, y por tanto no se cuestionaban si lo que estaban haciendo servía o no para algo. Fueron estos últimos soldados, Número 9 y Número 12, quienes pudieron observar a qué clase de mundo habían llegado.

Para comenzar, el mar les pareció algo terrible. A pesar de que lo miraron desde arriba, no pudieron evitar sentir un escalofrío de pánico. El cielo era lo más raro que habían visto en su vida: no estaba allí la Segunda Luna, con sus destellos de color anaranjado, para hacer la oscuridad menos tenebrosa.

«¿Cómo puede sobrevivir un mundo, y sus habitantes, si no adoran a la Segunda Luna?», se preguntaba Número 9.

«Si la Segunda Luna no está en su lugar, ¿quién vela porque no les ocurra nada a estos hombres y mujeres?», pensaba Número 12, horrorizado.

Aunque sus dos mentes, muy acostumbradas ya la simplificación de las cosas complejas, llegaron a la misma conclusión:

«Es lógico que sean una raza maldita. Incluso la Segunda Luna les ha abandonado. Por algo será».

Las cavilaciones de los dos soldados se vieron interrumpidas de pronto por el grito de Número 1:

—¡Número 9, ve a buscar la llave del portón!

Número 9 reaccionó como si le hubieran hablado en sánscrito. ¿La llave del portón? Se encogió de hombros. Bajo la máscara antigás, sus ojos se llenaron de sorpresa.

—¡La llave de la puerta, imbécil! Debe de estar en el bolsillo de alguno de los de ahí arriba.

Todos cruzaron los dedos mientras pensaban: «Por favor, que no esté en el bolsillo de alguno de los que hemos arrojado al mar —también por orden de Número 1—, por favor, o todos pagaremos las consecuencias».

Número 9 se dirigió a su nueva misión con paso ligero. Había alrededor de doscientos cadáveres diseminados por la escalera y la parte más alta de la torre. Y cada uno de ellos tenía dos bolsillos. Eso significaba que había cuatrocientos bolsillos que registrar.

Comenzó a hacerlo. Primero, los que estaban más cerca. Cuando llevaba unos veinte bolsillos revisados, le llegó la voz impaciente del líder:

—¿Qué estás haciendo, Número 9?

—¡Hay muchos bolsillos! —exclamó el soldado, desolado—. Tardaré un poco.

—Tú —dijo Número 1, dirigiéndose a uno de los maestros de ceremonias—, ¿en qué bolsillo está la llave?

El maestro de ceremonias volvió la cara hacia el muro y cerró los ojos.

—¡Habla! —Número 1 le golpeó la cara con la culata del fusil—. O te mato aquí mismo.

—¡Él no lo sabe! —contestó Níe, rabioso por lo que acababa de ver—. Sólo mi hermana Eilne lo sabía. Y me temo que no está aquí para decírnoslo.

Número 1 levantó de nuevo el fusil con la intención de golpear a Níe en la cabeza, pero a medio camino recordó las instrucciones precisas del Supremo: «Capturar a los dos hermanos con vida y sin que sufran ningún daño».

Invadido por la rabia, le apuntó con el fusil y espetó:

—Si no nos dices ahora mismo dónde está esa llave, disparo.

A Níe el corazón le latía con tanta fuerza que parecía querer salir de su pecho, pero consiguió aparentar mucha tranquilidad cuando dijo:

—No puedes hacerlo. Si me matas, el Ser Supremo te matará a ti.

Por un momento, pensó que Número 1 iba a explotar de la rabia, de la impotencia contenida. Níe sintió que tenía la sartén por el mango, que era dueño de la situación, por lo menos mientras estuvieran allí encerrados.

Número 1 encontró el modo de atajar el problema:

—Número 7, Número 6, Número 4, Número 3: ¡subid inmediatamente a ayudar a Número 9 a buscar la llave!

Los soldados obedecieron en el acto. Los pasos retumbaban de tal modo por la escalera que era como si subiera un ejército entero. Cuál no sería su sorpresa al llegar arriba y no encontrar a su compañero. Allí arriba no había más que muertos. Número 9 no estaba por ninguna parte, se había esfumado como por arte de magia.

Del interior de la grieta del tiempo emergía una luz blanquecina, muy tenue, que parecía inofensiva. Todos miraron hacia ella, asustados.

En medio de la desolación se oyó más de una voz alarmada susurrar:

«Segunda Luna, protégenos».

Número 9 (1)

—¡Yo no he hecho nada! ¡Yo no he hecho nada! ¡Yo no he hecho nada! —repetía una y otra vez Número 9 mientras experimentaba aquella sensación de vacío en el estómago tan desagradable y tenía que cerrar los ojos para que la luz no le cegara.

En realidad, sabía que no era del todo cierto: había hecho algo mal. Había desobedecido una norma. O tal vez dos. Puede que hasta tres (bueno, las normas eran tantas que era fácil desobedecer siempre alguna). Número 1 le descubriría en cuanto viera la grabación.

Había sido un idiota: «¡Mira que no pensar que los superiores siempre están mirando, que el Supremo siempre termina sabiéndolo todo. Por no hablar de la Segunda Luna, desde el cielo», se decía ahora que ya era tarde. Ahora merecía el castigo que quisieran aplicarle. Además, sabía sus delitos: había interrumpido la ejecución de una orden y se había dejado guiar por su curiosidad.

Estaba revolviendo bolsillos a toda prisa cuando vio la luz en el interior de la grieta. Era extraña, parecía líquida. Le despertó tanta inquietud que le entraron unas ganas irreprimibles de tocarla.

Extendió el brazo en dirección a la luz y entonces sintió un firme tirón, como si una fuerza superior le succionara. Sólo entonces se dio cuenta de lo que había hecho, a pesar de que las Reglas lo prohibían terminantemente:

```
Regla número 7:
Queda prohibido interesarse por cualquier cosa que no
sea el cumplimiento del deber. El que, movido por la cu-
riosidad ejecute alguna acción que no le ha sido ordena-
da, será castigado de inmediato.
```

Se avergonzó de sí mismo al saber que había cometido dos delitos terribles (y casi sin darse cuenta). Cualquiera de los dos merecía una sentencia de muerte. Durante una décima de segundo pensó que era demasiado joven para morir, pero se consoló enseguida con un nuevo pensamiento: «Bueno, otros han muerto más jóvenes que yo». Mientras pensaba esto, Número 9 sintió que acababa de caer sobre algo duro. Fue como si la piedra apareciera allí de pronto, de la nada.

Lo primero que vio al abrir los ojos fue la Segunda Luna. Estaba en su lugar, donde siempre, emitiendo su luz anaranjada como una gran linterna en mitad del cielo. Debajo, se extendía el desierto de siempre. Suspiró, aliviado.

«¡He vuelto a casa!», pensó, contento.

Se sacudió el polvo de la ropa, miró a su alrededor: todo parecía en orden. Exactamente igual que un rato antes, cuando pasaron por allí camino del otro lado, se detuvieron para esperar en formación a que llegara el momento oportuno y Número 1 les anunció:

—Ésta es una misión extremadamente importante. Tenéis mucha suerte de haber sido elegidos para ella.

Número 9 no conseguía adivinar por qué motivo le habían escogido a él, que había sido el último soldado en incorporarse a los servicios especiales. No sólo no tenía ningún tipo de experiencia, sino que también era el más joven. Sólo un aprendiz, nada capacitado para el asalto o la guerra como se ufanaban de serlo todos sus compañeros.

Número 9 llegó al ejército por pura casualidad. Hasta entonces vivía con su hermano mayor en la Comunidad Subterránea G-17. Un día les anunciaron que un general visitaría la comunidad con la intención de reclutar nuevos soldados. Todos los interesados debían dirigirse a la Galería Circular Central, y allí esperar órdenes. Precisamente allí estaba el taller de zapatero de su hermano. Y hacia allí se dirigía él, con absoluta tranquilidad, como todos los días, cuando una voz atronadora sonó a su espalda:

—¡Eh, tú!

Al principio no se dio por aludido, a pesar de que el saludo se repitió tres veces.

—¿Es que no me oyes? —preguntó un hombre con ropa militar que se detuvo frente a él. Tan cerca que sus narices casi se rozaban.

Número 9 dio un paso atrás, por instinto.

—Quedas reclutado para los comandos de elite del Ser Supremo.

El chico miró a su espalda y se encogió un poco.

—¿Quién, yo? Si yo no… Yo soy zapatero —se excusó.

—Ya no —replicó el militar—. ¡Tienes media hora para despedirte de tu familia y tus amigos! Diles que no volverán a verte nunca más.

—Pero yo ni siquiera soy voluntario…

—Ahora sí —replicó el otro—. Tu voluntad es la del Ser Supremo, no lo olvides. Él desea que formes parte de sus comandos de elite. Deberías estar orgulloso, soldado.

No estaba orgulloso, sino muy confundido, cuando entró en la zapatería para contárselo todo a su hermano. Le encontró fundiendo titanio para fabricar suelas resistentes a las altas temperaturas. Nada más saber la noticia, su hermano dejó todo lo que estaba haciendo y le abrazó.

—¡La Segunda Luna ha atendido mis plegarias! —dijo—. ¡Serás el orgullo de nuestra familia! ¡Me haces muy feliz, pequeñajo! ¡Vas a ser el mejor soldado de todos los tiempos!

«Si ahora me vieras, hermanito, no te sentirías tan orgulloso», pensó Número 9 mientras llegaba al final de la escalera.

Echó a andar por el largo pasillo en ruinas en dirección a cualquier parte (en realidad, no tenía ni idea de adónde ir). Entonces oyó un ruido. Se detuvo. Prestó atención. Era como un «frsss», un «shhh», un «ssssszzz», algo parecido al roce de una tela, o al deslizarse de una suela por la tierra.

Empuñó el arma procurando aparentar seguridad. Apretó tanto la empuñadura que se lastimó la palma de la mano. Estaba nervioso. Mucho más que eso: estaba muerto de miedo. Comenzó a temblar. Dio dos pasos atrás. Entonces saltaron sobre él. Dos fieras salvajes, dos criaturas demoníacas o dos seres sin escrúpulos. Le cubrieron la cabeza con una tela oscura y en una combinación rapidísima de movimientos le ataron las manos a la espalda. El arma, por supuesto, fue lo primero que se le cayó. Ellos se la confiscaron.

«Vaya mala pata la mía, ahora que esto comenzaba a animarse, me van a matar», pensó.

Entonces oyó la orden. Clara, precisa:

—¡Camina hacia adelante! —dijo la voz de Eilne.

Obedeció sin ninguna resistencia. Después de todo, Número 9 estaba entrenado para obedecer.

Níe (6)

—¡Volved aquí ahora mismo, inútiles! —vociferó Número 1 desde el pie de la escalera—. ¡El Supremo nos está esperando!

Los soldados que habían subido a la torre regresaron lo más rápido que pudieron junto al resto del grupo. Traían dos noticias. La mala era que Número 9 había desaparecido. La buena, que habían encontrado la llave en el bolsillo de una de las muertas. La segunda animó un poco el humor del cabecilla y la primera no pareció trastornarle mucho. Enseguida dio la orden de abrir el portón y pronto la comitiva se puso en camino hacia el salón principal.

El gran salón de la fortaleza de Géminis había sufrido profundas transformaciones. Los hombres del Supremo habían cubierto todas las paredes con grandes lienzos negros para evitar que se vieran las pinturas. Lo mismo habían hecho con la bóveda, escondida ahora tras una tela oscura que no dejaba pasar la luz. Sobre el precioso suelo de mármol habían extendido tupidas alfombras de color azabache. El lugar se había vuelto lóbrego como la puerta del infierno. Donde antes habían estado los sitiales de los maestros de ceremonias había ahora un trono con dosel donde se sentaba una figura alargada y oscura. En los rincones, ardían palmatorias que hacían temblar las sombras.

La comitiva de los prisioneros comenzó a acercarse, con mucha solemnidad, al extremo del salón. No habían llegado aún al centro de la sala cuando Número 1 dio la orden a uno de sus hombres:

—¡Número 6, léeles a los prisioneros sus derechos!

Inmediatamente, el soldado se adelantó un paso y comenzó a escupir una retahíla de palabras que había aprendido de memoria hacía mucho tiempo:

—Ningún prisionero tiene derecho a dirigirle la palabra directamente al Ser Supremo, a menos que sea el Supremo quien le pregunte. Ningún prisionero tiene derecho a mirar al Ser Supremo. Cualquier cosa que haga o diga que no se ajuste a estas normas dará lugar a una ejecución inmediata del prisionero y de sus acompañantes.

—Esto no son derechos, son antiderechos —protestó uno de los maestros de ceremonias.

—¡Silencio! —ordenó Número 1 toscamente.

Resulta muy difícil describir el aspecto de alguien a quien casi nadie ha visto nunca. Nigro Vultur tenía un físico imponente (que la estratégica distribución de las luces exageraba bastante) y una voz ronca como la de un mastín. Lo demás, nadie podía saberlo. Ni siquiera sus soldados estaban autorizados a mirarle.

El Supremo no les permitió acercarse. Antes de que se detuvieran, a veinticinco pasos de él —como ordenaban las reglas—, ya rugió para preguntar:

—¿Dónde diablos está la niña?

Número 1 aparentó tener la situación bajo control.

—Muy pronto la traeré ante vos, Ser Supremo. La mocosa ha intentado escapar y he mandado al mejor de mis hombres a capturarla. Muy pronto estarán de regreso.

Nigro Vultur gruñó, como lo habría hecho un cerdo, antes de decir:

—Espero que así sea, Número 1. ¿Has enviado alguien a buscar a Número 5? Creo que aquí se hace llamar Senda.

—Sí, Ser Supremo, vuestras órdenes han sido cumplidas puntualmente.

El Supremo pareció apaciguarse un poco.

—Bien —dijo—. Comenzaremos con el interrogatorio de los dos magistrados. Llevaos al niño.

Dos soldados sujetaron a Níe con tanta fuerza que le levantaron más de un palmo del suelo.

—Colocad el instrumental —ordenó Nigro Vultur al tiempo que dos de sus hombres se acercaban con dos cascos de un metal muy brillante coronados por una pequeña antena y los ajustaban a las cabezas de los dos prisioneros mediante un cierre metálico.

Sujetos como estaban, los dos maestros de ceremonias no pudieron oponer ninguna resistencia. En cuanto tuvieron los cascos ajustados, Nigro Vultur pulsó un interruptor en un mando a distancia y los cuerpos de los dos ancianos se convulsionaron violentamente antes de quedar como petrificados.

Níe se revolvió entre sus captores.

—No te asustes. Por ahora, sólo he bloqueado su sistema nervioso —le aclaró Vultur—, pueden hablar perfectamente, ¿verdad que sí, señorías? Demostrádselo al chaval.

—No te preocupes por nosotros, Níe —intentó tranquilizarle el primero de los dos gemelos.

—Salva a tu hermana —añadió el otro—, cumple con tu papel de mensaaaAAAJJJ…

El segundo de los maestros de ceremonias dejó caer la cabeza sobre el pecho. De su lengua salió una densa nube de humo negro.

—¡Respuesta inadecuada, señoría! —bramó Nigro Vultur—. A la próxima, cerdo disidente, te quemaré el cerebro en lugar de la lengua. Y ahora… —Se volvió hacia el otro maestro—. Continuemos contigo mientras tu hermano duerme la siesta. Estoy convencido de que en cuanto el niño se vaya me vas a contar todo lo que estabais tramando, ¿verdad? Y también cuál es esa misión de la que hablabais, dónde están los planos y el resto de los archivos y muchas otras cosas más. Esto no ha sido más que el aperitivo. No tenéis ni idea, ingenuos albos, de lo que soy capaz. ¿Comenzamos? ¡Estoy impaciente!

El Supremo hizo un gesto con la mano, como si espantara una mosca, y los dos soldados que sujetaban a Níe le arrastraron hacia la salida sin que él pudiera hacer nada por evitarlo, dejando a los dos magistrados a solas con el monstruo, y sin defensa posible.

Número 9 (2)

La ingeniera y el resto de los que esperaban en el salón en ruinas se sintieron muy aliviados al oír que Eilne y Lars regresaban. No esperaban, sin embargo, que lo hicieran en compañía de un rehén. Y menos aún que el rehén, que llevaba la cabeza cubierta por un saco y las manos atadas a la espalda, temblara de pies a cabeza.

Se trataba de uno de los soldados de Nigro Vultur. Eilne mostró el fusil que le había arrebatado como si fuera un trofeo.

—Siéntale aquí —indicó la ingeniera, señalando un pedazo de capitel caído—. Le interrogaremos.

Sólo oír esa palabra, el rehén comenzó a temblar más todavía.

Lars, que conducía al prisionero, le llevó hasta el capitel y le ordenó que se sentara. El soldado obedeció.

La ingeniera le quitó el saco de la cabeza. Debajo llevaba la máscara antigás reglamentaria.

—Quítale eso, Lars.

El prisionero comenzó a patalear y a revolverse como si le estuvieran torturando, mientras gritaba:

—¡Noooooo! ¡Noooooo! ¡Por favoooooor! ¡No me quitéis la careta! ¡Por favor!

Su reacción fue tan virulenta que la ingeniera levantó la palma de la mano para indicarle a Lars que se detuviera.

—Espera un momento, Lars —le pidió—. Sólo hasta que se calme.

Pero el soldado no parecía muy dispuesto a calmarse. Seguía pataleando y gritando, a pesar de que nadie le estaba haciendo el menor daño:

—¡Nooo! ¡Por piedad! ¡No me la quitéis! ¡Nooo!

La ingeniera se encogió de hombros y le indicó a Lars que se apartara del rehén.

—Está bien, cállate. No te la vamos a quitar.

Numero 9 se tranquilizó al escuchar estas palabras. Dejó de gritar, recogió las piernas, juntó las rodillas, sorbió los mocos y dirigió una mirada asustada a la mujer desde detrás del cristal de la máscara.

—¿Qué estás haciendo aquí? —preguntó ella.

El chico no respondió. Había tomado la decisión de comportarse como un verdadero soldado y no facilitar ninguna información a sus enemigos, ni siquiera en caso de que le torturasen.

—¡Contesta! —exclamó Eilne—, ¿eres sordo o qué?

Número 9 miró a Eilne fijamente, y mantuvo la mirada un buen rato, pero no pronunció ni una palabra.

—¿Hay más soldados por aquí? —continuó con el interrogatorio la ingeniera.

De nuevo, Número 9 se mantuvo firme en su posición. Si su superior le hubiera visto en ese instante, pensó, se habría sentido muy orgulloso de él. Se estaba comportando como todo un verdadero soldado.

—¿No piensas contestar? —insistió la ingeniera.

Silencio y más silencio. Y unos ojos como dos soles clavados en Eilne.

—Lars —ordenó la mujer—, quítale la máscara al rehén. ¡Él se lo ha buscado!

La amenaza causó el efecto que la ingeniera había previsto. De nuevo el soldado comenzó a patalear y a gritar:

—¡Nooo! ¡La máscara no! ¡Por favooooor! ¡No me la quitéis! ¡Me moriréééééé!

Otra vez la ingeniera levantó una mano para detener a Lars, pero en esta ocasión formuló también una pregunta. Iba dirigida a Número 9:

—¿Hablarás si te dejamos la máscara?

—Sí, sí, sí. No me la quitéis, por favor. No quiero morir —contestó él, recuperando el resuello.

—Muy bien. Apártate, Lars. Parece que el prisionero está dispuesto a colaborar con nosotros.

El soldado recuperó su postura, volvió a sorber los mocos y pareció prestar atención a las preguntas.

—¿Hay más como tú? Quiero decir, ¿hay más soldados?

—No, no, señora.

—¿Qué estás haciendo aquí?

—Na… Nada —contestó él.

Tragó saliva. Como el soldado vio que su respuesta no dejaba satisfecha a la cabecilla, le pareció conveniente añadir alguna información:

—Creo que me he caído. O esa cosa me ha chupado. O…

—¿Eres un espía, alguien con un entrenamiento cualificado? —le interrumpió Eilne.

—No lo sé. Los comandos especiales no son tan especiales como parecen.

—¿Cuál era la misión de tu comando? —continuó preguntando esta vez Eilne.

—Capturar a los dos monstruos gemelos y aniquilar el Clan de las Dos Lunas.

Lo dijo de corrido, como si fuera algo que había aprendido de memoria hacía tiempo.

—¿Los dos monstruos gemelos? —continuó Eilne—, ¿quiénes son?

—Dos hermanos monstruosos que tienen poderes maléficos.

—¿Cómo son?

Todos se dieron cuenta de que Eilne se estaba divirtiendo con aquel interrogatorio. El soldado se encogió de hombros.

—Monstruosos… Supongo. Dicen que su mero contacto es venenoso.

—Es decir, ¿que podrías morirte con sólo tocarlos?

—Ajá —repuso el prisionero—. Así es. Son dos monstruos terriblemente peligrosos.

—Deben de ser muy feos —continuó la niña.

—¡Sí! ¡Horribles!

—¿Malvados?

—Peor aún. Conocen la brujería y la magia negra. Puede que hasta tengan un aliento fétido, como les ocurre a los dragones.

—¿Y habéis conseguido capturar a esos dos seres horribles? —preguntó la ingeniera.

—Creo que sólo a uno, señorita. El otro ha escapado.

—¿Y tienes idea de dónde está?

Número 9 volvió a encogerse de hombros:

—¿Ni idea?

—¿Y sabes dónde está Nigro Vultur?

En aquel preciso instante, la alarma de un reloj emitió un pitido.

—¿Qué hora es? —preguntó Número 9, muy alarmado.

—Las tres.

—¡Es la hora de la plegaria! ¡Las tres es la hora de la Segunda Luna!

Se dejó caer de la silla, se hincó de rodillas y bajó la cabeza hasta que su frente tocó el suelo. En esa postura, comenzó a emitir una especie de cantinela que recordaba al revoloteo de un moscardón. La ingeniera trató de detenerle, pero Eilne se lo impidió con un gesto.

Cuando terminó, el soldado regresó a la silla y aguardó instrucciones, con toda naturalidad.

—Te habíamos preguntado dónde estaba Nigro Vultur —recordó.

—No lo sé, señorita. Nadie puede saberlo jamás. Mucho menos un soldado raso como yo. Aunque creo… —meditó un poco— que pasó al otro lado.

—¿Iba Nigro Vultur con vosotros?

—Me pareció ver a su escolta personal, señora.

La ingeniera no estaba dispuesta a perder el tiempo. Levantó la mano en dirección a Lars:

—¡Ya me he cansado! ¡Quítale la máscara!

En cuanto Lars se levantó, comenzaron otra vez los gritos y los pataleos, pero esta vez el mensaje fue otro:

—¡Nadie sabe dónde está Nigro Vultuuur! ¡Matan a quien lo averigua! ¡Es un secreto de Estadoooooo! ¡Os estoy diciendo la verdad! ¡No quiero moriiiiiiiiir!

Con un gesto resignado, la ingeniera pidió otra vez a Lars que regresara a su lugar.

Eilne se acercó al oído de la ingeniera y susurró unas palabras que nadie más pudo oír:

—No parece muy despabilado, ¿verdad? Ni muy peligroso.

—No conviene confiarse, pero tienes razón —contestó la mujer—, es bastante memo.

A Eilne se le escapó una risilla de conejo que trató de disimular. Se volvió hacia el prisionero y formuló otra pregunta:

—¿Conocías este lugar?

—Sí, señorita.

—¿Por qué?

—Estuvimos aquí muchos meses, esperando a que llegara el momento oportuno para pasar al otro lado.

—¿Cómo supisteis que había llegado?

—No lo sé, señora. Número 1 dio la orden. Él tiene contacto con el Supremo.

—¿Dormíais aquí?

—Sí, señorita.

—¿Dónde?

—Os lo puedo enseñar, si queréis. He pasado aquí mucho tiempo. Es un lugar horrible. Frío y oscuro, sobre todo por las noches. ¡Y no hay lavavajillas!

Eilne y la ingeniera intercambiaron una mirada llena de significados. «Al fin y al cabo, si puede servirnos de guía en este laberinto, tal vez sí nos será de alguna utilidad», parecían decirse sin palabras.

—Vamos, condúcenos hasta el lugar donde dormíais —ordenó la ingeniera apuntando al soldado con su propio fusil.

El soldado no opuso resistencia alguna. Al contrario, pareció muy contento de poder levantarse y desentumecerse. Cuando se puso en camino, incluso pareció hacerlo con optimismo. Después de todo, había conseguido que no le quitaran la máscara. Echó a andar con paso decidido hacia el entramado de túneles ruinosos.

La comitiva le siguió llena de curiosidad.

Jan (7)

Los días resultan interminables cuando todo tu mundo se reduce a un agujero oscuro. Desde que Lawinski le abandonó en aquel lugar horrible, Jan pasaba los días preguntándose qué podía hacer para salir de allí. Esa sola idea le obsesionaba, y también pensar qué habría sido de Eilne.

Lawinski acudió un par de veces a traerle comida y más velas. Por su cara de pocos amigos, sabía que continuaba sin encontrar a su prima, y eso le alegraba. Cualquier cosa que perjudicara a Lawinski era una buena noticia. Por lo demás, Jan no tenía ningún tipo de distracción en aquel lugar, salvo tumbarse en el colchón y pensar. Pensar en todo tipo de cosas, también en todos los programas informáticos que aún no había inventado y que esperaba inventar algún día.

Si algo había conseguido Jan en esos largos días era acostumbrarse a su rutina. Y los diferentes sonidos formaban parte de ella de un modo muy importante. Ya era capaz de reconocer todos los ruidos que acompañaban cada visita de Lawinski, desde que abría la puerta de entrada, dos pisos más arriba de su colchón, hasta que volvía a cerrarla.

Por eso aquel día supo que Lawinski estaba allí cuando oyó girar la llave en la cerradura. Pero enseguida algo le alertó de que las cosas eran diferentes. Los pasos no eran los de Lawinski. Pertenecían a otra persona, estaba seguro. Otra persona que no caminaba por el edificio con la seguridad con que lo hacía su secuestrador.

Permaneció atento a la puerta. Los pasos avanzaban titubeantes, más lentos de lo habitual. Bajaron la escalera reseca del sótano. Continuaron hasta el segundo sótano. Entonces Jan distinguió el haz de luz de una linterna a través de los tablones de la puerta.

Procuró no hacer ningún ruido. Se alejó de la entrada lo más posible mientras desde fuera alguien abría el candado. Luego la puerta se abrió y apareció una mano en el picaporte. Y otra, aferrada a la linterna. Y un rostro sobradamente conocido y una voz angustiada que preguntaba, mientras dirigía hacia él el haz de luz:

—Jan, hijo mío, ¿eres tú? ¡Qué delgado estás!

¡Cuánto se alegró de volver a ver a su madre! Se abrazó a ella como dicen que se abrazan los náufragos a su tabla de salvación.

—Pensaba que nunca iba a volver a verte, hijo. —Su madre lloraba sin poder contenerse—. Pensaba que no te abrazaría nunca más.

También él lo había pensado. Pensaba que nunca más volvería a sentir el calor del sol sobre su piel. Que no volvería a respirar aire puro ni volvería a ser libre.

—¿Dónde estoy? ¿Cómo has sabido que estaba aquí?

—Lawinski me lo dijo —repuso Senda.

—¿Así? ¿Sin más?

Senda no respondió. Le dirigió una mirada cansina y meneó un poco la cabeza, como si negara. Pero no le dio más explicaciones. Caminaron hasta la salida todo lo deprisa que Jan podía moverse. Una vez fuera, el muchacho descubrió que su madre conducía el camión de Lawinski.

—¿Dónde está él? —preguntó.

Senda arrancó el motor con decisión. Antes de lanzarse a la carretera, miró a los ojos de su hijo y dijo:

—Ahí detrás. Ahora los secuestradores somos nosotros.

Jan se dio cuenta de que la vida está cargada de sorpresas. Su madre al volante de aquel camión era una de las más grandes que había conocido.

Llevaban algunas horas de camino cuando Senda, que parecía cansada, anunció:

—Pararemos en un pequeño hostal que conozco, en un pueblo precioso que está muy cerca de la frontera.

—¡¿Nos vamos al extranjero?! —preguntó Jan, emocionado.

—De momento, sí. Luego, ya veremos.

Llegaron muy tarde, de madrugada. Jan llevaba horas durmiendo en el asiento del copiloto, y nada más abrir los ojos preguntó:

—¿Hay algo de cenar?

Un encargado del hostal quiso ayudar a Senda a bajar el reducido equipaje, pero ella se lo impidió por miedo a que descubrieran al inquilino de la parte trasera. Se aseguró de que Lawinski seguía donde ella le había dejado y que no daría problemas, llevó el camión lo más lejos posible y pocos minutos después se encontraba con Jan en una pequeña habitación de la segunda planta. Su hijo dormía a pierna suelta, sin quitarse ni los zapatos. Senda, en cambio, se había sentado en una silla junto a la pared, escuchaba su respiración plácida y acompasada, y pensaba.

Pensó sin descanso, en muchas cosas. Pensó con los ojos cerrados y abiertos, de noche y de día, en cosas tristes y alegres. De hecho, pensó hasta que se hizo de día. Y por eso, entre otras cosas, aquél fue un día diferente a todos los demás.

Para Jan, el día y medio que pasaron en la pensión resultó bastante aburrido. Su madre estaba tan obsesionada con las noticias que ni siquiera le dejaba cambiar de canal. Cuando no había ningún informativo en su idioma, sintonizaba los canales internacionales de veinticuatro horas. Era desesperante.

—¡Si al menos tuviera un ordenador portátil! —murmuraba.

Salieron un par de veces a dar un paseo y a llevarle víveres a su prisionero, pero su madre le ponía nervioso: miraba todo el tiempo hacia todos lados y no le dejaba hacer nada ni acercarse a nadie, ni siquiera a un vendedor de helados a quien quiso comprarle un cucurucho de doble bola de chocolate negro. Tampoco quería que mirara a la gente, y le estaba regañando a cada momento por cualquier nadería. Fue él quien le propuso que volvieran al hostal. Por lo menos allí su madre parecía más tranquila. Y tampoco todo el tiempo, porque una vez que la propietaria llamó a la puerta para preguntarle si tenía toallas para lavar por poco le dio un colapso.

De modo que lo único que él podía hacer era jugar con la videoconsola portátil (en el hostal no se captaba ninguna señal de internet a la que pudiera conectarse, qué lata), releer a escondidas los cuadernos de Eilne —lo cual no resultaba nada fácil— y desear con todas sus fuerzas que terminara aquello, fuera lo que fuese.

Durante la última tarde que permanecieron allí le pareció que su madre estaba muy rara. De pronto, sin que viniera a cuento, le miró como si estuviera pensando en otra cosa y le dijo:

—Tengo que hablar contigo, Jan.

—¿Y ahora qué he hecho? —protestó, con el tono que solía utilizar cuando consideraba que se cometía con él una injusticia.

—No quiero hablarte de ti, sino de mí. Y de tu prima, que en realidad no es tu prima.

«Esto se pone interesante», pensó Jan en el acto.

Entonces su madre le contó una historia muy extraña que comenzó doce años atrás, cuando ella vivía en un lugar muy remoto y era soldado de elite del único gobernante que quedaba en el mundo, un ser con un poder y maldad ilimitados, llamado Nigro Vultur.

Le habló de cómo ella, una chica del clan de los supersanos, fue reclutada por sorpresa para el ejército. Cómo le había costado abrirse camino en aquel ambiente tan hostil, tan poco apropiado para una joven sin experiencia que aún no sabía nada del mundo.

—Al principio creí que no podría soportarlo —le confesó—, pero enseguida supe encontrarle ventajas: los soldados vivían mejor que otros muchos habitantes de aquel mundo. Tenían mejor sueldo, buenas casas en lugares donde aún era posible disponer de un poco de espacio para uno mismo y la posibilidad de una buena jubilación. «Son sólo unos años de sacrificio a cambio de un futuro mucho mejor», fue mi lema. Por eso aguanté.

»Por eso —dijo— y porque ocurrió algo inesperado que cambió mucho las cosas. ¿Tienes una idea de lo que pudo ser?

Jan negó con la cabeza. No tenía ni idea.

—Me quedé embarazada de ti.

Senda continuó con su relato. Las condiciones de entrenamiento eran duras y ella no se atrevía a decirle a nadie que se había quedado embarazada. Y mucho menos que estaba enamorada de un compañero del comando. Alguien del que no sabía ni el nombre, del mismo modo que él tampoco sabía el de ella. Sólo se conocían por sus números de soldado. Ella era Número 5. Él, Número 6. Dos soldados jóvenes al servicio de una causa absurda, gobernados por un cretino con poder absoluto.

—Aunque entonces ni siquiera me daba cuenta de que lo era —continuó—. Por extraño que te parezca, en el mundo donde yo me crié nadie sabía leer. Nadie valoraba el conocimiento. Nadie escuchaba música, ni admiraba el arte, ni leía.

Jan arqueaba las cejas.

—¿Y la ciencia?

—Internet existía, pero era consultado como un adivino o un oráculo. Era como una religión oficial. Nigro Vultur declaró que internet era sagrado. Es decir, intocable e incuestionable. Nada de lo que dice internet puede ponerse en duda.

—¿Sagrado, internet? ¡Ja! —Jan soltó una sonora carcajada—. Pero ¿en ese mundo tuyo erais tontos, o qué?

—Exacto. Tontos de remate. Ése era el único objetivo de Nigro Vultur: convertirnos en personas que no saben nada de nada, que no pueden pensar y mucho menos decidir por sí mismos o llevar la contraria. Por eso el culto a la Segunda Luna se convirtió en oficial, una religión obligatoria a la que nadie sabía ni quería escapar.

—¿La Segunda Luna?

—Así llamábamos al planeta Venus. Y lo adorábamos como si de un dios se tratara. Hasta le rezábamos cada día a las tres de la tarde, cuando sonaba el gong que ordenaba hacerlo.

Jan sonreía, incrédulo. Senda continuó:

—Nigro Vultur pretendía lograr un mundo de ignorantes absolutos, para así poder gobernarlo a su antojo. Pero los albos se rebelaron contra él. Nunca pudo con el Clan de las Dos Lunas. Por eso les odiaba a muerte y no paró hasta exterminarlos a todos. Bueno, a todos no. Se salvaron dos.

Jan comenzaba a no comprender nada. Ni siquiera por qué su madre había comenzado de pronto a contarle todo aquello, pero pensó que sería mejor dejarla hablar.

Senda prosiguió:

—Durante la última misión en la que participé maté a una mujer. Lo hice sin pensar, sin plantearme siquiera si mi acción estaba bien o mal, sólo porque me lo acababan de ordenar y porque estaba muerta de miedo. Temía lo que pudiera pasarme si no obedecía las órdenes.

Por eso la maté a sangre fría. Aunque no puedo decir que no me afectara. Me afectó mucho más de lo que imaginaba, aunque he tardado mucho tiempo en darme cuenta. Es como si no hubiera querido aceptar la realidad de las cosas hasta hoy. Entonces ocurrió todo tan rápido… y yo era tan ignorante, tan como Nigro Vultur deseaba que fuera. Jamás se me habría ocurrido pensar, sólo estaba entrenada para obedecer y no formularme preguntas.

Esa mujer, le contó Senda, era la madre de Eilne y de su hermano gemelo, Níe. Para protegerlos, antes de morir los arrojó a la grieta del tiempo (en este punto del relato, Jan arrugó la frente, le costaba creer lo que estaba oyendo) y ella tuvo que seguirles para cumplir órdenes. No podía negarse, lo dijo varias veces, con los ojos inundados de lágrimas. No podía negarse o habrían muerto los dos allí mismo. Ella y Jan, que por aquel entonces ya llevaba tres meses creciendo en su vientre.

—De modo que si todo hubiera transcurrido de un modo normal, tú hubieras nacido en el año 3003, hijo. Por increíble que te parezca, hubieras sido un niño del siglo xxxi —dijo Senda con la voz entrecortada por la emoción.

Jan pensó que aquello era demasiado. Su madre estaba sufriendo alucinaciones:

—Tranquilízate, mamá —le dijo, agarrando sus manos—, ¿por qué no te echas a descansar un rato?

Pero Senda quería continuar: le dijo que llevaba mucho tiempo deseando contarle todo aquello y que por fin había llegado el momento de hacerlo, ahora que por fin tenía las ideas claras y que se había librado de todo lo que le enseñaron, y también del temor a desobedecer a Vultur.

—Es más cómodo seguir la corriente que enfrentarte a tus temores, hijo —le dijo antes de explicarle que a pesar de que ella alguna vez fue como ellos, tantos años en un lugar tan distinto y todo lo que había aprendido en su nueva vida le habían abierto los ojos hasta convertirla en otra persona.

—Ponte en mi lugar cuando llegué. De pronto, me vi en un mundo desconocido y con dos niños recién nacidos a mi cargo. Pensé que lo mejor sería matarles, aunque desobedeciera órdenes, y los llevé a un claro del bosque para enterrarlos vivos. Fue allí donde me encontré con una extraña mujer sentada en el tocón de un árbol. Nada más verme me dijo que me estaba esperando: «He soñado muchas veces contigo y con estos niños y estoy aquí para ayudarte —me explicó—. No puedo permitir que desobedezcas las órdenes recibidas y les pongas en peligro. Si haces eso, te matarás también a ti misma».

Las dos mujeres llegaron a un acuerdo:

—Me dijo que pensaba llevarse al niño, Níe, a un lugar muy lejos de allí, donde estaría a salvo. Dijo que le alimentaría y cuidaría de él hasta que llegara la hora. Y que cuando yo le reclamara, me lo entregaría. Sin compromiso, sin que por ello le debiera nada. Dijo que lo hacía porque ella también deseaba que llegara el momento.

Le pareció que era uno de los suyos, que había acudido en su ayuda porque Nigro Vultur la había enviado. Además, la mujer lo tenía todo previsto:

—Mi hermano gemelo te ayudará en el cuidado de la niña Eilne. Seguro que también puede encontrarte una casa en un lugar apartado que no levante sospechas y un trabajo para que puedas procurarte una manutención, para ti y para tu hijo. Seguro que habrá algo que sepas hacer, además de matar gente con ese rifle horrible.

La mujer había traído ropa para los bebés, y comenzó a vestirlos allí mismo. Poco después, llegó el hermano de quien le había hablado. También él le dijo que había visto muchas veces a los gemelos en sueños y que si había llegado hasta allí era sólo con la intención de ayudarla.

—Cuando necesites hablar con el Supremo —le dijeron los dos hermanos—, sólo debes regresar al campanario. —Señalaron al mismo tiempo la torre de la Ermita de la Cruz—. Pero es muy importante que recuerdes que la comunicación es difícil desde aquí. El mundo del que tú llegas y éste están en dos dimensiones diferentes. Muy raramente podrás comunicar con Nigro Vultur. Sólo durante las tormentas más fuertes tendrás alguna posibilidad de conseguirlo. Y nunca te olvides tu transmisor.

Señalaron la pequeña radio con micrófono que llevaba incorporada en el casco.

—Por cierto, necesitarás un nombre —añadieron antes de despedirse—. A partir de hoy ya no serás Número 5. Te llamarás Senda, porque eso es lo que eres: una senda entre el futuro y el presente. Nosotros también tenemos los nuestros: él es Bat. A mí puedes llamarme Katliw.

Número 9 (3)

Después de recorrer unos cuantos pasadizos, cada uno más ruinoso que el anterior, llegaron a una escalera que conducía hacia un subterráneo.

—¡Cuidado! Puede ser una trampa —susurró la ingeniera.

Eilne empuñó con más decisión la metralleta que le había arrebatado al soldado. Por alguna extraña razón, no le parecía que les estuviera tendiendo una trampa. Aunque no olvidaba que se estaban dejando guiar por un miembro de la guardia de elite del mismísimo Nigro Vultur.

Recorrieron un par de galerías subterráneas y llegaron a una especie de plazoleta.

—Es aquí —dijo Número 9.

Por costumbre, Eilne extendió el brazo para dar con el interruptor. En su lugar, encontró una pared plagada de agujeros.

—¿Por dónde se enciende la luz?

—¿Qué luz? —preguntó el chico.

—La luz eléctrica. No hay interruptor.

—Éste es un lugar abandonado. No hay luz —explicó él—, pero allí están las antorchas. Se pueden sujetar a la pared.

Número 9 no les había engañado. En la estancia donde se encontraban había decenas de colchones por el suelo, y muestras evidentes de que aquél había sido un lugar habitado hasta unas horas antes. Sobre uno de los lechos, Eilne descubrió una pared cubierta de muescas, como las que hacen los presos para saber los días que llevan encerrados.

—¿Cuánto tiempo estuvisteis aquí? —preguntó la niña.

—¿Ahí no lo dice? No lo sé… Dos años, puede que más.

—¡¿Dos años?! —Eilne no daba crédito a lo que oía—. ¿Y por qué tanto tiempo?

El soldado se encogió de hombros y les dio la misma respuesta de otras veces. La misma que estaban esperando:

—Órdenes.

—¿Hay vehículos aquí?

—Por aquella puerta… —Número 9 señaló con la cabeza hacia un portón del fondo.

Mientras tanto, Lars husmeaba por todas partes. En un lateral de la enorme habitación circular descubrió la letrina.

—Aquí apesta —dijo, retirándose inmediatamente, ofendido por el hedor.

—¿Y qué comíais? —preguntó la ingeniera.

—Lo normal. Cápsulas —repuso él.

Ante la cara de asombro generalizada, Número 9 decidió facilitar algo más de información a sus ignorantes interrogadores.

—Meted la mano ahí, en el bolsillo lateral de mi pantalón —pidió.

Lo hizo Lars, mientras Eilne sujetaba la ametralladora (que ya comenzaba a pesarle mucho). Sacó varios tubos de comprimidos. Leyó los envases:

—«Carbohidratos», «Proteínas», «Complejo de azúcares», «Chicles de vitaminas».

—¡Ésos son mis favoritos! —dijo Número 9—. ¡Me comería uno ahora mismo!

—Para hacerlo, deberías quitarte esa cosa —sugirió Eilne.

—No hace falta, tiene una abertura.

—¿No te la quitas nunca? —preguntó Lars.

—¡Claro que no! ¡Es peligroso!

—Ah, ¿sí? ¿Y qué se supone que nos ocurre a nosotros? ¿Para nosotros no es peligroso?

Número 9 hizo un gesto despreciativo con la mano.

—Bah —añadió—, vosotros sois criaturas primitivas.

—¿Que somos quééé…? —Lars se sintió ofendido por el comentario.

—¡Perdón! —se disculpó el soldado—. Quiero decir que este aire es venenoso para mis pulmones. No tengo ni idea de por qué no lo es para los vuestros.

—¿Has pensado que tal vez tampoco lo sea para los tuyos?

—No… Eso es una tontería… Si le preguntas a la Gran Conciencia, enseguida te dirá que no debemos quitarnos jamás la máscara antigás cuando estamos fuera de nuestro cuartel general. Aunque es una lata, lo reconozco, sobre todo cuando te pica la cara o tienes mocos en la nariz. Pero la seguridad es lo primero.

—¡Muy bien! ¡Allá tú soldadito! ¿Dónde decías que estaban los vehículos? ¿Tienes alguna idea de hasta dónde podemos llegar con ellos?

Níe (7)

Fue una espera terrible para Níe, custodiado por cuatro soldados armados hasta los dientes, que le miraban como lo habría hecho una jauría de fieras salvajes.

—Si intentas escapar, también tú probarás el casco —le había amenazado el que parecía el cabecilla.

Níe no podía dejar de pensar en lo que le estaba ocurriendo a toda su gente. Los primeros, los maestros de ceremonias, a quienes había dejado en manos del tirano sin poder hacer nada por evitarlo. También pensaba mucho en Eilne. No tenía ni idea de dónde podía estar ni qué suerte habría corrido.

«Todo esto es una catástrofe —se decía—, tantos esfuerzos no habrán servido para nada. Todo parece perdido.»

De pronto oyó un grito desgarrador seguido de un largo silencio.

Incluso los soldados estaban tensos, con los cinco sentidos alerta. Poco después llegó a toda prisa un emisario:

—El Supremo ordena la comparecencia del prisionero —dijo.

«Ese presumido no es nadie para darme órdenes», pensó Níe.

Sin embargo, nadie a quien acompañan cuatro soldados armados está en condiciones de oponerse a su voluntad, de modo que el muchacho acompañó a los esbirros de Nigro Vultur hasta el salón principal.

Nada más entrar en la densa oscuridad que invadía el salón, supo que algo muy grave estaba ocurriendo. Reinaba un ambiente extraño, como a traición consumada, como a muerte y fin. Algo que helaba la sangre y erizaba la piel, como sólo lo hace lo que no tiene remedio.

Una vez que se acostumbró a aquellas tinieblas y pudo mirar a su alrededor, todas sus sospechas se confirmaron: vio a uno de los maestros de ceremonias desvanecido en el suelo. Todavía llevaba el casco paralizante colocado en la cabeza y no debía de haber perdido su eficacia, porque todos sus músculos estaban en tensión. Tenía un rictus terrorífico: los brazos agarrotados, la boca abierta en un alarido sordo, la espalda arqueada como la de un felino que acaba de ver el peligro pero ya no está a tiempo de oponerse a él. Bajo el metal que le cubría la cabeza sobresalían algunos mechones de pelo electrizado. Sus ojos parecían querer salirse de las órbitas. Sólo al contemplarlos desde más cerca, era posible apreciar que no había en ellos ni un resto de vida. Bajo el cuerpo del maestro de ceremonias se extendía un gran charco de sangre, oscura como los sentimientos de Níe al descubrirla.

—¡¿Qué le has hecho?! —gritó el muchacho, intentando correr hacia donde yacía el cuerpo del anciano.

317

Cuatro manos como garras le retuvieron en el lugar y le obligaron a doblegar la espalda para inclinarse ante Nigro Vultur. Lo hizo, aunque no por propia voluntad.

Sólo entonces reparó en que el otro maestro estaba vivo y había ocupado un lugar junto al Supremo. Se encontraba en la tarima, en pie, y susurraba algo al oído de Nigro Vultur. Tenía la expresión inconfundible de la traición.

—Veo que te sorprendes de que tus amigos se pasen a mi bando, jovencito —le dijo Nigro Vultur, sonriendo de un modo macabro.

Níe no logró responder. La rabia se lo impedía. Si hubiera podido echar a correr y utilizar las manos, se habría lanzado contra el maestro de ceremonias sobreviviente y le habría dado una docena de buenos puñetazos.

—Te presento a mi fiel Ignus —siguió Nigro Vultur, sin borrar la sonrisa de su rostro grasiento—. Hace tiempo fue de los vuestros, pero hace ya bastante que descubrió cuál era el camino correcto, el camino del único poder verdadero. Es decir, el mío. ¿No es así, Ignus?

—Por supuesto, Ser Supremo —reconoció el anciano, inclinándose tanto ante Vultur que su melena rozó el suelo.

Níe sintió náuseas. Se dio cuenta de que el antiguo maestro de ceremonias esquivaba su mirada al hablar y pensó que sentía vergüenza por lo que estaba haciendo. De pronto, su odio dejó paso a un sentimiento mucho peor: la lástima. Sintió lástima por él, por el maestro que no había sabido permanecer junto a los amigos que confiaban en él y se había vendido al poderoso. Y, sin poder evitarlo, también sintió lástima de sí mismo: acababa de ver arruinada la última esperanza. El camino terminaba allí, en aquella reverencia de gusano que acababa de presenciar. Su madre, y con ella todos los albos, habían perdido definitivamente la batalla.

Por si no bastara con sus pensamientos, las palabras de Nigro Vultur le confirmaron lo que estaba pensando:

—Fiel Ignus, ha llegado el momento de poner las cosas en su lugar. Encárgate del muchacho. Mis hombres te están esperando en el laboratorio. No quiero perder ni un segundo más con el Clan de las Dos Lunas. Ponle el casco.

El Supremo señaló hacia el cuerpo agarrotado y sin vida del otro anfitrión. Un soldado se apresuró hasta él y le quitó el casco metálico. Limpió con la manga la sangre que lo ensuciaba y se lo ofreció al gemelo que aún continuaba con vida.

Ignus avanzó con el casco hacia Níe. De un gesto resuelto indicó a los soldados que le agarraran bien. Debía de suponer que el muchacho tendría muchas ganas de pegarle, y antes de que pudiera hacerlo le colocó el casco en la cabeza. Se accionó de inmediato, dejándole paralizado de pies a cabeza. Níe sintió que todo su cuerpo se agarrotaba. Que una fuerza muy poderosa e invisible le estaba gobernando. Ahora, sólo sus pensamientos continuaban como antes.

—Bien —dijo Ignus satisfecho, hablando con sus hombres—: Llevadle abajo, donde procederemos a la extracción de toda la información.

Los soldados levantaron a Níe del suelo y le transportaron como lo habrían hecho con una estatua. Cuando casi rebasaban el portón de la gran sala, el muchacho oyó la voz de sanguijuela de Ignus decir:

—Tu victoria ya es casi completa, Ser Supremo. Dentro de unas horas, el Clan de las Dos Lunas habrá sido borrado por completo, y con él, todos sus malditos e innecesarios conocimientos. El mundo será sólo vuestro.

Nigro Vultur soltó una carcajada de satisfacción que hizo resonar las acolchadas paredes de la sala, antes de ordenarle a su lacayo:

—Así sea, Ignus. Y ahora, ve. No perdamos más tiempo.

Jan (8)

Después de lo que su madre le acababa de decir acerca de su pasado, del modo en que comenzó una nueva vida y de su relación con todas las personas que significaban algo para él, mil preguntas revoloteaban por la cabeza de Jan, pero era completamente incapaz de articular palabra.

—Ahora ya lo sabes todo —le dijo Senda, respirando profundamente, como quien acaba de librarse de una carga muy pesada.

La mujer se levantó y cambió el canal para ver las noticias. En ninguna parte acertaba a encontrar lo que andaba buscando. Sin embargo, en aquel momento parecía más tranquila que antes.

—¿No quieres preguntar nada?

Jan asintió.

—¿Y no volviste a ver a mi padre? —preguntó.

—Nunca más. —La tristeza destelló en su mirada por primera vez—. Tal vez haya muerto hace tiempo. En nuestro mundo, no era fácil sobrevivir.

—¿Era tu marido?

Senda dejó escapar una carcajada.

—¡No! Allí no existe el matrimonio. —Hizo una pausa, miró la cara de decepción de Jan y añadió—: Pero sí los sentimientos. Yo le quería. Y él a mí, lo sé.

—¿Quieres volver?

—Hasta hace muy poco te habría dicho que sí. Durante muchos años no he pensado en nada más. Pero ahora las cosas son distintas. Ahora ya no sé qué pensar, ni qué es lo mejor para ti, para nosotros.

En el cerebro de Jan las ideas pugnaban por salir.

—Ahora comprendo por qué nunca quisiste a Eilne.

En ese momento, el sonido del motor de un coche invadió el estrecho callejón del hostal. Como hacía su madre desde que llegaron, entreabrió un poco la cortina para comprobar que no había peligro. Pero en aquella ocasión su reacción fue muy distinta a las otras veces. El vehículo que acababa de llegar era un todoterreno de aspecto militar. Dio un respingo, cerró la cortina de golpe y dijo:

—¡Entra en el cuarto de baño, rápido!

—Pero ¿qué…?

—¡No me repliques! ¡Métete en el baño! ¡Y no se te ocurra espiar por la cerradura o por una rendija de la puerta!, ¿me has oído?

Jan se encerró en el baño, pero hizo caso omiso de las últimas instrucciones de su madre. Gracias a eso, disfrutó de un espectáculo estupendo, que por nada del mundo hubiera querido perderse.

En el preciso instante que tardaron en subir los dos ocupantes del vehículo, Senda se quitó la falda que llevaba y la sustituyó por unos pantalones negros ajustados, con cartucheras sobre ambos muslos, donde guardó un par de pistolas enormes que sacó de una bolsa. De otra maleta sacó un chaleco (parecía a prueba de balas) y un casco de soldado. Se los puso rápidamente antes de sacar las dos partes de una metralleta y ensamblarlas con una pericia propia de los espías de las películas. Entonces abrió el balcón, se encaramó a la veranda de un salto y de allí trepó al tejado. Era como si de pronto su madre se hubiera convertido en una superheroína de tebeo.

¡Justo a tiempo! Jan oyó un golpe y vio que un hombre acababa de entrar en la habitación. Había roto la cerradura de una patada. Curiosamente, vestía unos pantalones iguales a los de Senda, con una pistola a cada lado. También su metralleta y su casco eran idénticos, sólo que él, además, llevaba una máscara antigás y unas botas militares. Le acompañaba otro soldado, algo así como un clon del primero. Entraron furiosos en la habitación, con la metralleta a punto de disparar. Se quedaron un momento desconcertados al no ver a nadie, hasta que repararon en el balcón abierto. Entonces fueron hacia allí, se asomaron un poco y... ¡bingo! ¡Justamente lo que Senda había previsto!

Colgada de los brazos, su madre se dejó caer desde el techo como un insecto sobre su presa. De un par de puntapiés certeros, que parecían llaves de algún arte marcial, les inmovilizó en el suelo y les quitó las armas, sin dejar de apuntarles con su pistola.

—¡Quitaos la ropa, soldados! ¡Deprisa!

Cuando lo hubieron hecho, se acercó a uno de ellos, le agarró la máscara antigás y espetó:

—Dime qué buscáis o te quito la máscara.

El soldado sintió tanto terror ante la amenaza que ni siquiera opuso resistencia.

—Nos envía el Ser Supremo en busca de Número 5. Y también de su hombre de confianza, Bat Lawinski, a quien creen que tú tienes prisionero.

Senda dejó que terminara y tiró igualmente de su máscara. Al hacerlo, temió descubrir debajo de la careta a la única persona a quien había querido de verdad en toda su vida, además de a su hijo. Resopló aliviada cuando les vio las caras a los dos hombres que acababan de asaltar su habitación. Ninguno de los dos era aquel a quien ella recordaba como Número 6. Éstos tenían los rasgos angulosos y el mentón prominente. Además de una cara de espanto considerable.

—No os preocupéis. No vais a morir. Eso de que el aire está envenenado se lo inventó Nigro Vultur para tener controlados a sus soldados. Además, con la máscara antigás hasta los alfeñiques dan miedo. Tranquilo, el aire que respiras aquí es lo más saludable que has respirado en tu vida.

Nada de todo eso pareció convencer a los soldados, que parecían esperar su última hora con cara de resignación.

Les dejó atados dentro del armario. Rescató a Jan del baño. Recogió sus pocas cosas y lanzó las maletas por el balcón antes de ordenarle a Jan que se agarrara a la escalera de incendios para bajar sin ser visto. Sobre la cama dejó algunos billetes, suficientes para pagar la cuenta del hostal y los desperfectos, y también ella se arrojó a la calle. ¡Hacía años que no se sentía tan bien! ¡Cómo había echado de menos un poco de emoción en su vida!

Al abrir el maletero del todoterreno militar, descubrió que ella no era la única presa que los soldados esperaban capturar ese día.

Amordazada con cinta adhesiva, con las manos esposadas a la espalda y bastante apretujada en un espacio muy reducido, encontró a una vieja conocida: Katliw Ibsan.

—¡Qué alegría volver a verte, Senda! —dijo la mujer.

—Te he traído ropa nueva —le dijo Senda, ofreciéndole a ella y a Jan los uniformes que acababa de incautar.

Con unas llaves que también había requisado a los soldados de Vultur, Senda abrió las esposas de Katliw Ibsan.

—¿Se puede saber qué haces aquí? —le preguntó mientras Jan se acomodaba en el interior del vehículo y comenzaba a cambiarse de ropa.

—No sabría decirte si me encontraron ellos o si fui yo, pero ahora estoy segura de que estamos donde debemos estar. —Fue la respuesta de Katliw Ibsan antes de entrar en el coche.

Senda se puso al volante, como si conducir un vehículo militar también fuera para ella lo más normal del mundo.

—Debemos ir al aeropuerto más cercano —dijo Katliw Ibsan.

Antes, Senda decidió llevar consigo a Lawinski. No sólo porque era incapaz de dejarle abandonado a su suerte, sino porque llevarle como rehén podía reportarle grandes beneficios.

Sin embargo, su sorpresa fue mayúscula cuando descubrió que la puerta del camión estaba abierta y que en su interior no había nadie.

Lawinski había conseguido escapar.

Número 9 (4)

El soldado les condujo hasta el hangar donde esperaban más de una docena de unos curiosos vehículos: tenían cuerpo de coche, ruedas de camión, varias antenas en el techo que recordaban a las de los barcos y un enorme panel solar en la parte posterior.

—Coches que funcionan con energía solar, claro —musitó la ingeniera, pensando en voz alta—, en este lugar no hay otro remedio.

Desde el aparcamiento se llegaba al exterior a través de un doble portón de hierro.

—¿Hay armas aquí? —preguntó Eilne.

Número 9 permanecía en silencio.

—Vamos, di. ¿Dónde está el arsenal? —insistió la ingeniera.

—No os lo voy a decir —dijo el soldado, volviendo de pronto a su postura inamovible de un rato antes, cuando le atraparon.

—Ah, ¿no? ¿Recuerdas lo que puede pasarte? Te quitaremos la másc...

—¡No me importa! Creo lo que decís, de que no hay peligro. Si me quitáis la máscara, me arriesgaré. Y si muero, habré triunfado, porque significará que tenía razón.

—¡Este hombre es tonto! —exclamó la ingeniera, dando vueltas sobre un mismo punto—. No debimos decirle nada. Ahora nos hemos quedado sin fuente de información.

Lars se asomó al asfixiante exterior. La luz del sol era cegadora. El aire era una densa nube de insectos que revoloteaban en todas direcciones. El desierto se extendía hasta donde alcanzaba la vista, sobre la misma superficie donde antes sólo se veían olas de un mar furioso y gris.

—Había otra isla muy cerca —dijo el chico, achinando los ojos para ver mejor—. Pasamos por delante con el ferry, cuando veníamos hacia aquí, ¿os acordáis? Tal vez aún podamos dar con ella. No se me ocurre otro lugar donde se pueda guardar algo. ¿Qué os parece?

La ingeniera pensó unos instantes antes de decir:

—Buena o mala, es la única esperanza que tenemos. Iremos en busca de esa isla, a ver qué sorpresas encontramos.

Eilne se dirigió hacia el primero de los vehículos, mientras se preguntaba cómo demonios haría para trepar hasta él sin soltar la metralleta.

—No, tú no —ordenó la ingeniera—. Tú te quedas aquí vigilando al prisionero. Que no escape. Tardaremos lo menos posible.

Los demás ocuparon el vehículo y cerraron las puertas.

—Que no quede ni un resquicio en las ventanas o los insectos se colarán por docenas —advirtió la ingeniera.

Con la mujer al volante y Lars como copiloto, el coche solar arrancó suavemente y se perdió bajo la llanura reseca del desierto, mucho más allá de donde el sol formaba espejismos sobre las dunas.

—Vamos, camina. Regresaremos a la sala circular —dijo Eilne, empuñando aquella arma horrible, y poniéndose muy en su papel de dura vigilante.

El rehén y su guardiana se sentaron sobre dos de los colchones a esperar a que regresara la expedición.

Hacía cada vez más calor. Eilne comenzaba a acusar el cansancio. Mientras estuvo en movimiento no resultó tan evidente, pero ahora que había llegado a un lugar cómodo sentía que los párpados le pesaban como si estuvieran hechos de plomo. El silencio tampoco le ayudaba nada a mantenerse despierta, y eso que hizo un esfuerzo sobrehumano. Pero la escopeta pesaba tanto… Y el calor era tan sofocante…

Cuando despertó, lo primero que vio Eilne fue que no tenía la metralleta en las manos. Estaba en el suelo, junto a su colchón. ¡Se había quedado dormida! Ni siquiera sabía durante cuánto tiempo. Frente a ella no había nadie. Se maldijo a sí misma por ser tan torpe. ¡El rehén se había escapado por culpa de su descuido!

De pronto oyó pasos a su espalda. Número 9 venía de las letrinas y parecía contento. Masticaba uno de sus chicles de vitaminas. Se había librado de las ataduras. Aún llevaba la máscara antigás.

Eilne empuñó la ametralladora con todas sus fuerzas y apuntó en dirección al soldado.

—Le he quitado las balas —dijo él, risueño—, pero no hace falta que se lo digas a nadie, si no quieres.

Eilne comprendió que la situación era mucho más grave de lo que ella había pensado. Su rehén (que ya no lo era) continuó hablando, como si de pronto se le hubieran desatado las ganas de comunicarse:

—Yo nunca he disparado a nadie, ¿sabes? Pero he visto a mucha gente hacerlo, y sé que no puedo soportarlo. Por eso le he quitado las balas. Espero que no te importe.

—¿Cómo te has desatado? ¿Te ha ayudado alguien? —preguntó ella.

—Con paciencia —respondió él—. Me aburría mucho. Además, tenía ganas de ir al baño. Y necesitaba las manos.

Eilne dio un paso atrás, sin dejar de apuntarle con la metralleta.

—Deja eso, por favor. No te pega nada —añadió Número 9, sentándose de nuevo sobre el colchón, frente a ella—, ¿ya no tienes más sueño? Tardarán un buen rato en volver, puedes aprovechar para echarte otra…

—¡Claro que no! —bramó Eilne—. ¿Y por qué dices que tardarán? ¿Dónde has mandado a mis amigos? ¿Quién hay allí?

—¿Siempre haces las preguntas de tres en tres? —preguntó el soldado con enorme parsimonia, mientras volvía a sentarse—. No te pongas nerviosa. Si has de sentirte mejor, volveré a atarme las manos. ¿Quieres hacerlo tú misma?

No supo qué responder.

—¿Qué les vas a decir a tus amigos cuando vuelvan? Vamos, átame las manos, coge la metralleta y ponte seria. ¡Se supone que soy tu prisionero!

Eilne hizo lo que le decía mientras unas cuantas ideas daban vueltas en su magín.

—Podrías haberte ido —observó la niña.

—Es verdad. Pero tal vez estoy mejor aquí que en cualquier otra parte.

—¿No quieres regresar con los tuyos?

Lo pensó un momento. Se encogió de hombros.

—No tengo ni idea de lo que quiero hacer. Nunca quise ser soldado. Yo soy zapatero.

—¿Zapatero? —A Eilne se le escapó una risita—. Nunca lo hubiera imaginado. ¿Y cómo terminaste en los cuerpos de elite de Nigro Vultur?

Si el soldado no hubiera llevado puesta la máscara antigás, Eilne habría podido ver su cara de tristeza. Pero como aún no se atrevía a quitársela, tuvo que adivinarlo por el tono de su voz:

—La vida es muy rara —dijo.

—Tendrás un nombre, ¿verdad? Quiero decir, además de Número 9. Un nombre normal, de persona.

—Cuando nos reclutan en el ejército nos obligan a deshacernos de nuestro nombre. Sólo nos permiten tener un número. Ahora me llamo Número 9. O Nadie. También puedes llamarme Nadie.

—¡Exacto! Te llamaré Nemo. ¿Te gusta?

—¿Nemo?

—Significa «nadie», en latín.

—¿Latín? ¿Qué es?

—¿No sabes qué es el latín? Es una lengua. Pero nadie la habla. Se extinguió hace muchos años. O se transformó en otra cosa, no sé.

—Entonces, ¿para qué sirve?

—Algunos sacerdotes todavía la utilizan.

—¿Qué son sacerdotes?

Eilne suspiró, fatigada. Realmente, el trabajo que había que hacer para alfabetizar mínimamente al soldado era muy grande. Para desviar la conversación hacia aspectos menos trabajosos, preguntó:

—Así pues, ¿te gusta o no te gusta tu nuevo nombre? Te lo acabo de regalar. Ahora tienes que corresponderme con otro regalo.

—Pero yo no puedo regalarte nada. Sólo tengo mi fusil, y ya la has cogido tú misma.

—No quiero tu fusil. Quiero algo mucho más fácil.

—Ah, ¿sí?

—Sí. Quiero ver tu cara.

Número 9, o Nemo, o el soldado dudó un instante. Un montón de ideas, algunas absurdas, pasaron por su cabeza. Al fin pensó: «¿Y qué más da?», desató las hebillas que sujetaban la máscara antigás a la parte posterior de su cabeza y se liberó de aquella careta que le daba un aspecto fiero y frío como el de un monstruo.

Lo primero que pensó al ver a Eilne sin ningún obstáculo por medio fue que tenía los ojos muy grandes y que era muy bonita.

Eilne no tenía los ojos tan grandes: se le habían abierto al ver a Nemo, de la sorpresa. Sin saber por qué, se había forjado una imagen completamente diferente de la persona que se escondía bajo la máscara terrible. Seguramente porque era muy alto, y la gente alta siempre parece mayor de lo que es.

331

Pero Nemo no debía de tener más de trece años. El nombre —ahora lo comprendía— le venía como anillo al dedo.

—¡Puedo respirar! —exclamó el muchacho, emocionado, hinchando el pecho para llenar una y otra vez los pulmones de aire—. ¿No crees que esto es rarísimo?

—Sí lo es, sí… —murmuró Eilne, sin apartar la mirada del soldado.

Níe (8)

Mientras Níe, petrificado como una estatua, era transportado a lo que el traidor Ignus había llamado «el laboratorio», su cabeza no dejaba de pensar y pensar. Después de todo, era la única parte de su cuerpo que aún podía utilizar como antes. Aunque, por vueltas y más vueltas que le daba a la situación, no conseguía encontrar un modo de escapar.

La fila avanzaba por los suntuosos pasillos de la fortaleza de Géminis, sólo que ahora las luces estaban apagadas y la única iluminación provenía de media docena de antorchas. Por más que tratara de adivinarlo, Níe no conseguía saber qué extraña afición tenían aquellos hombres del futuro a un sistema de alumbrado tan primitivo, pero la verdad es que no estaban las cosas para cuestionarse ese tipo de cosas. Otra de las preguntas sin respuesta que albergaba su trabajadora cabecita era cómo había hecho Ignus, el traidor, para hacerse pasar durante tanto tiempo por uno de los maestros de ceremonias o cómo había logrado su parecido con el otro, su hermano gemelo. ¿Acaso aquellos cabellos blancos y aquellas arrugas eran sólo una espesa capa de un magnífico maquillaje? Por otra parte, ¿cómo habría conseguido filtrarse a través de la grieta del tiempo mucho antes de que lo hicieran todos los demás? ¿Se había abierto sólo para él? ¿Conocía Ignus los secretos que permitían abrir y cerrar el túnel que transportaba a las personas a través de los siglos?

En todas estas cosas pensaba Níe mientras oía el paso marcial de los ocho pares de botas militares y miraba por el rabillo del ojo el porte de asquerosa soberbia del traidor.

«El laboratorio» era una sala equipada con ordenadores de todos los tamaños. Había una camilla metálica en el centro de la que colgaban correas de cuero y cadenas. Por lo demás, estaba tan oscura como el resto.

—Dejadle ahí —ordenó Ignus, señalando la camilla— y sujetadle bien.

Los soldados se apresuraron a cumplir la orden. Dejaron el cuerpo del chico sobre la plancha metálica —debía de estar muy dura, pero Níe no lo notó— y le amarraron fuertemente con las correas y las cadenas.

—Quitadle el casco.

Los soldados parecieron vacilar. Como si aquello no entrara en sus planes, o contradijera su propia idea acerca de cómo debían actuar.

—¿No me habéis oído? —elevó la voz Ignus—. Desconectar el paralizador.

En cuanto le libraron del artilugio, Níe sintió la dureza y la frialdad de la camilla. Tal vez habría sido mejor dejarle como estaba, por lo menos era insensible. Seguramente con el dolor ocurriría lo mismo. «Creo que voy a comprobarlo enseguida», pensó.

—Te veo muy tranquilo —le dijo Ignus, dirigiéndose a él directamente—, ¿no tienes miedo, Níe?

Níe dudó un momento qué debía contestar. Se le ocurrían muchas respuestas. Por ejemplo: «Tengo miedo, pero por mi hermana y por mi pueblo mucho más que por mí».

Estaba aterrado, aunque procuraba por todos los medios que no se le notara. «Si alguna ventaja tiene tenerlo todo perdido es que se puede decir lo que se piensa», susurró alguna voz interior en su cabeza.

—¿De ti? —respondió Níe—, ¿de un traidor que ha vendido a los suyos a cambio del poder que le ofrece un tirano imbécil? No, no tengo ningún miedo.

La respuesta dejó sorprendidos a los propios soldados. Se volvieron a mirar al chico. Nadie diría que era tan valiente, viendo su aspecto frágil.

—¿No te das cuenta de que tu actitud es, de todas las posibles, la peor? —preguntó Ignus, que era el único a quien no parecían impresionar sus palabras.

La sorpresa aún había de ser mayor cuando escucharon la respuesta de Níe:

—Lo peor es traicionar a los amigos que confiaban en ti.

Níe volvió la cabeza hacia el lado contrario al que ocupaba Ignus y cerró los ojos. Tenía ganas de llorar y el corazón le latía con más fuerza que nunca, pero no estaba dispuesto a dejar que el traidor se diera cuenta.

—Bien. Comencemos. —Ignus se subió las mangas de la túnica y se colocó un mandil que le ofrecía uno de sus subordinados—. Conectad la maquinaria.

Un par de miembros del comando pulsaron palancas e interruptores. Níe sintió una especie de vibración que provenía de la camilla. Otro soldado se acercaba con un extraño aparato, algo así como una mezcla de telescopio y de instrumental de dentista. Lo colocaron junto a él, apuntando directamente a la parte superior de su cabeza. Se encendió una gran lámpara sobre él, como si estuviera en una mesa de operaciones (y es que, en verdad, estaba en una). Algún que otro aparato comenzó a emitir zumbidos.

—Todo listo, comandante —advirtió alguien.

«¿Comandante? —se preguntó Níe—. ¿Así que Nigro Vultur ha nombrado a Ignus comandante de su ejército? ¿Ése es el cargo por el cual un hombre es capaz de vender a sus amigos?»

—Perfecto. —Ignus realizó un par de comprobaciones, corrigió la posición de alguna palanca y se volvió hacia sus hombres para ordenarles—: Salgan fuera y esperen nuevas instrucciones.

Los soldados no parecían dispuestos a acatar la orden de su superior.

—¿No me oyen, soldados? —preguntó Ignus—. Les digo que esperen fuera.

—Con el debido respeto, comandante —habló finalmente uno de ellos—, hemos recibido órdenes específicas de no alejarnos de usted y del muchacho en ningún momento. El rehén podría ser peligroso. Es un albo. No nos moveremos de aquí.

En aquel instante sonó algo parecido a un gong.

Alguien anunció:

—¡Hora de la oración!

Y los soldados, como si obedecieran un mandato para el que habían sido preprogramados, salieron de la estancia y se hincaron en tierra, con la frente pegada al suelo.

Ignus aprovechó el momento con rápidos movimientos.

Cerró la puerta a toda velocidad y echó el cerrojo. Nadie trató de impedírselo, estaban todos demasiado concentrados en sus oraciones a Venus. Segundos después, Níe sintió que las cadenas y las correas se aflojaban. Abrió los ojos y vio a Ignus desatando la última.

—Vamos, levanta, Níe. Tienes que largarte de aquí ahora mismo —susurró el hombre junto a su oído.

Níe le miró con incredulidad. Trató de pensar rápido, pero no entendió nada. No tenía ni la menor idea de lo que estaba ocurriendo. El hombre debió de entender su estupefacción, porque se apresuró a decir:

—No tengo tiempo de explicártelo, pero no soy Ignus. Ni he viajado en el tiempo, por supuesto, ya que nadie puede hacerlo a su antojo. No creí que tú también te lo tragarías, muchacho.

—¿Entonces?

—Entonces… Alguien tan idiota y tan soberbio como Nigro Vultur tiene tendencia a creer cualquier cosa, por descabellada que sea. Además, no sabe nada de la grieta del tiempo, y tiene un miedo horroroso de nuestro poder. Ha sido fácil engatusarle.

—¿Y dónde está el verdadero Ignus? —preguntó Níe, desconcertado.

—¡Bah, murió hace tanto tiempo que ya ni siquiera le recuerdan! Un pobre infeliz que traicionó a los suyos a cambio de nada.

A Níe por poco se le escapa una risotada. Menos mal que el maestro de ceremonias fue más rápido que él y le tapó la boca a tiempo.

—¡No te delates! Ni hagas el menor ruido. No tenemos tiempo. No tardarán en descubrirme. Vamos…

Comenzó a caminar hacia un lado de la estancia. Níe, aún aturdido, le siguió, fascinado por el modo en que las cosas pueden cambiar de pronto.

—¿Y qué va a pasar cuando te descubran? —le preguntó, susurrando.

—Pues… —Meditó, frunciendo el ceño, como si necesitara concentrarse—, yo pienso que lo más lógico sería que me mataran, ¿tú qué crees? En su lugar, ¿no harías lo mismo?

—¡Pero yo no quiero que…!

—¡Chist! Eso no importa. —El maestro de ceremonias arrugó la frente, levantó un índice aleccionador y elevó un poco el tono del susurro para regañarle—. Aquí lo único importante es que no te maten a ti. Tú eres el mensajero, caray, ¡comienza a comportarte como tal!

El maestro de ceremonias abrió una trampilla de la pared y le mostró un túnel oscuro. Parecía una salida de la calefacción. Estaba llena de porquería. Al fondo, se oía el rugido del mar.

—Vamos, entra.

—Pero… ¿qué tengo que hacer?

Se oyeron varios repiqueteos en la puerta y la voz del soldado líder preguntando:

—¿Necesita ayuda, comandante? ¿Está bien?

—¡Cómo puede un mensajero ser tan tarugo! ¡Entra de una vez! ¡Y sigue las instrucciones! —El maestro de ceremonias le empujó dentro del estrecho paso y cerró la trampilla tras él.

Níe quedó sumido en las sombras más absolutas. Se dio impulso y comprobó que podía deslizarse por aquel tubo como si se tratara de un tobogán (uno muy sucio, eso sí).

«¿Instrucciones? ¿Qué instrucciones?», pensó mientras se dirigía hacia el ruido del mar que llegaba desde el final de aquella cerrada oscuridad.

Jan (9)

Cuando Senda, Jan y Katliw llegaron al aeropuerto, ni siquiera tuvieron que detenerse para que les abrieran el enorme portón, rematado con alambres electrificados. A Jan no se le escapó un detalle: los dos guardianes eran gemelos. Y sonrieron cuando les vieron llegar, como si supieran algo que no decían pero que les llenaba de optimismo.

El coche entró directamente a la pista de despegue, donde les esperaba un avión de reducidas dimensiones con el motor en marcha. «Infinito Airlines», leyó Jan en el cuerpo de la aeronave.

Una azafata vestida de blanco esperaba en lo alto de la escalerilla. Nada más verles llegar, entró para avisar a los dos pilotos —que también eran idénticos— de que podían ir calentando motores.

—¡Tenemos que subir a bordo! —les animó Senda.

Subieron al trote la escalerilla del avión. Se acomodaron en los primeros asientos que encontraron y, por indicación de una de las dos azafatas que atendían el vuelo, se abrocharon los cinturones de seguridad.

Unas tres horas más tarde, una furgoneta negra con los cristales tintados les estaba esperando nada más bajar de la escalerilla, en plena pista de aterrizaje.

—Vamos, apenas queda tiempo —apremió el conductor, un barbudo pelirrojo que llevaba una gorra de plato sobre los cabellos rizados.

Su hermano gemelo se encargaba de cerrar la puerta y acomodar a los pasajeros. Aún se estaban situando cuando el vehículo arrancó, con un fuerte chirrido de neumáticos, y se puso en camino del embarcadero a toda velocidad. En quince minutos habían llegado a un pequeño muelle de madera. Fue al bajar de la furgoneta cuando Jan reparó en el paisaje: agua y montañas verdes. El aire era frío, cortante, y el cielo se veía de un azul turquesa que parecía irreal, sin una sola nube. En las cimas de las montañas del fondo se distinguían rastros de nieve.

—¿Dónde estamos? —preguntó.

—En el mar del Norte —dijo Senda antes de echar a andar en dirección a una pequeña lancha motora que les esperaba, a punto de zarpar.

Arrancaron sin perder tiempo y a toda marcha, como ya comenzaba a convertirse en costumbre. Durante un buen rato estuvieron viendo la costa, cada vez más lejos, salpicada de pequeñas casitas. Cuando pasaron por delante de lo que parecían los restos de un incendio descomunal, Katliw Ibsan le hizo una señal a Senda. Ella achinó los ojos para verlo mejor, como si aquella huella de una hoguera gigantesca fuera algo importante.

«Seguro que tiene que ver con Eilne», se dijo Jan, que era tan perspicaz como buen observador.

No se equivocaba, ya que el lugar donde estaban pasando era el que fuera hasta poco antes el hogar para niños perdidos.

Dejaron la tierra firme atrás al salir por una especie de desembocadura gigante. Jan no supo que era un fiordo porque nunca había visto ninguno. A toda velocidad continuaron a través de un mar cada vez más encrespado, alejándose y alejándose hasta que la costa fue sólo una pequeña lengua de tierra sobre la línea del horizonte y frente a sus ojos no pareció extenderse más que agua. ¿Sólo eso? No, de ningún modo: al frente, Jan distinguió primero una isla cubierta de pequeñas construcciones. Tenía también un faro en un extremo y un pequeño puerto. Pero tampoco se detuvieron allí, sino que continuaron, más y más arriba, a través de unas aguas que se sentían frías como el corazón de un monstruo.

Ya comenzaba a pensar que se dirigían al fin del mundo cuando Katliw Ibsan señaló algo a Senda y ésta le hizo una señal a su hijo. Alargó el dedo índice en dirección a algún punto del paisaje. Entonces lo vio. Frente a sus ojos, custodiada por millones de lechuzas, una construcción que para él tenía un significado muy concreto.

Infinito.

Eilne (10)

Un ruido metálico llegó desde fuera, seguido del rugido del motor que se acercaba. Los expedicionarios estaban de vuelta. Eilne oyó sus pasos apresurados poco antes de salir a su encuentro. Traían las mejillas coloradas de excitación. Hablaban atropelladamente, interrumpiéndose unos a otros. Sólo con verles, la niña adivinó que habían encontrado algo prodigioso y que se morían de ganas de explicarle qué era. El primero en hablar fue Lars, y lo hizo tan aprisa que a Eilne le costó mucho entender sus palabras:

—¡No te lo vas a creer! ¡Hemos encontrado un campo de prisioneros! ¡Son muchísimos!

—¡Seguro que más de cien! —dijo Lars.

—¡Muchos más, Lars! —corrigió la ingeniera—. Nos han dicho que son más de quinientos.

—¿De quiénes estáis hablando? —preguntó Eilne.

—¡De los albos, claro! ¡Están vivos! ¡Nos han hablado desde el otro lado de los muros! ¡Están en una cárcel enorme, toda rodeada de alambradas y torres de vigilancia! —gritó Lars, emocionado.

—La rata asquerosa esa los tiene encerrados y condenados a trabajar sin descanso —añadió la ingeniera.

—¿Son prisioneros de Nigro Vultur?

—Esclavos, diría yo —asintió la mujer.

—He aquí la razón por la que Vultur dispone de tecnología y de los últimos avances en todas las ramas de la ciencia —observó la ingeniera.

—Pero esto tiene que acabar. ¡Tenemos que ayudarles a salir de allí! —Se emocionó Lars.

—Sólo nosotros podemos hacerlo —dijo alguien más.

Y una tercera voz informó:

—Llevan años soñando con su liberador. Con el liberador de todos, en realidad. Nos han hablado de él. Creemos que es tu hermano.

—¿Mi hermano? —preguntó Eilne.

La ingeniera mandó callar a los recién llegados con un gesto autoritario y explicó:

—Ellos dicen que su liberador será un niño. De once años. Dicen que le han visto en sueños muchas veces. Dicen que es un sabio, un pequeño prodigio de la informática.

—Níe tiene casi doce. Y, que yo sepa, no tiene ni idea de ordenadores —susurró Eilne.

—Tal vez sí tiene, pero no se ha dado cuenta. Puede ser algo que lleve en los chips de memoria que tenéis implantados en el cerebro… —apuntó Lars.

—¿Qué día es hoy? —saltó Eilne, de pronto. Buscó un calendario que llevaba en su mochila, lo consultó, negó con la cabeza, frunció el entrecejo y añadió—: No puede ser él. Ayer fue nuestro cumpleaños. Níe ya no tiene once años.

Todos callaron ante esta última afirmación.

—Si ahora les decimos que no es él, se volverán locos de la tristeza. Ellos esperan que Níe les libere —explicó uno de los acompañantes—, y nosotros les hemos dicho que pensaríamos el modo de traerle hasta aquí. Tenemos que ayudarles, Eilne. ¡No podemos dejarles ahí, trabajando como esclavos durante toda su vida!

—Algunos llevan en ese sitio más de veinte años —dijo Lars, desolado, como si fuera a echarse a llorar de la tristeza que le producía no poder hacer nada.

Eilne pensó que había llegado el momento de poner un poco de orden en todo aquel coro de voces destempladas. Abrió los brazos y les mostró las palmas de las manos. Su gesto significaba «Un momento, necesito que vayáis más despacio». Dijo:

—No entiendo absolutamente nada.

Sin embargo, sus interlocutores no la miraron. Todos tenían la mirada fija en un punto más allá de la puerta, donde estaban viendo algo que al parecer les llamaba mucho más la atención.

—¡Se ha quitado la máscara! —dijo Lars, hablando para sí.

Estaban mirando a Nemo, que acababa de asomar la cabeza por la puerta para ver qué era tanto alboroto. Todos estaban muy sorprendidos de que debajo de aquella máscara antigás de aspecto feroz hubieran aparecido aquellos rasgos tan poco amenazadores. Y aquellos ojos brillantes y negros, tan expresivos.

—¿Habéis conseguido entrar en ese lugar? —preguntó, acercándose al grupo.

Alguno se puso a la defensiva o retrocedió un par de pasos, como si la presencia del soldado le amenazara de alguna forma, como si aún llevara encima su arma de reglamento.

—Tranquilos, es pacífico. No hay que tenerle miedo —les tranquilizó Eilne.

La ingeniera arrugaba la frente. Se notaba que no estaba de acuerdo y que, por supuesto, no pensaba confiar en un soldado enemigo.

—Os he preguntado si habéis conseguido entrar. Es muy extraño que lo hayáis conseguido. Ese sitio se llama el Hangar de los Distintos, y en teoría es inexpugnable. Además de prohibido, claro.

—¿Quién ha desatado al prisionero? —preguntó la ingeniera, la única que a pesar de estar viéndole la cara parecía empeñada en tratar al soldado como si aún fuera su rehén.

—He sido yo —dijo Eilne en voz baja. Y a continuación se volvió hacia el chico y le pidió—: Explícate, Nemo, por favor. ¿A qué «distintos» te refieres?

—¿Nemo? ¿Le has puesto como el pececito a rayas que buscaba a su papá? ¡Qué tierno!

Eilne se volvió hacia ella y le habló como lo haría una verdadera capitana:

—Le he llamado como al capitán del submarino *Nautilus*, un personaje de Julio Verne que es inteligente, justo, valiente y un poco misterioso, exactamente como él.

Al oír estas palabras en su defensa, el soldado Número 9 comenzó a considerar a Eilne como la primera amiga que había tenido en su vida. Pero, además, tuvieron otros efectos: dibujaron una sonrisa en su rostro y le hicieron llenar de aire sus pulmones. De repente, sin saber por qué motivo, se encontraba mucho mejor. Algo intangible pero mágico había ocurrido. Procuró olvidarlo por un momento y dar explicaciones acerca del lugar del que provenían.

—Hace mucho tiempo que Nigro Vultur quiere hacer creer a todos que el Clan de las Dos Lunas ha sido eliminado, pero en realidad no es del todo cierto. Hace años que secuestra a miembros del Clan y les obliga a trabajar para él. Ésa es la razón por la cual Vultur dispone de máquinas de última generación y de los mejores científicos en todos los campos. Los mantiene ocultos, prisioneros en ese lugar alejado de todo, en el que nadie puede entrar. Sólo él, un lugarteniente que es como su mano derecha y media docena de soldados ciegos que jamás han visto a ninguna de las personas que están ahí recluidas.

—¿Ciegos? —preguntó Eilne—. ¡Qué horror!

—Todo aquel que alguna vez ha entrado en ese lugar es obligado a quedarse allí para siempre, pero, como no está permitido mirar a los reclusos, Nigro Vultur manda extirpar los ojos a todos los soldados que entran allí antes de que comiencen a prestar servicio.

—¿Y cómo pueden vigilar unos soldados ciegos?

—No hay nada que vigilar. El Hangar de los Distintos es inexpugnable. Todos los muros están electrificados. Hay barreras de rayos láser en todas las entradas y salidas. Dispone de sensores de movimiento hasta en los sótanos. Y, además, todos los prisioneros están obligados a utilizar un casco paralizador.

—¿Un casco paralizador...? —preguntó Eilne—, ¿qué es eso?

—Es un casquete metálico que provoc... —comenzó a explicar Nemo.

—¿No podríais dejar esta conversación para más tarde? —les interrumpió la ingeniera—. Ahora no hay tiempo que perder.

—Es muy raro que no hayáis tropezado con las medidas de seguridad del Hangar —meditaba Nemo.

—En realidad, no hemos entrado —explicó Lars—. Nos hemos acercado al muro y hemos oído voces. Los albos nos han presentido y han comenzado a gritar. Había un portavoz. No le veíamos la cara, sólo oíamos su voz al otro lado, un poco lejana. Los demás le vitoreaban y le animaban a seguir. Él es quien nos ha contado todo esto.

Eilne arrugó la nariz.

—Podría ser una trampa.

—Lo que te están contando tus amigos es cierto —corroboró Nemo—, todos esos prisioneros están ahí desde hace mucho tiempo. Y son más de mil.

—¿Y tú cómo lo sabes? —quiso saber la ingeniera—, ¿no dices que es un lugar secreto, que nadie tiene acceso a él?

—Mi primer año en el ejército lo pasé limpiando las letrinas del cuartel general. Los generales pasan mucho tiempo en las letrinas. Algunos tienen descomposición crónica (es por culpa de las pastillas que comemos). El director del Hangar de los Distintos es uno de ellos. Y tiene un grave problema de estómago… —Bajó la voz—. Creo que hasta lleva pañales. Se pasaba horas y horas sentado en el retrete, hablando con los demás oficiales. Ni siquiera se daban cuenta de que yo estaba allí, fingiendo que me concentraba en mi trabajo.

A la mayoría se le escapó una risilla.

—Me temo —dijo Nemo, resignado— que nadie me ha tomado nunca muy en serio. —Miró a Eilne fijamente y añadió—: Por lo menos hasta ahora.

Eilne sintió un poco de vergüenza de que Nemo la mirara de aquel modo, aunque no habría sabido explicar por qué motivo. La mirada no tenía nada de especial. Más bien era él quien no le parecía una persona como las demás.

—Parece muy complicado volver a ese lugar —dijo Eilne, apartando la mirada, pensativa—, no se me ocurre cómo podríamos entrar. A no ser que conociéramos alguna entrada secreta.

Todos menos Eilne repararon en la cara del soldado. Acababa de dibujarse en ella una sonrisa ancha y satisfecha, como la de alguien que de pronto conoce la única solución de un complicadísimo enigma.

Níe (9)

Caer, caer, caer… aquella sensación comenzaba a resultar familiar para Níe. El estrecho canal de la calefacción, oscuro como la noche más cerrada, iba a depararle más de una sorpresa. Se oía el mar allá al fondo, lejos, y sus sonidos se multiplicaban a medida que iba bajando. Se preguntaba qué le ocurriría al llegar al final, si caería a las heladas aguas del mar del Norte y qué vendría después. Sin embargo, nunca llegó a saberlo, porque poco a poco dejó de deslizarse tan rápido por aquella especie de tobogán enloquecido y fue perdiendo velocidad hasta que se detuvo por completo, desorientado, en mitad de la negrura.

—¿Hola? —preguntó a media voz, mientras trataba de palpar con las manos algún punto de referencia.

No encontró paredes en el pasadizo. Debía de haber llegado a un ensanchamiento del conducto. El eco, además, le confirmó que el lugar era tan grande como desconocido.

—¿Hola?

Una rendija de luz se abrió en todo el centro de las tinieblas. No fue algo muy agradable, porque sus ojos ya se habían habituado a la luz y de pronto aquella claridad le cegó. Enseguida alcanzó a ver que había una figura humana en mitad del rectángulo iluminado que acababa de abrirse ante sus ojos atónitos. Siseaba y le hacía gestos. Hablaba en susurros.

—Ven por aquí. No hagas ruido —le pidió.

Al ponerse de pie para acercarse a la luz, siguiendo las instrucciones, como le había indicado el maestro de ceremonias, se golpeó la cabeza contra el techo del canal. Sonó como un «clonc» seco.

—¡Ten más cuidado, nos van a descubrir! —dijo el hombre que esperaba en la claridad.

Cuando traspasó la puerta se encontró en otro largo pasillo flanqueado de espejos. Una multitud de soldados le estaba esperando al otro lado. Al principio se asustó, creyó que había vuelto a caer en las garras de Nigro Vultur, pensó que le habían tendido una trampa. Se dijo: «No quiero morir sin volver a ver a mi hermana». Pero enseguida el que le había llamado desde la luz le tranquilizó en el acto:

—No te asustes, somos albos —le aclaró, mostrándole las dos lunas de su espalda—. Estamos aquí para conseguir que te reúnas con tu hermana.

—Pensaba que el Clan estaba aniquilado —dijo Níe emocionado ante la visión de tanta gente.

—Eso es lo que queríamos hacerle creer a Nigro Vultur y a sus secuaces, precisamente. Por eso nos organizamos por grupos. Formamos parte del segundo equipo de anticipadores. Nosotros soñamos con la matanza, por eso pudimos librarnos de ella. Ya sabes: el futuro no es una ciencia exacta, ni se decide hasta un segundo antes.

—Entonces, ¿los que han muerto?

—Las anticipaciones no siempre aciertan… —dijo el líder del segundo equipo—, aunque cabe la posibilidad de que todos ellos sospecharan que iban a morir y aceptaran hacerlo.

Níe dirigió una mirada a los presentes. Por lo menos debían de ser quinientos. Adivinaba sus sonrisas bajo las máscaras antigás.

—¿Vais a haceros pasar por soldados del Supremo?

—Cuando llegue el momento —dijo el otro. Hizo una pausa y añadió—: Por cierto, me llamo Tsut.

Mientras le estrechaba la mano, Níe susurró con absoluta sinceridad:

—Encantado de conocerte, Tsut.

Había multitud de albos disfrazados de soldados. Sujetaban armas reales y llevaban máscaras antigás. Tenían un aspecto amenazador, que daba miedo.

—¿De dónde habéis sacado los uniformes?

Tsut suspiró:

—Uf. Eso ha sido lo más complicado. No puedes hacerte una idea de lo difícil que es copiar algo que sólo has visto en sueños.

Tsut levantó ambas manos e hizo una seña al inmenso batallón. Se notaba que era una señal acordada, cuyo significado todos conocían. Al verla, los soldados se sentaron en el suelo intentando ser lo más silenciosos posible. El movimiento sonó como el trigo seco cuando es agitado por una brisa suave.

—¿Qué estamos haciendo aquí?

—Esperamos la llegada de los tres visitantes que faltan. Aunque hay quien cree que son cuatro.

Níe arrugó la nariz, dando a entender que no comprendía.

—Entre ellos hay una mujer recién convertida a nuestra causa —explicó Tsut—. Podría no estar tan segura como algunos creen. Su seguridad podría flaquear, ¿entiendes? Hasta ahora ha servido a Nigro Vultur. En todo caso, enseguida veremos.

Se estaba refiriendo a Senda, claro, a quien sólo algunos de los anticipadores habían visto en sus sueños.

—¿Quiénes son los otros dos? —preguntó Níe.

—No te preocupes, les vas a conocer enseguida.

En ese mismo instante, un sonido metálico llegó del pasadizo por el cual había entrado Níe.

—Qué raro —dijo Tsut, consultando su reloj—. No les esperábamos hasta… Hasta dentro de media hora.

Levantó de nuevo la mano en un gesto distinto al de antes.

Un pelotón de diez soldados se levantó de un silencioso salto y acudió a su lado.

—¡En guardia! —les advirtió Tsut sin casi levantar la voz.

Sonaron tres golpes secos en la puerta seguidos de una pausa y otros tres golpes.

—Es la contraseña —susurró alguien.

Antes de que Tsut pudiera indicar cuál era el siguiente paso, se oyó desde fuera una voz femenina que decía:

—Aquí Katliw Ibsan y compañía —murmuró la voz al otro lado.

—¡Abrid la puerta! —ordenó Tsut.

La alegría de Níe al volver a escuchar la voz de la dueña del hogar para niños perdidos fue enorme.

—¿La señora Ibsan? —preguntó, emocionado—. ¡Creí que había muerto!

—Se salvó en el último momento —explicó Tsut—, y se apresuró a ponerse en camino. También para ella ha sido una aventura llegar hasta aquí.

—¿Ella es…? —continuó el niño, boquiabierto.

—Anticipadora, sí. Como todos nosotros. Pero tiene más mérito: durante todos estos años ha fingido ser fiel a la causa del maléfico Vultur. Lamentablemente, su hermano gemelo, Bat Lawinski, terminó por tomarse en serio su mentira, o se dejó seducir por la ambición, y nos traicionó. Hoy es la mano derecha del Supremo.

Los soldados retiraron el enorme tablón de manera que atrancaba la puerta desde dentro. Los visitantes entraron: una mujer vestida de soldado abría la comitiva. La seguían otra más bien bajita, gruesa, de mejillas muy coloradas y un muchacho que debía de tener unos once años. Es decir: Senda, la señora Ibsan y Jan. El último, por cierto, con la mayor cara de perplejidad que su rostro había reflejado en toda su vida. Sus ojos no sabían dónde mirar: iban de las lámparas del techo a los lustrosos suelos de mármol, pasando por las elaboradas puertas laterales de metales preciosos, los relojes de arena que descansaban sobre las repisas de las paredes, los espejos a ambos lados o los cientos de soldados que esperaban, cómodamente sentados o recostados sobre las baldosas. Hasta que sus ojos se detuvieron, asombrados, en el rostro de otra persona.

—¿Eilne? —preguntó Jan, mirando fijamente a Níe.

—Eilne es mi hermana —respondió el chico con un ojo de cada color—, ¿la conoces?

Jan suspiró al comprobar que el muchacho que tenía frente a sus ojos se parecía a su querida Eilne lo mismo que se parecen dos gotas de agua.

—Sí —contestó—. En cierto modo, también es mi hermana. Vamos a encontrarla, ¿verdad?

—Claro que sí. Eilne está bien, lo presiento —dijo Níe.

Hizo una pausa en la que pareció pensar algo y luego añadió:

—Es muy importante que me reúna con ella. Aunque puede ser muy peligroso. Tal vez sería mejor que esperaras aquí. Después de todo, tu presencia en esta expedición es la menos necesaria.

A Jan le molestó mucho el modo en que le dijo que le creía un estorbo. Aunque él no estaba dispuesto a quedarse allí de brazos cruzados. Le hubiera replicado si en aquel momento no hubiera ocurrido algo que dio por acabada la conversación: Tsut levantó los brazos e hizo otra señal a la tropa, la definitiva. Todos se pusieron en pie, adoptaron la posición de firmes, agarraron con fuerza sus fusiles y se colocaron las máscaras antigás.

Un estremecimiento recorrió las médulas espinales de Níe y Jan.

La voz de Tsut sonó firme al decir:

—Preparados. Ya queda muy poco.

La grieta (2)

—Es la hora, chicos. Tenemos que volver a la grieta del tiempo —dijo Lars, mirando hacia sus compañeros.

Todos le miraron como si vieran a alguien que no está en sus cabales. Especialmente, la ingeniera. Fue ella quien se lo dijo:

—¿Estás loco o qué?

Todos excepto Eilne, claro, que había aprendido a no subestimar el poder de los anticipadores.

—Hay que darse prisa —insistió Lars, echando a correr hacia la escalera que llevaba a la torre—. En el otro lado nos necesitan.

—¿Para qué? —preguntó Eilne.

El chico contestó mientras se alejaba:

—No tengo ni idea. Pero es importante.

La primera que echó a correr detrás de Lars fue Eilne. La siguió Número 9, a pesar de que la idea de regresar al otro lado no le resultaba precisamente agradable. Poco a poco, los demás fueron tras ellos también, aunque no todos con el mismo convencimiento. La última en decidirse fue la ingeniera, que caminaba sin prisa mientras mascullaba entre dientes:

—No sé qué ganas tiene esta gente de que nos maten a todos…

Nada más poner los pies en los escalones que llevaban al campanario, oyeron de nuevo el zumbido eléctrico. Por alguna extraña razón, la grieta del tiempo no se había cerrado del todo y continuaba en funcionamiento. La luz blanca la percibieron después, tan cegadora como las otras veces. Las campanas habían comenzado a funcionar por sí mismas, como si conocieran el camino que había de llevarles de nuevo al pasado.

Lars fue el primero en llegar arriba y el primero en situarse junto al círculo que delimitaba la grieta. Eilne le alcanzó resollando, y le imitó. Silbaba un viento tan fuerte que casi les impedía mantener el equilibrio. Poco a poco llegaron todos los demás. La ingeniera iba la última.

—Tú mejor quédate de este lado —le dijo Eilne a la mujer negra—. Serás más útil aquí, cuando regresemos con Níe, o cuando consigamos traerle. Debes ayudarle a liberar a los Distintos. Algo me dice que en ese Hangar está la solución a todo esto, el final de todo. Pero no quiero que nada salga mal.

A la ingeniera pareció no disgustarle mucho la noticia, aunque miraba con cierto recelo la seguridad con que Lars actuaba.

—¡Tú tampoco debes venir! —le gritó a Eilne—, es demasiado peligroso.

—No me importa —dijo la niña—. Iré de todos modos. Ya está decidido.

357

Lars se encogió de hombros y cerró los ojos. Levantó un pie con la intención de dar un paso adelante, hacia el símbolo de lo infinito. Eilne y otros dos voluntarios se disponían a imitarle cuando Nemo se situó junto a ellos de un salto y dijo:

—¡Yo también voy!

—No puedes. Eres uno de ellos. Los nuestros te matarán sin darte una oportunidad —dijo Lars—. Si tuvieras algún distintivo, no sé, una señal que permitiera identificarte…

—¡Un momento! —Eilne acababa de recordar algo.

Metió las manos en su mochila y hurgó apresuradamente entre sus cosas hasta encontrar algo.

—¡Aquí está! —dijo, entregándole a Nemo la camiseta con la lechuza que le había regalado la cuidadora del zoológico—. Póntela, deprisa. No es exactamente el uniforme de los albos, pero servirá. Ninguno de los nuestros atacaría a nadie que lleve una lechuza en el pecho.

Lars aprobó la decisión con una sonrisa silenciosa. Nemo se puso la camiseta. Le sentaba muy bien.

—¡Ahora ya podemos irnos! —dijo Lars—, ¡hay que traer a Níe a este lado cuanto antes!

Las cosas ocurrieron a tal velocidad que ninguno de los viajeros en el tiempo oyó a Eilne cuando dijo:

—¡Níe no tiene once años, tiene doce! ¡Él no es el salvador de los Distintos!

«Ahora que le he encontrado, no quiero volver a perderle por nada del mundo», pensó al mismo tiempo.

Pero ya era tarde. Todos ellos se habían sumergido en la luz blanca, camino del otro lado.

—Es el momento, albos. Abrid la puerta secreta.

El ejército comandado por Tsut se deslizó por una portezuela trasera a través de un estrecho pasadizo. Era tan angosto que tenían que recorrerlo a cuatro patas. Por fortuna, la distancia que tenían que salvar era poca hasta llegar a otra puerta, en cuya parte superior se leía:

Tempus fossa est[4]

La entrada secreta llevaba directamente a una empinada escalerilla de madera que ascendía por el interior de lo que parecía una chimenea. Ciento sesenta y cuatro escalones después, atravesaban otro pequeño orificio en la pared que les conducía directamente a la parte superior de la torre.

—Despejado —dijo Tsut, que iba el primero, después de comprobar que los vigilantes de Nigro Vultur no se habían atrevido a permanecer junto a la grieta del tiempo. Estaban más abajo, en los niveles inferiores de la torre, convencidos de que nadie podría alcanzar aquel lugar mientras ellos estuvieran allí.

Uno por uno, los albos disfrazados de soldados fueron llenando el campanario. Procuraban no hacer ruido para no alertar a los vigilantes, cuya presencia se adivinaba apenas dos pisos más abajo. El fuerte viento que silbaba sobre el campanario les ayudaba a pasar inadvertidos.

Había actividad dentro de la grieta. El zumbido, la luz... todo indicaba que seguía en funcionamiento. Fue Tsut el que se encargó de accionar el mecanismo de las campanas y éstas comenzaron a sonar con un ruido atronador.

4. Del latín: «El tiempo es una zanja». (*N. de la A.*)

—Vamos, Níe —dijo—, no hay tiempo que perder. Tienes que reunirte con ellos. ¿Dónde está el otro viajero? En mi sueño aparecías junto con otra persona.

—El otro es mi hermana y me está esperando en el otro lado —explicó Níe, mientras se colocaba junto al símbolo de lo infinito, dispuesto a dar un paso al frente en cuanto se lo ordenaran. Tenía tantas ganas de ver a Eilne que le costaba esperar a que sonara la señal.

Tsut negaba gravemente con la cabeza. Iba a replicar algo, pero justo en ese momento las campanas comenzaron a tañer con más fuerza. En la escalera se había situado un grupo de soldados que trataba de contener a los hombres de Nigro Vultur. De todos modos, no iban a poder hacerlo durante mucho tiempo: los otros eran muchos más, y mejor armados.

En medio de este caos, alguien saltó de entre la multitud y se colocó junto a Níe. Lo hizo con un movimiento tan rápido que nadie, ni su madre, pudo evitarlo. Era Jan, equipado con su mochila y más resuelto que nunca, quien exclamó:

—¡Voy contigo!

Sólo media décima de segundo después, Tsut ordenó:

—¡Ahora!

Los dos chicos dieron un paso al frente y entraron en la luz cegadora.

«Ya decía yo que los viajeros tenían que ser dos», pensó Tsut, respirando fuerte y profundamente, como lo hace quien acaba de terminar un trabajo muy difícil.

Sin embargo, no todo había acabado: los soldados de Nigro Vultur estaban por todas partes, avisados por sus compañeros. Acababan de descubrir el pasadizo secreto y comenzaban a rodearles. El campanario parecía un enjambre de soldados con máscaras antigás donde los malos llevaban todas las de ganar.

En mitad de ese gentío incontrolable aparecieron de pronto Eilne y los suyos. Tal y como la niña había previsto, Número 9 no fue atacado por los albos gracias a su camiseta de la lechuza. Lo que no había tenido en cuenta era que a su llegada habría muchos más soldados de Nigro Vultur de los que podían imaginar. Nada más verles, se lanzaron sobre ellos como fieras. No había ninguna posibilidad. Eran muchos. Los albos habían sido casi reducidos.

«No quiero perder a Níe, no quiero perder a mi hermano cuando le acabo de recuperar», se dijo, mientras intentaba encontrar una solución de emergencia.

Entonces se llevó la mano al bolsillo y tropezó con algo. Una esfera de goma, pintada de naranja brillante. Era el planeta Venus que se había desprendido de su móvil la noche antes de su fuga. Se había olvidado de él casi por completo. De pronto, pensó que no era una casualidad que hubiera caído, que ella lo hubiera visto antes de salir, que lo hubiera metido en su bolsillo. Recordó las palabras de Oliva: «Nada de lo que ocurre es casualidad». Fuera como fuese, no estaba de más probar suerte. Tampoco tenía mucho que perder.

Por fortuna, pudo sacar la mano del bolsillo y levantarla muy alto, para que todos pudieran ver a Venus, su Segunda Luna. Lo hizo con un gesto grandilocuente, exagerado, pensando que así tal vez impresionaría más a los ignorantes y crédulos soldados de Vultur. Elevó la esfera sobre sus narices como quien eleva un objeto sagrado.

Surtió mucho más efecto del que había pensado.

Nada más ver a su Segunda Luna, los asesinos de Vultur se detuvieron en seco. Miraron hacia la esfera naranja, se les humedecieron los ojos dentro de las máscaras antigás, enmudecieron, dejaron caer las armas.

—¡Es Segunda Luna! —exclamó una voz al fondo.

Eilne se subió en un escalón de piedra para que todos la pudieran ver mejor. Desde allí, tanto ella como todos los suyos admiraron un espectáculo insólito: los soldados de Vultur, impresionados ante la divinidad en miniatura que estaban contemplando, hincaban las rodillas en el suelo y bajaban la cabeza, hasta tocar con la frente las baldosas, en señal de respeto.

En sólo unos segundos, sólo quedaron en pie los albos, mudos de la estupefacción.

—Tengo un mandato para vosotros de parte de la Segunda Luna —dijo Eilne, paladeando el poder absoluto que aquel pequeño pedazo de plástico le había otorgado.

—Te escuchamos —dijo Número 1, postrado en su reverencia.

—Queremos que nos llevéis ante el Ser Supremo —ordenó Eilne— y que no le digáis nada de lo que ha pasado aquí. Tenéis que disimular que somos vuestros amigos, tal y como lo ha mandado la Segunda Luna.

—Si lo manda la Segunda Luna, no podemos negarnos —aseguró Número 1.

«Qué fácil», pensó Eilne, guardando en el bolsillo su planeta Venus, para cuando volviera a hacerle falta.

Tras una deliberación rapidísima, decidieron que serían Senda y Katliw Ibsan quienes irían a ver a Nigro Vultur.

—En marcha —dijo Número 1, comenzando a desempeñar su papel.

Jan (10)

La ingeniera recibió a Níe y a Jan con frialdad.

—¿Sólo dos? ¿Y el resto de la gente? —preguntó en cuanto la luz se apagó un poco y el sonido de las campanas comenzó a ser menos ensordecedor—. Pensábamos que vendrían más con vosotros.

—Con la mitad habría bastado —susurró Níe antes de hinchar el pecho y preguntar, con no poca presunción—: ¿Dónde está Eilne? ¿Me necesita?

—Eilne está perfectamente y muy lejos de aquí —dijo la ingeniera—. Los que te necesitan son otros. Vamos, el vehículo nos espera. ¿Y éste quién es? —preguntó mirando a Jan.

—Soy Jan —se presentó—. Soy primo de Eilne, o algo así.

Ninguno le hizo más preguntas. Se limitaron a comportarse como si no estuviera. Avanzaron todos rápidamente hasta el coche, que esperaba en el aparcamiento, y subieron a él.

—Cerrad bien las ventanas.

—¿Por qué? —preguntó Jan.

Pero nadie le contestó.

No tardó en observar las toneladas de insectos que revoloteaban en un aire abrasador e irrespirable. Habían llegado al infierno.

Níe, en cambio, tenía más suerte con la comunicación.

—¿Dónde ha ido el mar? —preguntó.

La ingeniera se apresuró a responder:

—Por lo visto, hace siglos que se secó. Mucha gente ni siquiera sabe que existió alguna vez.

—¿Y dónde vive toda la gente? —proseguía Níe.

—No hay tanta gente. Unos cuarenta millones de personas, más o menos. La mayoría vive bajo tierra, en colonias madriguera que tienen nombres raros. Los más privilegiados lo hacen en ciudades burbuja.

—¿Ciudades burbuja?

—Sí, están protegidas por una cúpula de cristal.

—¿Cómo sabes todo eso?

—Nos lo ha explicado un lugareño muy simpático del que tu hermana se ha encaprichado. Tiene nombre de pececito.

Jan escuchaba atentamente, sin comprender gran cosa de lo que oía. Todo aquello le parecía terrible. ¿La ingeniera había dicho cuarenta millones de personas? No podía evitar que su cerebro trabajara como una calculadora: «Estamos en el año 3015. Hace más de mil años, en el 2010, en el mundo había seis mil millones de personas. ¿Qué debió de pasar con toda esa gente?».

—¿Adónde vamos? —preguntó Jan, volviendo a probar suerte.

Pero tampoco esta vez obtuvo respuesta.

No había mucho que ver en aquel paisaje, de modo que después de los primeros cinco minutos de viaje, y en vista de que nadie le dirigía la palabra, Jan decidió aislarse. Sacó su videoconsola portátil y la conectó. Comprobó que tenía pilas suficientes para jugar un buen rato (y llevaba más en la mochila), de modo que decidió olvidarse un buen rato del mundo y de sus antipáticos acompañantes. Empezaba a preguntarse qué estaba haciendo él en aquel mundo horrible rodeado de gente que ni siquiera parecía verle.

Un rato después se dio cuenta de que entre las nubes de insectos que revoloteaban sobre la ardiente arena del desierto se vislumbraba una construcción gris, enorme. A medida que se fueron acercando, se dio cuenta de que parecía una prisión. Una de la que alguien se había olvidado hacía mucho tiempo. Por fuera tenía un aspecto amenazador, con sus torreones de vigilancia y sus muros recubiertos de alambradas electrificadas. El vehículo avanzaba hacia ella a toda velocidad aplastando insectos contra el parabrisas.

Jan torció los labios en una mueca de repugnancia: «Es asqueroso», pensó.

—¿Cuál es el plan? —preguntó Níe cuando vio que casi habían llegado.

Su plan no era nada sofisticado, pero no tenían otro: llegarían hasta la entrada principal y se harían pasar por soldados de Vultur. Tenían la máscara antigás de Número 9 para que la voz sonara como la de un miembro de los cuerpos de elite. Los vigilantes del Hangar eran ciegos, de modo que los engatusarían diciéndoles que cumplían órdenes urgentes y secretas del Supremo. Una vez dentro, buscarían a los anticipadores y los liberarían. Si eran tantos como les habían dicho, podrían regresar todos juntos a la grieta del tiempo y pelear contra el ejército de Vultur que esperaba al otro lado. Y puede que hasta tuvieran alguna posibilidad de ganar.

—¿Qué te parece? —preguntó la mujer a un Níe dispuesto a casi todo por convertirse en un héroe.

—Que vuestro plan es un asco —contestó Jan, sin levantar la mirada de su videoconsola.

—¿A ti quién te ha preguntado? —saltó Níe, enfadado.

El coche se había detenido junto a la puerta principal del Hangar de los Distintos, en la zona oxigenada y libre de insectos. Níe y la ingeniera bajaron del coche con mucha calma, después de que la mujer se pusiera la máscara antigás.

—Procuraremos no tardar mucho —informó Níe a Jan—. Espéranos en el coche.

«Eso pensaba hacer», mientras en la pantalla de la videoconsola aparecía la máxima puntuación que había conseguido nunca con su juego favorito.

Como no podía ser de otra manera, todo salió fatal. La primera pareja de centinelas ciegos de la puerta les pidieron que esperaran en una salita blanca y vacía como una nevera nueva y les dejaron allí más de una hora. Pasado ese tiempo, otros dos centinelas (distintos a los anteriores), entraron muy serios en la estancia y les preguntaron si les tomaban por tontos.

—No sabemos quiénes sois ni cuáles son vuestras intenciones —dijeron—. Os dejamos marchar porque no parecéis peligrosos, pero debéis saber que habéis tenido suerte: el Ser Supremo se encuentra en estos momentos en una importante misión y ha pedido que no se le moleste con menudencias. Si no llega a ser así, podéis tener por seguro que no saldríais vivos de aquí.

La ingeniera y Níe regresaron al vehículo cabizbajos y con pocas ganas de hablar. Encontraron al muchacho jugando con su videoconsola, igual que le habían dejado.

—¿Nunca te cansas de perder el tiempo? —preguntó la ingeniera de muy malos modos.

—Yo nunca pierdo el tiempo —contestó Jan—, va contra mis normas.

—Ah, ¿no? ¿A lo que estás haciendo no le llamas perder el tiempo? ¿A qué juegas? ¿A matar extraterrestres? ¿A conducir un Fórmula Uno? ¿A llegar al final de una aventura llena de obstáculos emocionantes?

Jan pensó que no merecían que les ayudara, pero que no les vendría mal una buena lección. Por eso se puso muy serio para decir:

—Nada de eso. Detesto los juegos tontos, ya te lo he dicho. He descubierto que aquí hay conexión a internet. Gracias a eso he podido navegar un poco por la red (está muy rara, por cierto) hasta dar con este lugar. Se llama Hangar de los Distintos, ¿verdad? Tienen muchas claves de acceso y muchos códigos secretos de entrada. Un buen lío. He descifrado algunos. Podría haberlos descifrado todos, pero he pensado que con algunos había suficiente. También he entrado en contacto con un grupo de doce científicos que trabajan en alguna parte que se llama El Pabellón de los Vigilantes de la Conciencia. Es un lugar blindado, inexpugnable, donde la gente se deprime mucho. Ha sido muy emocionante advertirles de que estamos aquí. Creo que al principio no me creían, aunque luego se han puesto muy contentos. Cuando habéis llegado, estaba a punto de consultar una cosa que llaman Oráculo, a ver cómo es. ¿Os importa si lo hago o tenéis otros planes?

—¿El Pabellón de los Vigilantes de la Conciencia? —repitió Níe—, ¿qué es eso?

—Una oficina de altísimo secreto. Tiene que ver con el malo tonto ese. Nigro Vultur —explicó Jan.

Níe y la ingeniera se miraron confusos. Los dos se dieron cuenta del error que habían cometido con Jan. Incluso parecían arrepentidos.

—¿Nos ayudarás a entrar?

Jan les miró, desafiante. Tenían el arrepentimiento dibujado en la cara. Y un poco de vergüenza, también, por haber sido tan idiotas.

—Hay varias entradas —dijo—. La mejor me parece la de la zona de servicios. Allí no hay centinelas, sino un sistema de vigilancia informatizado al que también he accedido. Utilizan un lenguaje un poco primitivo que domino bastante. Puedo cambiarlo todo, si queréis.

—¿Cambiarlo? ¿De qué forma?

La ingeniera no daba crédito a lo que estaba escuchando. Por primera vez se daba cuenta de que si hubieran hecho caso a Jan desde el principio, habrían ganado mucho tiempo.

—No sé… Puedo cambiar las cámaras de orientación, generar un bucle, anularlas, borrarlas… Un montón de cosas. ¿Qué os gusta más?

—Haz lo que te parezca mejor a ti —dijo Níe—, creo que nosotros ya hemos metido la pata bastante.

—Sinceramente, creo que lo mejor es cambiarlas de orientación para que no nos detecten. Cuando se trata de entrar a un lugar blindado, soy partidario de hacer siempre lo menos exagerado. Suele levantar menos sospechas.

—¿Alguna otra vez has entrado en algún lugar blindado? —preguntó sin salir de su asombro la ingeniera.

—¡Claro, muchas veces! Tengo un videojuego que trata precisamente de eso. Aunque me aburrí de no perder nunca y ahora llevo mucho tiempo sin jugar.

Dejaron que Jan se concentrara en la pantalla de su artilugio y esperaron pacientemente. Unos minutos después, el muchacho les miró triunfante, con una sonrisa de oreja a oreja y les dijo:

—¡Ya está! Es por allí. —Señaló a la izquierda y añadió—: ¿Esta vez me dejaréis acompañaros?

La puerta de acceso a las cocinas —dos naves oscuras repletas de cachivaches— estaba desbloqueada. Las cámaras habían sido orientadas hacia otras direcciones. Entraron en el Hangar de los Distintos como si fueran invisibles. Una vez dentro, Jan les guió hasta un montacargas.

—Por aquí —dijo.

El elevador se dirigió hacia abajo, no hacia arriba. Se detuvo en el subterráneo veinte. Las puertas se abrieron en un silencio absoluto mostrándoles un pasillo iluminado por fluorescentes y completamente pintado de blanco. Se parecía mucho al pasillo de una clínica. Comenzaron a recorrerlo a pasos cortos y precavidos.

Hasta que salió a su encuentro un hombre de mediana edad. Tenía barba gris y vestía una bata blanca de científico. Llevaba un casco metálico en la cabeza, sujeto con un candado bajo la barbilla. Tenía la alegría de verles pintada en el rostro y parecía estar a punto de llorar, dos emociones que contrastaban con su aspecto de hombre de ciencias.

—Es un gran honor para mí —dijo— darte la bienvenida al Hangar de los Distintos, Jan. Cuando he leído tu mensaje de correo electrónico, no me lo podía creer. ¡Llevamos tanto tiempo esperándote!

El hombre ni siquiera saludó a Níe ni a la ingeniera. Estaba tan emocionado con la llegada del pequeño talento de las máquinas que nadie más parecía importarle.

Echaron a andar hacia la puerta que se veía al fondo, una de esas de doble batiente, con ojos de buey en el centro, que recuerdan a la entrada de un quirófano. Antes de desaparecer tras ella, el hombre se volvió hacia los atónitos acompañantes y añadió:

—A esta parte sólo puede pasar él. —Puso la mano sobre el hombro de Jan—. Ustedes pueden esperar donde quieran. Hay un bar en la segunda planta. Allí no hay vigilantes, aunque me temo que sólo se sirven cápsulas y líquidos artificiales.

Senda (3)

Portadas por cuatro soldados cada una, que les transporta-
ban como si fueran las tres grandes presas de una cacería,
Eilne, Senda y Katliw Ibsan entraron en el gran salón de la
fortaleza de Géminis, ahora sumido en las más absolutas tinieblas.

—Solicitamos permiso para comparecer ante el Ser Supremo —dijo Eilne, convertida en cabecilla del grupo, a los
guardianes de la puerta principal.

Nada más pronunciar el nombre de las prisioneras, el permiso fue concedido. La comitiva se adentró solemnemente
sobre los suelos alfombrados y se detuvo, como mandaban las
normas, a veinticinco metros del sitial desde donde Nigro
Vultur esperaba acontecimientos.

—Colocadles los cascos —ordenó el cabecilla.

Dos soldados se acercaron con los casquetes metálicos y se
detuvieron a la espalda de las prisioneras.

—Un momento —ordenó el Supremo—, antes deseo que se identifiquen.

Senda habló primero, fiel a la memoria de una obediencia que no practicaba desde hacía bastante tiempo.

—Soy Número 5, Ser Supremo, aunque en este mundo me llaman Senda. Fui la soldado especial a quien vos encargasteis la tutela de los dos niños albos. Mi comando era el número...

—¡Sé perfectamente cuál era tu comando, Número 5! ¡Y no puedo decir que me alegre, precisamente, de volver a verte! A la niña la he reconocido nada más verla. ¿Quién es la mujer que te acompaña?

Katliw Ibsan no abrió la boca y, en cambio, cerró los ojos. Como si quisiera indicar que no estaba dispuesta a obedecer ninguna orden.

—Preséntate, Katliw. Por tu bien —susurró Senda, como si realmente estuviera muy preocupada.

—¡Silencio! —bramó el Supremo y, dirigiéndose a uno de sus soldados, dijo—: Convence a la prisionera para que hable.

El soldado ajustó el casco a la cabeza de Katliw Ibsan.

—¿Cómo te llamas? —le preguntó.

Pero la mujer continuó sin hablar.

—Paralizadla —ordenó Vultur.

En el acto, se oyó el zumbido eléctrico y Katliw quedó tiesa como un palo y con los ojos tan abiertos que parecían querer salir de sus órbitas.

Lo último que hizo la mujer antes de quedar inmóvil fue dirigirle a Eilne una mirada imperativa. Sus ojos parecían preguntarle: «¿A qué esperas? ¡Vamos, utiliza la esfera de Venus y terminemos con esto!». Pero la niña prefería esperar. Intuía que algo iba a ocurrir.

372

—Podría preguntarte de dónde has sacado a la idiota que te acompaña, Número 5, pero por fortuna Bat Lawinski ya me ha puesto en antecedentes de todo lo que ha ocurrido.

Nada más oír ese nombre, Senda se puso alerta.

—¿Está aquí Lawinski? —preguntó.

—Llegará pronto, según me ha dicho. Tiene ganas de reunirse con nosotros, porque le he prometido un gran espectáculo. ¿Te interesa saber cuál es?

Senda imaginaba la respuesta. Nigro Vultur no se hizo esperar:

—Tu ejecución y la de los tuyos. Comenzando por los mensajeros, por supuesto. ¿Tienes algo que decir antes de que Número 6 te paralice?

Nada más oír esa cifra, el corazón de Senda dio un vuelco. Vio a un soldado acercarse con el artilugio metálico en la mano y maldijo la oscuridad de aquel lugar. Por su culpa, no podía verle los ojos. El resto de su cuerpo estaba oculto bajo el pesado uniforme, incluida la máscara antigás, pero habría sido capaz de reconocer sus ojos aunque los hubiera visto entre un millón.

Intentó hacerle una seña a Eilne para que utilizara la esfera del planeta Venus, pero no pudo. No antes de que todo su cuerpo estuviera tan paralizado como el de Katliw.

—Cuando recuperes la movilidad, será para asistir a tu funeral, Número 5. Lamento ser tan brusco contigo, que llevas tantos años a mi servicio, pero no mereces otra cosa —añadió Nigro Vultur mientras indicaba con un gesto a Número 6 que continuara según lo previsto.

Para su desgracia, Número 6 no se puso frente a Senda, sino a su espalda. Ella sintió cómo le colocaba el casco sobre la cabeza y pensó: «Puede que esto sea el fin. Ya nunca voy a saber si es él o no».

Oyó el «clic» del interruptor seguido de otro pequeño crujido. Sintió un tirón en la parte trasera de su cabeza, como si el soldado hubiera manipulado el casco que acababa de ponerle. Pero no sintió nada desagradable. La corriente no llegaba a su sistema nervioso, y eso le pareció raro. Según sus cálculos, ya debería estar tan paralizada como Katliw.

Pero entonces oyó algo junto a su oído. Una voz rugosa que reconoció enseguida. Y eso que sólo pronunció una palabra y que lo hizo tan bajito que apenas pudo oírle.

Sólo dijo:

—Finge.

Se puso rígida. Intentó parecerse lo más posible a alguien que no puede mover ni un músculo. Abrió mucho los ojos. Tensó todos los miembros de su cuerpo. Por poco le da más de un calambre, pero podría haber sido de la emoción. Tenía los miembros quietos, pero su corazón iba más rápido que nunca.

¡Había encontrado a Número 6! ¡Ahora estaba segura de que era él!

Eilne se volvió para mirar a quien creyó su tía. La conocía lo suficiente para saber que algo raro estaba ocurriendo.

No tenía ni idea de que lo más sorprendente estaba aún por llegar.

Jan (11)

Jan entró en el Pabellón de los Vigilantes de la Conciencia y se sentó donde le habían indicado, frente al ordenador central. Antes de comenzar chasqueó los dedos, como hacía siempre que empezaba a jugar. A su alrededor, una docena de hombres con batas blancas le miraban perplejos.

Él también observaba con asombro la pantalla. Era enorme, y estaba llena de símbolos que no había visto jamás. La mayor parte eran desconocidos para él, pero entre los que sí le sonaban reconoció el icono de un navegador a través de internet: una «e» azul rodeada por un aro amarillo. Llevó las manos al ratón e hizo doble clic sobre el dibujo.

Los sabios murmuraron preguntas como: «¿Qué estará haciendo?», «¿No va muy rápido?» o «¿Habrá ido directamente a la red?».

En la pantalla aparecieron dos opciones:

1) Oráculo.

2) Conciencia.

—¿Qué es esto? —preguntó el chico, mirando a los científicos.

Nadie le dio una respuesta que le sacara de dudas. Lo único que le dijeron fue:

—Continúa.

Jan hizo doble clic sobre la primera opción.

Sobre un fondo negro aparecieron tres dibujos que parecían obra de un niño. Representaban conceptos sencillos: el amor (un corazón rojo), la fortuna (una montaña de monedas amarillas) y la salud (una inyección).

Una voz artificial, que pretendía ser cavernosa, sonó de pronto parta preguntarle:

—¿Cuál es el motivo de tu consulta, mortal?

Jan miró a los científicos. No entendía nada.

—¿Qué tengo que hacer? ¿Qué es esta tontería?

—Es el Oráculo —dijo alguien por fin—. La gente lo consulta cuando quiere saber qué le va a ocurrir.

—¿El Oráculo? Parece un programa bastante absurdo —dijo Jan—, ¿quién consulta esto? ¿Los niños de menos de dos años?

—Todo el mundo cree en internet —explicó otro—. Como si fuera la respuesta a todas las cuestiones importantes. Una especie de religión.

—Internet, una religión... —Jan negó con la cabeza, mientras aporreaba el teclado.

No tardó en darse cuenta de que el asunto no era una broma.

Uno de los hombres con bata blanca le explicó:

—Sólo los magistrados, al servicio de Vultur, pueden utilizarlo. Y sólo con fines religiosos. Hay largas listas de espera para hacerle consultas al Oráculo. La gente cree todo lo que dice.

—Es decir, que Vultur controla todas las decisiones importantes a través de la red —concluyó Jan.

—Ah… ¡Y si sólo fuera eso! —dijo alguno.

—Vamos a probar. —Jan apretó la primera de las opciones disponibles que, casualmente, era «amor».

Sonó una musiquita tan infantil como todo lo demás. Media docena de acordes dejaron paso a la voz cavernosa, que afirmó:

—Ten cuidado con aquel de quien te encariñas, porque la persona que más quieres te romperá el corazón —dijo.

Jan chasqueó la lengua.

—Menuda chorrada. ¿Cómo puede la gente creer en esta tomadura de pelo? —preguntó.

—No saben nada, pobrecillos. Están predispuestos a creer cualquier cosa —dijo alguien—. Ésa, precisamente, es la filosofía de Nigro Vultur.

—Pasemos a la otra opción. Y espero que sea más interesante —dijo Jan, volviendo al menú principal.

De nuevo estaban ahí las dos opciones:

1) Oráculo.
2) Conciencia.

Esta vez hizo doble clic en la segunda. Observó un momento antes de fruncir el ceño. Miles y miles de cifras se agolpaban en la pantalla.

—¿Qué es todo esto? —preguntó—, ¿quién tiene acceso a esta información?

—Nadie. Sólo el Ser Supremo.

—¿Ni siquiera vosotros?

Los científicos guardaron silencio.

—Es… es… es alucinante —murmuró Jan.

Antes de que pudiera comenzar a trabajar, una pequeña pantalla se abrió frente a sus ojos:

Descarga completa de conciencia número 21.890.564.
Correspondiente a un varón de 59 años.
Muerto por jubilación.

Jan leyó los datos en voz alta y luego preguntó:

—¿Qué significa esto? —preguntó.

—A los niños se les implanta un chip en el cerebro nada más nacer. Lo llaman el Chip del Bienestar, pero en realidad es un archivo que registra todas tus intenciones a lo largo de toda tu vida. Una especie de conciencia artificial. Al morir, todas las conciencias se vacían en internet. Nigro Vultur las revisa constantemente, y decide cuándo alguien debe ser eliminado en función de lo que piensa. Cuando morimos, ese material se vacía en la Gran Conciencia. Una gran base de datos que contiene todas las voluntades de los habitantes del mundo.

—¿Y el cuerpo? ¿Qué hacéis con el cuerpo cuando alguien muere?

—El cuerpo lo convertimos en proteínas y otras sustancias provechosas, que sirven de alimento a todos los demás. Pastillitas de colores. Es el ciclo de la vida —dijo uno de los científicos.

«Es un asco», pensó Jan antes de continuar:

—Habladme de la Gran Conciencia. ¿Dónde está?

Se hizo un silencio aterrorizado. Ninguno de los allí presentes se atrevía a desvelar el secreto mejor guardado.

—No lo sabemos. Pensamos que es un archivo encriptado que se ejecuta automáticamente. Desconocemos cómo se llega hasta él, pero tiene que estar por aquí.

—¿Y qué es, exactamente, la Gran Conciencia?

Otro silencio asustado.

Jan arrugó la frente. ¿Un archivo encriptado? Si lo que decían era cierto, él sería capaz de encontrarlo. Abrió un programa de búsqueda bastante simple y escribió: «Gran Conciencia». Mientras el ordenador buscaba, decidió resolver una duda:

—Si vosotros sabéis que está aquí y tenéis conocimientos de informática, ¿por qué no habéis buscado vosotros mismos ese archivo?

—Porque somos ciegos —dijo el de la barba blanca.

Jan se volvió a mirarles.

—No te habías dado cuenta, ¿verdad? Lo suponía. Ningún trabajador del Hangar de los Distintos puede conservar la vista. Ni los guardianes ni nosotros. Vultur es muy celoso de sus secretos —añadió.

No había terminado de pronunciar estas palabras cuando un nombre apareció en la pantalla: «Gran Conciencia». Ahí estaba.

—Y también un poco idiota —añadió Jan antes de hacer doble clic en el archivo.

Todos permanecieron a la expectativa.

—¿Qué es todo esto? ¿Teneis idea de la cantidad de información que hay aquí?—preguntó Jan nada más ver la cantidad de códigos a los que tendría que enfrentarse.

—Ése es el secreto mejor guardado de nuestro mundo —anunció uno.

Se abrieron varias pantallas más repletas de cifras y fórmulas. Estaban escritas en un lenguaje informático que había dejado de usarse hacía mucho tiempo. Casualmente, uno de los lenguajes que Jan mejor dominaba.

—¿Dónde estoy? ¿No piensa decírmelo nadie? —preguntó el chaval, cansado de tanto silencio.

—Creemos que te encuentras dentro del cerebro de Nigro Vultur —dijo el cabecilla del grupo de científicos—, que, por supuesto, se aloja en un servidor de internet.

—¡Hala! —exclamó Jan, entusiasmado—, ¿lo dices en serio? ¿Estoy dentro de la cabeza de ese animal?

Los científicos asintieron con gravedad.

Jan observó el entramado de datos que se ofrecía a sus ojos. No podía creer que algo en apariencia tan sencillo fuera la clave de todo. Echó un vistazo.

—¿Qué queréis que haga ahora?

—Pensábamos que tú sabrías lo que hay que hacer —dijo el de la barba. Parecía un poco decepcionado.

Jan sonrió sin pronunciar palabra y se llevó la mano al cuello, allí donde había tenido la idea descabellada de colgar su lápiz de memoria cargado de sorpresas.

Lo insertó en una de las ranuras de la computadora y murmuró:

—Vamos allá.

Senda (4)

Descarga completa de conciencia número 88.888.888.
Correspondiente a un varón de 88 años.
Muerto por virus muy peligroso.

El mensaje era una vulneración de las reglas, un encadenamiento de cosas imposibles, una provocación. Nigro Vultur se dio cuenta enseguida de que algo raro estaba pasando.

Frente a él, dos de las tres prisioneras habían sido paralizadas. Los soldados acababan de retirarse, y él se disponía a comenzar la sesión de tortura. Por Eilne, naturalmente. Nada le producía más placer que torturar personalmente a los rebeldes, sobre todo cuando le habían desobedecido abiertamente. Disfrutaba aplicando todo tipo de sofisticados sufrimientos, prolongando el final todo lo que podía. Aunque a veces perdía la paciencia y les freía el cerebro, sin más. En ese caso, las sesiones no eran tan divertidas.

El mensaje entró en ese preciso instante. Como su cerebro estaba conectado a la Gran Conciencia a todas horas, tenía acceso directo a cualquier información que entrara en el sistema. Solía analizarla en cuanto llegaba, siempre en busca de algún dato que pudiera servirle. En la memoria de las personas, incluso en la de seres tan insignificantes como sus súbditos, caben tantas cosas que es bueno tener un momento para analizar si hay algo que pueda ser de alguna utilidad. Y Nigro Vultur, como todos los tiranos presumidos e inútiles, nunca dejaba de buscar en la información obtenida por si había algo de lo que pudiera obtener algún beneficio.

En este caso, dio la orden a su cerebro de que analizara la información recibida. En un primer escaneo no detectó nada especial. Podía hacerlo mientras continuaba con sus actividades, sin que nadie se diera cuenta. Eso era lo realmente sorprendente: todo el mundo, por insípida que haya sido su vida, tiene algo que merece la pena saber. Un secreto, un desengaño, una duda, un padecimiento propio o ajeno, una pequeña traición… Aquel hombre que acababa de morir, y cuya conciencia acababa de ser volcada en el sistema, en cambio, no parecía haber conocido jamás la más mínima emoción, el más mínimo sobresalto.

Nigro Vultur estudió el caso con más detalle. Fue entonces cuando se dio cuenta de que aquello no era posible. Nadie de 88 años moría ya en la Tierra. Como mucho, todos eran reciclados a los 65. No se toleraba la vejez, la inutilidad. La gente mayor no tenía razón de ser. Y un hombre de 88 años era un verdadero inútil. Pero además… leyó su número de clave. Estaba compuesto sólo por el número 8. Era el ciudadano número 88 millones. ¡Y en la Tierra sólo había 40 millones y medio de personas! ¡Era imposible que existiera una numeración tan alta! Y si no existía, eso significaba que aquella cifra era un engaño. Una trampa, una traición, un…

Mientras se daba cuenta de lo que había ocurrido y pensaba en someter a las peores torturas a quien lo hubiera hecho, Nigro Vultur desconocía por completo que aquéllos eran los últimos pensamientos de su vida. Por lo menos fue coherente con sus principios: la última actividad cerebral del malvado estuvo a la altura de las circunstancias.

Eilne se dio cuenta de que algo extraño estaba pasando, pero no se atrevió a mirar al Ser Supremo directamente, por miedo a ser asesinada en el acto, como mandaban las reglas. Tuvo que conformarse con lo que estaba oyendo, que, por cierto, era cada vez más extraño.

Lo primero fue una especie de carraspeo. Como si a Nigro Vultur se le hubiera quedado algo en la garganta y no hallara un modo más delicado de quitárselo. Fue algo así como:

—Ejjjjjj-ejjjjjj-ejjjjjj-ejjjjjj.

Le siguió un cloqueo como de gallina:

—Clu-clu-clu-clu-clu-clu-clu-clu-clu-clu.

Y una especie de gruñido prolongado que finalizó con aquel concierto de sonidos incoherentes:

—Grrrrrrrrr-grrrrrrrrrr-grrrrrrrrrrrrr-grrrrrrrrrrrrr.

A continuación, la voz de Nigro Vultur sonó menos terrible que nunca cuando dijo:

—Hola a todos, soldados, prisioneros y cualquier habitante de cualquier planeta o tiempo. Yo, Nigro Vultur, ordeno

que en este mismo instante sean liberados todos los prisioneros. A partir de ahora todos somos amigos. El Clan de las Dos
Lunas ya no es peligroso. Repito: el Clan de las Dos Lunas ya
no es peligroso. Repito: Ordeno que en este mismo instante
sean liberados todos los prisioneros.

El mensaje debió de retransmitirse a todos los soldados a
través del sistema de comunicación interno porque de inmediato comenzaron a llegar hombres al gran salón principal de
la fortaleza de Géminis. Todos venían dispuestos a escuchar las
órdenes que Nigro Vultur tenía para ellos, pero tuvieron que
conformarse con oírle repetir las mismas palabras una y otra
vez, sin ninguna variación:

—Hola a todos, soldados, prisioneros y cualquier habitante de cualquier planeta o tiempo. Yo, Nigro Vultur, ordeno
que en este mismo instante sean liberados todos los prisioneros. A partir de ahora todos somos amigos. El Clan de las Dos
Lunas ya no es peligroso. Repito: el Clan de las Dos Lunas ya
no es peligroso. Repito: Ordeno que en este mismo instante
sean liberados todos los prisioneros.

Uno de los comandantes se acercó hasta el Supremo, le saludó al modo militar y le preguntó:

—¿Cuáles son las órdenes concretas, Ser Supremo? ¿Qué
debemos hacer con la grieta del tiempo y con todos los que
aún aguardan allí?

Pero Nigro Vultur, que tenía los ojos en blanco y una sonrisa estúpida dibujada en la cara, se limitó a repetir:

—Hola a todos, soldados, prisioneros y cualquier habitante de cualquier planeta o tiempo. Yo, Nigro Vultur, ordeno
que en este mismo instante sean liberados todos los prisioneros. A partir de ahora...

Senda dejó de disimular. Observó a Nigro Vultur. Ahora estaba tan rígido como Katliw Ibsan, sonreía, no se le veían las pupilas y no dejaba de repetir una y otra vez aquellas palabras. Estaba claro que algo había pasado. Algo estupendo, por cierto.

Con ayuda de Eilne y de Número 6, Senda libró a Katliw Ibsan del casco paralizante. No fue hasta después de que la mujer recuperara la movilidad cuando Senda reparó en que Número 6 estaba sonriendo. Y eso que aún no sabía nada de lo que estaba ocurriendo. No sabía, por ejemplo, quién era el que acababa de liberar al mundo de la tiranía del peor gobernante que se haya conocido jamás. Cuando conociera ese detalle, su alegría sería inmensa.

Arriba, en la torre, Número 9 y el resto de soldados de Vultur miraban el mar sin poder creer lo que veían sus ojos. Estaba amaneciendo, y bajo aquella luz cristalina de primera hora nada tenía un aspecto amenazador.

Ni siquiera Lawinski, que en aquellos momentos se acercaba en un ferry, dispuesto a celebrar el mayor triunfo de su vida. Lo que iba a encontrar en la fortaleza de Géminis no era exactamente lo que había previsto.

Muy lejos de allí, y no sólo en la distancia, en el Hangar de los Distintos todo eran gritos de júbilo. Miles de albos, por fin liberados del control de aquel que todo lo ve, desconectaban las vallas electrificadas y las barreras de rayos láser y pensaban en el exterior como en un horizonte posible.

Tórrido, pero posible.

EPÍLOGO:

INFORME DEL FIN Y DEL PRINCIPIO
(AÑO 2010)

Reunidos los miembros del Consejo del Clan de las Dos Lunas en la fortaleza de Géminis el día después de la Liberación, hemos llegado a los siguientes acuerdos:

En primer lugar, después de arduas votaciones y deliberaciones, el Consejo ha decidido que el Clan no regresará al futuro que corresponde a los mensajeros, en el año 3015. Esta decisión se basa en criterios de utilidad: no hay nada allí que los albos puedan hacer. Nada útil, se entiende. La Tierra está tan devastada que sólo es posible abandonarla para fundar una colonia en otro planeta (en este caso Venus). Y esa idea es contraria a la voluntad de la mayoría de los albos.

Como consecuencia de esta decisión, se elige una nueva época a la que viajarán todas las personas congregadas en la fortaleza de Géminis: el año 2010.

Las razones de esta elección son tres:

1) En el año 2010 aún estaremos a tiempo de prevenir la colisión del asteroide Ragnarok contra el planeta Venus, evitando así también la modificación de su órbita y su acercamiento a la Tierra, lo cual a su vez evitará la desertización de la Tierra y la extinción de todas las formas de vida (excepto una pequeña parte de los humanos y gran parte de los insectos).

2) Podremos recuperar a los compañeros que perdieron la vida en la fortaleza de Géminis por ayudar a los mensajeros a cruzar al otro lado. El Consejo sabe que esta decisión vulnera las normas, pero por esta vez ha decidido aprobar una excepción a las mismas.

3) No será necesario reconstruir las obras de arte ni evitar la quema de bibliotecas y museos, porque en ese momento de la historia todos ellos se encuentran intactos. El Clan de las Dos Lunas, como ha hecho siempre, trabajará para conservarlos. Y lo mismo cabe decir del conocimiento.

En tercer lugar, se ha fijado un lugar para establecer el cuartel general del Clan de las Dos Lunas: un edificio de nueva construcción que estará situado en la Isla de la Luna (ubicada en medio de la parte boliviana del lago Titicaca). Esa construcción tendrá la forma del símbolo de lo infinito. Albergará los archivos, los laboratorios, la biblioteca y todas las dependencias del Clan. Además, tendrá una zona habitable donde se instalará parte de nuestra comunidad. Los mensajeros, Eilne y Níe, y sus ayudantes más directos: los gemelos Lars y Erik, Johan y Ajhon, Oliva y Óvali, Irsa y Aris, los maestros de ceremonias, Jan, el soldado antes conocido como Número 9 (ahora Nemo), Katliw Ibsan y el soldado antes conocido como

Número 6 (ahora Ipso) y Senda. También tendrán su cuartel allí los científicos del Hangar de los Distintos, que podrán seguir realizando su trabajo de investigación ayudados por un grupo de colaboradores especializados (y dotados del sentido de la vista).

El cuarto punto aprobado en la reunión de hoy tiene que ver con los soldados que antiguamente formaron los comandos de elite del tirano Nigro Vultur. Se ha decidido que después de que reciban una formación completa (educación primaria, secundaria y universitaria) pasen a formar una guardia especial que proteja el nuevo cuartel general de la Isla de la Luna.

Después de una acalorada discusión, se decide informar a los habitantes del mundo de 3015 que se les permite utilizar la grieta del tiempo para trasladarse al año 2010. Los que acepten el viaje deben comprometerse a recibir una escolarización básica (educación primaria y secundaria).

Asimismo, se ha decidido enviar a Nigro Vultur de vuelta al año 3015, ya que su cerebro, afectado por un virus altamente destructivo, repite sin cesar un bucle de texto donde otorga la libertad universal a todos sus súbditos. Calculamos que, sometido a las condiciones climatológicas del punto de destino, su vida tiene una duración estimada de: 156 minutos, 29 segundos.

Se ha decidido que acompañe a Nigro Vultur en su último viaje su hombre de confianza, Bat Lawinski (en calidad de asistente personal).

Por último, el Consejo ha decidido clausurar la grieta del tiempo para que no pueda ser utilizada de nuevo, para lo cual mandamos desmontar piedra a piedra la torre de la fortaleza de Géminis y arrojar todos los fragmentos al mar.

*Esta novela se escribió en Mataró,
Montserrat, Turégano y Medellín,
entre agosto de 2006 y marzo de 2008*

Agradecimientos

A Deni Olmedo, por inventar para mí máquinas del tiempo (una de ellas está en estas páginas. El resto me las reservo).

A Sandra Bruna, por su apoyo, su paciencia, su confianza y su profesionalidad.

A Francesc Miralles, por entusiasmarse cuando más falta me hacía. Y por su amistad conjugada en todos los tiempos verbales.

A Ángeles Escudero, sin miedo a repetirme, por lo que ella y yo sabemos. Y también porque juntas, y en compañía de otros muy especiales, conocimos el castillo de Turégano, donde yo imaginé prisionero a Jan por vez primera. A pesar de que no hay localizaciones concretas en esta trama, creo que Ángeles reconocerá también los trigales y las arboledas de la novela como las que divisamos desde lo más alto de aquellas almenas en un día de agosto de 2006.

A Ignacio Sanz, por algunas localizaciones de exteriores. Y también por muchas horas de sabia conversación repartidas en algunos años de amistad y en diversos escenarios: Mollina, Madrid, Turégano, Segovia. En estas dos, por cierto, y a veces en su compañía, comenzó a fraguarse esta novela. Fue él quien me llevó a recorrer el camino de San Juan de la Cruz y quien me mostró la Ermita de la Cuz a la entrada de la ciudad del alcázar.

A Alicia Soria, que llegó conmigo no a la fortaleza de Géminis, pero casi, en un viaje islandés donde a veces hablamos de esta novela.

A los autores de algunas obras que resultaron inspiradoras: H. G. Wells, Arthur C. Clarke, Ray Bradbury, Robert Holdstock y Richard Matheson. Y a Julián Díez y César Mallorquí, que me pusieron tras su pista, y tras los de algunos más.

Y sobre todo, a Teresa Petit, por su pasión tan poco habitual, que en un principio dio aliento a esta historia y al final la hizo mucho mejor de lo que era.

Por último, a los lectores que se emocionan con las buenas historias.

Índice

PRIMERA PARTE
Las señas de la lechuza (año 2012)

SEGUNDA PARTE
Géminis (año 2012)

TERCERA PARTE
Infinito (año 1574)

CUARTA PARTE
Dos Lunas (años 2009 y 3015)